Ouder. Wijzer. Blonder.

LYNDA CURNYN

Ouder. Wijzer. Blonder.

Oorspronkelijke titel: Bombshell
Originele uitgave: Worldwide Library / Red Dress Ink,
Don Mills, Canada

Vertaling: Ingrid Zweedijk
Omslag: Catch, Bergen/Heemstede
Opmaak binnenwerk: Mat-Zet, Soest

Eerste druk juni 2006

ISBN-10: 90 8550 962 9
ISBN-13: 978 90 855 0962 2
NUR 302

www.mirabooks.nl

1

Wie naast een kwal gaat liggen, staat op met jeuk. (Jean Harlow)

Tot mijn verbazing bleek mijn relatie met Ethan ongeveer even sterk als het stukje latex dat ons scheidde.

'O, god,' zei hij, op me neerkijkend, vlak nadat hij was klaargekomen.

Wat in mijn beleving een gelukzalige blik was, bleek er echter een van panische angst te zijn.

'Wat is er aan de hand?' vroeg ik.

Hij zat op zijn knieën tussen mijn benen en bekeek me zo onderzoekend, dat ik me enigszins opgelaten voelde, ondanks het feit dat we al een halfjaar met elkaar omgingen en je toch wel kon zeggen dat we een relatie hadden.

'Het is, eh... weg,' stamelde hij op ongelovige toon.

'Weg?'

'Het condoom. Het is verdwenen. In jou.'

Geschrokken kwam ik overeind.

'Nee, nee, nee. Niet bewegen,' zei hij, met samengeknepen ogen naar me kijkend, alsof hij op het punt stond een operatie uit te voeren.

Met een zucht stapte ik uit bed.

'Wat ga je doen?' wilde hij weten.

'Het eruit halen,' antwoordde ik op weg naar de badkamer. Ik bleef er tamelijk kalmpjes onder. Misschien kwam dat doordat Ethan paniekerig genoeg voor twee reageerde. Zodra ik alleen in de badkamer was, sloeg de angst echter toe. Op de rand van het bad gezeten, ging ik – lichtelijk over mijn toeren, dat moet ik toegeven – op onderzoek uit. De opluchting die ik voelde toen ik het verdwaalde stukje latex eruit viste, was van korte duur. Want toen ik dat eens beter bekeek, ontdekte ik tot mijn afschuw die vervloekte scheur.

Ik leunde achterover tegen de tegelwand; mijn hoofd tolde van de wat-als-vragen. Op dat moment kwam ik tot de ietwat verbazingwekkende ontdekking dat de voornaamste reden voor mijn verontrusting – de kans dat Ethan en ik... dat wil zeggen, het idee van een baby – niet eens zo heel erg verontrustend was.

Ik was nu vierendertig. Ik werkte als senior productmanager bij Roxanne Dubrow Cosmetica en verdiende een smak geld. Ik had een behoorlijk chic eenkamerappartement in de Upper West Side. Als ik er nú niet aan toe was, dan...

Goed, de timing mocht dan niet helemaal perfect zijn. Binnenkort zou ik namelijk beginnen aan een grote reclamecampagne voor Roxanne Dubrow, die mijn carrière hopelijk in sneller vaarwater zou brengen. En dan had ik Ethan nog. Het ging allemaal prima tussen ons, maar een baby?

Ik probeerde me voor te stellen hoe Ethan, met zijn krijtstreeppak en brilletje met ragfijn montuur, een kind knuffelde. Dat leverde in eerste instantie een nogal eigenaardig beeld op. Het enige wat ik kon bedenken, was de afschuw die van zijn gezicht viel te lezen omdat het denkbeeldige kind zijn ontbijt deponeerde op zijn stropdas van Italiaanse zijde. Vervolgens hulde ik Ethan in gedachten in een T-shirt en spijkerbroek, posteerde hem in een weelderige tuin in een buitenwijk, waar hij een bal gooide naar een klein vlasblond jongetje, en plotseling begon er een warm gevoel door me heen te stromen, dat me volkomen overrompelde. Dit zou ik best aankunnen – als het moest...

In deze, op het oog, kalme gemoedstoestand liep ik terug naar de slaapkamer.

Ehtan zat rechtop in bed en keek me verwachtingsvol aan. Hoewel hij nog steeds naakt was, had hij zijn bril opgezet, waardoor ik het bijna uitproestte. Waar lag dat toch aan, dat een blote man met een bril op er zo komisch uitzag, vroeg ik me af, terwijl ik me opgewekt naast hem op bed liet vallen. Tot ik opkeek naar Ethans knappe gezicht, zijn normaal gesproken koele grijze ogen bestudeerde en zag dat de paniekerige blik daar nog steeds niet uit verdwenen was.

'En?' vroeg hij, me strak aankijkend.

O, ja. Het condoom. Nu herinnerde ik me die kwestie weer. De kwestie die tien minuten geleden nog dezelfde panische angst in mij zou hebben opgeroepen als ik nu in Ethans ogen zag.

'Ik heb het gevonden,' antwoordde ik. Toen ik mijn blik op zijn gewoonlijk zo aanbiddelijke gezicht liet rusten, viel me ineens op hoeveel hij weg had van een hamster wanneer hij nerveus was; die getuite lippen en die loensende ogen. Vlug draaide ik me om om mijn gezicht in het kussen te verbergen, zodat hij de grijns die om mijn mond speelde, niet zou zien. Per slot van rekening wilde ik niet dat hij zou denken dat ik niet ongerust was. Dat was ik namelijk wel – op een bepaalde manier.

Zodra ik mezelf weer in de hand had, biechtte ik op: 'Het was... gescheurd.'

'Geschéúrd?'

Over mijn schouder heen keek ik hem aan. 'In de lengte.' Vervolgens haalde ik mijn schouders op, alsof ik wilde zeggen: zulke dingen gebeuren nu eenmaal.

Ik voelde dat hij uit bed stapte, hoorde dat hij de slaapkamer uit en de woonkamer door stiefelde, wist wanneer hij de badkamer had bereikt, waar zich in de nepmarmeren prullenbak het belastende bewijs bevond.

'O, god,' hoorde ik hem nog een keer zeggen.

De pijnlijke steek die zijn uitroep me bezorgde, overviel me. Ik wist dat we dit niet hadden gepland. Dit was nooit onderwerp van gesprek geweest tijdens onze wandelingen bij maanlicht en intieme dineetjes in de beste restaurants van New York. Toch had ik nooit verwacht dat Ethan zou reageren alsof ik een geslachtsziekte op hem had overgedragen. Wat was er nu eigenlijk zo verschrikkelijk aan het idee dat wij samen een kind konden krijgen?

Tegen de tijd dat hij terugkwam in de slaapkamer en in zijn volle bebrilde naakte glorie voor me stond, was ik nijdig.

‘Wat gaan we doen?’ vroeg hij.

‘Doen?’

‘Misschien moet je, eh... even spoelen of zo.’

‘Of zo,’ herhaalde ik, mijn stem druipend van sarcasme.

‘Hé, is er niet zo’n pil? Hoe heet die ook al weer? Die is speciaal voor noodgevallen zoals deze,’ begon hij, terwijl de gestreste uitdrukking op zijn gezicht plaatsmaakte voor een hoopvolle. ‘Ja, de morning-afterpil. Hoe komen we aan zo’n ding?’

Plotseling onderging de hamster een metamorfose; hij veranderde in een rat. Ik vroeg me af wat me ooit zo had aangetrokken in Ethan Lederman de Derde, zoals hij zichzelf altijd noemde als hij na een paar martini’s blaaskakerig werd.

Het volgende moment veranderde zijn gezichtsuitdrukking weer, alsof hem iets te binnen was geschoten. Wat dat iets was, werd al snel duidelijk toen hij naast me op het bed knielde. ‘Het spijt me, Gracie, het was niet mijn bedoeling... Het is niet dat ik niet wíl... Dat wil zeggen... samen een kind krijgen kan gewoon niet. Voor mij, althans. Het past niet in mijn plannen...’

Het was echter al te laat. De muur was al opgetrokken, dik en ondoordringbaar. Dus deed ik het enige wat

een zichzelf respecterende vrouw kon doen.
Ik wees hem de deur.

'Heb je het uitgemaakt met hem?' vroeg Lori, die me vanachter haar bureau verbijsterd aangaapte.

'Van het uitmaken was geen sprake,' antwoordde ik. Meteen had ik er spijt van dat ik dit nieuwtje aan mijn assistente had verteld, die me had gevraagd hoe mijn zaterdagavond met Ethan was verlopen zodra ik een voet in het kantoor had gezet. Met een schouderophalen dat hopelijk onverschillig genoeg overkwam, had ik er op montere toon aan toegevoegd: 'Hij is verleden tijd.'

Nu realiseerde ik me dat ik me had laten verlokken tot een gesprek dat ik niet wilde voeren. In een poging om Lori van het onderwerp af te brengen, zette ik de papieren tas die ik bij me had, op haar bureau. 'Raad eens wat ik voor ons heb meegenomen?' zei ik, terwijl ik een van de twee megamuffins die ik had gekocht, tevoorschijn haalde. 'Je lievelingssmaak: banaan met stukjes chocola,' ging ik onverdroten verder.

'Bedankt,' mompelde ze, de muffin die ik spontaan had meegenomen, amper een blik waardig keurend.

Het was de laatste tijd zo hectisch op kantoor, dat ik had besloten dat we wel een kleine traktatie konden gebruiken. De hoge pieten bij Roxanne Dubrow, het cosmeticahuis waarvoor we ons allemaal het vuur uit de sloffen liepen, had twee tot drie keer per maand vergaderingen gehouden, allemaal onder het mom van een nieuwe productlijn en – hopelijk – hogere winstmarges. Hoewel mijn baas, Claudia Stewart, onder de grootste druk stond, omdat zij werd geacht met het nieuwe Fantastische Idee op de proppen te komen, kwam het leeuwendeel van het werk meestal op Lori's schouders terecht, aangezien Claudia en ik haar deelden sinds Jeannie, Claudia's eigen assistente, met zwangerschapsverlof was gegaan. Soms voelde ik me schuldig. Tenslotte was Lori drieëntwintig en verdiende ze een derde van wat ik verdiende – en waarschijnlijk een kwart van wat Claudia verdiende.

'Wat is er dan gebeurd?' vroeg Lori, die opsprong om een pot koffie te zetten.

Met een zucht mikte ik mijn tas op een lege stoel en trok het zomerjasje uit dat ik op deze koele septemberochtend wel over mijn outfit had moeten dragen, voordat ik naar de garderobe liep om het op te hangen. Wat viel er te vertellen? Dat ik me had gerealiseerd dat Ethan een egoïstische eikel was die alleen maar om zichzelf gaf? Dat de kans bestond – een heel kleine, weliswaar – dat ik het kind van die druiloor droeg? Dat die brave Ethan bij het idee alleen al dat hij iets moest delen dat het niveau van lichaamssappen ontsteeg, bijna de filet mignon, die hem een rib uit zijn lijf had gekost, in zijn Italiaanse mocassins had gedeponeerd, die hij onder mijn bed had geparkeerd?

Ze was te jong om de waarheid aan te horen. Daarvan zou ze alleen maar gedesillusioneerd raken. En omdat ik stellig geloofde dat een vrouw op zijn minst een paar illusies nodig had om in deze geweldige stad nog iets van een romance te kunnen beleven, loog ik.

'Hij heeft een baan aangeboden gekregen,' improviseerde ik voor de vuist weg. 'In Fiji.' Mijn mond vertrok bijna tot een grimlachje, toen ik me Ethan probeerde voor te stellen, die met zijn bleekwitte huid en zweterige voorhoofd werd blootgesteld aan een tropisch klimaat. Wat had ik ooit in die man gezien?

'Hebben ze daar wel accountantskantoren?' vroeg Lori verbijsterd.

'Hij, eh... gaat voor zichzelf beginnen.'

'O,' zei ze, me onderzoekend aankijkend. Ze draaide zich om naar het koffiezetapparaat, maar ik kon de radertjes in haar hoofd bijna horen draaien. Nadat ze twee mokken had ingeschonken, gaf ze er eentje aan mij.

In de hoop de aftocht te kunnen blazen met mijn muffin en mijn gezond verstand intact, bedankte ik haar voor de koffie en begon naar mijn kantoor te lopen. Voordat ik dat had bereikt, klonk haar volgende vraag echter al.

'Heeft hij je niet gevraagd om met hem mee te gaan?'

In de deuropening bleef ik staan, beseffend dat ik me op een hellend vlak had begeven met dit verhaal dat bedoeld was om te voorkomen dat ik me op een hellend vlak zou begeven. 'Hij, eh... wilde schoon schip maken,' zei ik, me realiserend dat die woorden veel meer op mij van toepassing waren.

'Jij bent de koningin van de preventieve breuk,' liet Claudia nooit na me te vertellen, omdat ik er een handje van had om zonder veel omhaal van woorden mijn man van het moment aan de kant te zetten, voordat de man in kwestie hetzelfde in zijn hoofd kon halen.

Met dit antwoord leek Lori genoegen te nemen, want ze ging achter haar bureau zitten, waar ze peinzend een stukje chocola van haar muffin plukte.

Toch voelde ik me niet helemaal gerustgesteld bij het zien van haar bezorgde uitdrukking. Ik hurkte neer bij haar bureau. 'Gaat het?' vroeg ik.

Bevestigend knikte ze. 'Prima. Ik dacht alleen dat jij en Ethan... nou ja, voor elkaar bestemd waren,' zei ze, waarna ze begon te blozen. 'Waarschijnlijk ben ik gewoon een dwaze romanticus, hè?' Ze dwong zichzelf tot een lachje waaraan haar ogen niet meededen.

Gelukkig kwam Claudia op dat moment binnenstormen, zodat ik geen gevaarlijke gedachtekronkels hoefde proberen te volgen. Door de manier waarop Claudia langs raasde, ons amper een blik waardig keurend, wist ik dat ze niet in een goed humeur was. Wat niet veel goeds voorspelde voor Lori... of voor mij.

Ik besloot de koe bij de horens te vatten. Nadat ik Lori's hand even een geruststellend kneepje had gegeven, liet ik mijn ontbijt op haar bureau staan en toog naar Claudia's kantoor, dat tegenover het mijne lag.

'Hé,' begroette ik haar vanuit de deuropening.

Claudia had haar jas al op de lage zwarte bank gemikt, die langs de ene muur stond, en bekeek zichzelf inmiddels kritisch in de spiegel, die aan de andere muur hing. Aan de manier waarop ze haar lange superslanke, in het zwart gehulde figuurtje bekeek, kon je zien dat ze niet tevreden was met wat haar spiegelbeeld haar voorschotelde, hoewel ze er als altijd tiptop uit zag.

'Hoe was het badderen met de bobo's?' vroeg ik.

Claudia was net terug van een exclusief kuuroord in Zwitserland, waar ze, halfnaakt nippend van bronwatertjes, aan vergaderingen had deelgenomen over de toekomst van Roxanne Dubrow Cosmetica. Hoewel het bedrijf er prat op ging dat het de oudere rijkere doelgroep aan zich wist te binden, waren de verkoopcijfers de laatste tijd teruggelopen. Dus had Dianne Dubrow, president-directeur en dochter van de oprichter van het bedrijf, bedacht dat een weekje brainstormen in een Zwitsers kuuroord met al haar topmanagers een nieuwe briljante koers voor het bedrijf zou opleveren – en in elk geval een hoger kader dat volledig in de watten was gelegd.

Alleen had Claudia kennelijk niet zoveel baat gehad bij dit verwenweekje. Met een ontevreden trek om haar mond streek ze met een pas gemanicuurde hand over haar lange donkere haren, waarna ze achter haar bureau ging staan om even kwaad naar het glanzend zwarte blad te staren, voordat ze opkeek.

Van top tot teen nam ze me op, van mijn blouse en mijn broek met wijd uitlopende pijpen tot mijn puntige pumps, alsof ze een kwaliteitscontrole uitvoerde. Aan dit soort keurende blikken had ik nooit kunnen wennen, ondanks het feit dat ze dit tamelijk regelmatig deed. Het was net alsof Claudia dan beoordeelde of ik wel aan de hippe kledingvoorschriften voldeed die bij het vermaarde Roxanne Dubrow golden. Of op zijn minst probeerde in te schatten of ik geschikt was om als vertrouwelinge, als vriendin zelfs, te fungeren. Dat deed ze namelijk altijd als dingen niet gingen zoals zij wilde.

'Er zou een drieletterwoord voor schoonheid moeten bestaan,' zei ze uiteindelijk.

'Vertel op,' spoorde ik haar aan, terwijl ik in de stoel tegenover haar ging zitten om aan te horen wat voor grandioze nieuwigheidjes de bedrijfsleiding nu weer had bedacht.

Zuchtend staarde ze uit het raam, dat een weids uitzicht op de skyline bood. 'Ze hebben het nieuwe gezicht voor Roxanne Dubrow gekozen,' zei ze, zich weer naar mij omdraaiend. 'Ze is zestien.'

'Wát?' riep ik verbluft uit. Roxanne Dubrow richtte zich op de rijpere vrouw. Eigenlijk was Priscilla, het gezicht van vorig jaar, met haar vijfentwintig jaar al een beetje te jong. 'Ik snap er niets van. Hoe willen ze hun slogan SCHOONHEID NA JE DERTIGSTE aan de vrouw brengen met een zestienjarige?'

'Dat is het nu juist,' reageerde Claudia. 'Roxanne Dubrow gaat een nieuw imago creëren. Een nieuw jónger imago.' Ze snoof. 'Waarschijnlijk is het alleen maar een kwestie van tijd voordat ze ons ook vervangen door een paar zestienjarigen. Want wie kan een vrouw nu beter vertellen hoe ze eruit moet zien dan iemand die is afgestudeerd in de hogere peroxidekunde?'

'Hm...' Ik vroeg me af of dat jongere imago Claudia misschien persoonlijk zorgen baarde.

Met haar donkere ogen en glanzende bruine haren, die ze op haar tweeënveertigste nog over haar schouders durfde te dragen, was ze een beeldschone vrouw. Leeftijd was echter iets wat haar ongelooflijk bezighield.

'Vertel eens waar dat kind net over zat te jengelen,' zei ze, mijn vermoedens bevestigend. Al vanaf de dag waarop ik Lori anderhalf jaar geleden rechtstreeks uit de schoolbanken had aangenomen, had Claudia een hekel aan haar. Volgens mij had dat niets te maken met haar werk, maar alles met het feit dat Lori jonger was dan Claudia waarschijnlijk ooit was geweest.

'O, gedoe met vriendjes,' antwoordde ik vaag.

'Arm schaap,' luidde haar sarcastische commentaar. 'Heeft Joris Goedbloed iemand anders ontmoet in de zandbak?'

Omdat ik wist dat Claudia op het punt stond haar woede over de nieuwe koers van de hoge pieten bij Roxanne Dubrow op Lori af te reageren, besloot ik iemand met een iets dikkere huid te slachtofferen. Mezelf. 'Ik heb het uitgemaakt met Ethan.'

Dit leverde een opgetrokken wenkbrauw op. '*Pourquoi*, schat? Vertel, vertel.'

'Ik kwam erachter wat een egocentrische etterbak hij is.'

Gevolgd door een lachje. 'O, Grace, je wilt me toch niet vertellen dat je er – hoe lang heeft jullie relatie geduurd, een halfjaar? – over hebt gedaan om dáárachter te komen?'

'Tja, ach. Kennelijk begin ik milder te worden op mijn oude dag,' antwoordde ik.

Onderzoekend nam ze me even op, waarna haar zorgvuldig gestifte lippen zich tot een boosaardige grijns krulden. 'Helaas voor Ethan. En weer een ongelukkig slachtoffer van Graces bijltjesdag.'

'Hou op,' zei ik, bang dat ze wel eens gelijk kon hebben. In gedachten liep ik snel het lijstje na van mijn meest recente vriendjes.

Voor Ethan in beeld was gekomen, had ik iets gehad met Drew, die net zo begerenswaardig was als Ethan had geleken, maar zich emotioneel absoluut niet kon binden, zo had ik ondervonden. Net als Ethan, had Drew het maar een halfjaar gered. Een halfjaar zou trouwens wel eens mijn record kunnen zijn na Kevin, mijn vriendje op de universiteit, die ik ruim twee jaar om me heen had geduld, voordat ik hem de bons had gegeven. Destijds was ik tamelijk harteloos geweest, bedacht ik, ineenkrimpend bij de herinnering aan de T-shirts, cassettebandjes en boxershorts, die Kevin in mijn kamer had laten slingeren en die ik toen in de hal in zijn studentenflat had gedumpt, vlak voordat ik was afgestudeerd. Intuïtief voelde ik namelijk aan wanneer een vriendje het met me wilde uitmaken, en ik laat me van-zijn-lang-zal-ze-leven niet door een man aftroeven. De enige keer dat dat is gebeurd, was met mijn vriendje op de middelbare school, die mij aan de kant had geschoven voor een cheerleader, in een vergeefse poging om stemmen binnen te halen voor zijn verkiezing tot koning van het schoolbal. Dat had hij echter moeten ontgelden met een paar bijtende opmerkingen van mij, in aanwezigheid van het gehele footballteam. Want zelfs op de prille leeftijd van zestien jaar had ik de kunst al verstaan om een man bij de enkels af te zagen.

'Hij had het verdiend,' begon ik, totdat ik me realiseerde dat ik de reden van mijn verbroken relatie met Ethan kost wat kost voor Claudia moest verzwijgen. Want hoewel, statistisch gezien, de kans maar zeer klein was dat het ongelukje tot een zwangerschap zou leiden, wilde ik mijn baas geen stof tot nadenken geven. Dat ze haar assistente moest missen door het babyvirus was al erg genoeg. Als haar senior productmanager met zwangerschapsverlof ging tijdens Roxanne Dubrows grote nieuwe reclamecampagne, zou dat in haar ogen gelijk staan aan hoogverraad.

Gelukkig had ze zelf ook wel het een en ander tegen Ethan. 'Hij gebruikte veel te veel haarproducten. Wat was de bedoeling van die Brylcreem-look waarmee hij die ene avond bij het diner verscheen?' vroeg ze, doelend op een van de weinige keren dat ik mijn bitse baas en mijn gesoigneerde vriendje in één ruimte bij elkaar had gelaten.

'Ik geloof dat hij Antonio Banderas in The Mask of Zorro voor ogen had.'

'Hij had meer weg van Pee Wee Herman op zijn nieuwste avonturen.'

Ik schoot in de lach. Ik kon er niets aan doen. 'Hij had meer gezichtsverzorgingsproducten in zijn medicijnkastje dan er in ons assortiment voor deze winter zit.'

'Er bestaat echt niets ergers dan een man met meer schoonheidsproducten dan een vrouw.'

'Absoluut niets,' beaamde ik, waarna we het allebei uitproestten. Ons geschater echode door Claudia's kantoor.

Totdat ik me herinnerde dat er wel degelijk iets ergers bestond dan een man die verslaafd was aan huidverzorgingsproducten. Dat was namelijk geen man.

'Seks kan ik voortaan wel vergeten,' verzuchtte ik.

'Alsjeblieft, zeg. Alsof een blonde vamp zoals jij zich dáárover ooit zorgen heeft hoeven maken,' zei ze.

Ze had gelijk, besefte ik, toen ik een even later opstond om terug te gaan naar mijn eigen kantoor. Op weg naar de deur wierp ik een vluchtige blik in de spiegel, wat mij weer nieuwe moed gaf. Dat was ik, Grace Noonan: blond, rondborstig en single voor ongeveer de zesde keer in net zoveel jaren. Kwam dat doordat een blondine van één meter vijfenzeventig met cup C en benen tot aan haar oksels het zich kon permitteren om kieskeurig te zijn? Of kwam het doordat ik het me niet kon permitteren om dat niét te zijn?

Het antwoord daarop kreeg ik toen ik Claudia's kantoor uit liep en tot mijn ontzetting zag dat Lori probeerde snel de tranen weg te vegen die over haar wangen stroomden.

Geschrokken rende ik naar haar toe. Ik hurkte neer naast de stoel waarin ze met over elkaar geslagen armen zat. 'Lori, liefje, wat is er aan de hand?' vroeg ik.

'Het s-spijt me z-zo, Grace,' stotterde ze. 'Ik dacht gewoon dat, je weet wel, sommige mensen voor elkaar bestemd waren.'

Opnieuw barstte ze in tranen uit; een ware vloedgolf die mij, eerlijk gezegd, verbijsterde. Maar omdat ik solidair wilde zijn met een seksegenote in nood, nam ik haar hand in de mijne.

'Lori, schat, zo erg is het niet. Tussen Ethan en mij... liep het toch al niet zo lekker meer,' begon ik aarzelend. 'We zijn alle twee, eh... heel anders. Het had nooit wat kunnen worden.'

Lori snifte eens, waarna ze haar blik op mij richtte. 'Ik dacht... Ik dacht dat hij de... ware was,' stamelde ze. Vervolgens, alsof de gedachte alleen al dat Ethan Lederman de Derde niet de prins op het witte paard was, haar te veel werd, liet ze een nieuwe stortvloed van tranen de vrije loop.

Hoewel ik stomverbaasd was over dit plotselinge emotionele vertoon om een man die zich de naam van mijn assistente niet eens kon herinneren, terwijl ze zijn telefoontjes toch dagelijks doorverbond naar mij, sloeg ik mijn armen om haar heen.

Toen ik Lori daar zo troostend over haar rug zat te wrijven, vroeg ik me af of ik misschien niet wat overhaast te werk was gegaan met Ethan. Tenslotte liet ik me inderdaad nooit aftroeven door een man in het hele uit-elkaar-gaan-scenario, waardoor ik meer zaterdagavonden in mijn eentje doorbracht dan me lief was. Luisterend naar Lori's gemurmel tegen mijn nu door tranen bevlekte zijden blouse over ware liefde en zielsverwanten, begon ik echter te vermoeden dat haar klaagzang helemaal niet over Ethan en mij ging.

Ze hief haar hoofd op, staarde me met roodomrande ogen aan en zei vervolgens: 'Ik weet dat het pas anderhalf jaar duurt, maar ik geloofde echt dat hij de ware was...'

Nu wist ik honderd procent zeker dat deze hele vochtige vertoning niets met Ethan en mij te maken had. Onze relatie had namelijk maar een halfjaar geduurd.

'Wat is er aan de hand met jou en Dennis?' vroeg ik, haar doordringend aankijkend.

'O, Gracie, hij heeft zich ingeschreven bij een hogeschool. In... Londen! Ik weet dat hij dit al een eeuwigheid wil, maar ik dacht... Nou ja, ik weet gewoon niet wat er nu met ons gaat gebeuren!'

Toen ik mijn armen in een troostende omhelzing om Lori heen sloeg, gebeurde er iets wat ik al lang niet meer had meegemaakt: diep vanbinnen voelde ik een hunkering. Naar het soort liefde dat een gebroken hart kon veroorzaken. Naar de moed om daarnaar op zoek te durven gaan.

2

Harde vrouwen bestaan niet, alleen zwakke mannen. (Raquel Welch)

Hoewel ik de kunst van het uitmaken inmiddels onder de knie had, was ik nog steeds niet opgewassen tegen de nasleep ervan. Niet dat ik er spijt van kreeg. Ik was niet het type vrouw dat om een man ging zitten huilen. Met die dingen kon ik prima omgaan. Waar ik moeite mee had, waren alle anderen.

Zoals mijn vriendin Angela bijvoorbeeld.

'Gracie, wat is er nu in vredesnaam weer gebeurd?' vroeg ze toen ze me eindelijk aan de telefoon kreeg, die ik angstvallig had vermeden.

Ik belde nooit vriendinnen in de periode vlak nadat ik het uit had gemaakt. Dan moest ik veel te veel uitleggen, terwijl er eigenlijk niet zoveel viel uit te leggen. Bovendien had ik een bloedhekel aan vrouwen die relaties tot in de kleinste details willen analyseren. En hoewel ik dol was op Angie – al sinds ik met haar oudere broer ging in het jaar dat we samen op Marine Park Junior High in Brooklyn zaten – leed zij ook aan dit typisch vrouwelijke kwaaltje.

Ik gaf haar de notendopversie.

'Klootzak,' zei ze, een kort en bondig oordeel over Ethan vellend. Ik kon er in elk geval altijd op rekenen dat Angela het met me eens was, zodra ze over de feiten beschikte. Van haar hoefde ik niets van een man te accepteren wat niet onder het kopje 'aanbidding' viel, nu ze zelf gesetteld was met haar eigen toegewijde partner, haar huisgenoot en beste-maatje-gepromoveerd-tot-minnaar, Justin. Uiteraard was ze ook niet van plan om iets onbenulligs als een van mijn zoveelste verbroken relaties ongemerkt de revue te laten passeren. 'Ik kom naar je toe.'

'Nee!' gilde ik, waarna ik me realiseerde dat ik met mijn botte afwijzing van haar opvatting over de troostende vriendin waarschijnlijk haar gevoelens had gekwetst. Dus bond ik wat in. 'Ik bedoel, ik ben moe. Morgen heb ik een hectische dag op kantoor...' Het laatste waar ik behoefte aan had, was getroost en vertroeteld te worden. Met mij ging het prima, echt waar. Ik voelde me bijna... opgelucht. Ik verkeerde weer in de omstandigheid die me het beste lag. Alleen.

Omdat ik wist dat ik niet zou kunnen ophangen zonder in te stemmen met minstens een uur lang meelevend gekir en verbaal prijsschieten op Ethan, stelde ik uiteindelijk voor om op donderdag iets met haar te gaan drinken.

Omdat er nog één andere persoon was tegenover wie ik me min of meer verplicht voelde om op zijn minst globaal te vertellen wat er in mijn leven gebeurde, belde ik vervolgens mijn moeder.

Zoals gewoonlijk werd het mij weer niet vergund om met haar alleen te spreken, want zodra ze mijn stem had herkend, dirigeerde ze mijn vader naar de telefoon. 'Thomas, schat, neem het extra toestel op. Gracie is aan de telefoon!'

Vier jaar geleden waren mijn ouders naar hun droomhuis vlak buiten Albuquerque in New Mexico verhuisd om van hun pensioen te gaan genieten, en hoewel ik hun dat van harte gunde, had ik sindsdien geen vertrouwelijk gesprek meer met mijn moeder gevoerd. Misschien dat ze het, met haar aangeboren zuinigheid, als verkwisting zag om een interlokaal gesprek slechts met zijn tweetjes te voeren, maar elk telefoontje van mij leek ze als een wonderbaarlijke gebeurtenis te beschouwen die ze mijn vader beslist niet wilde onthouden. Of misschien kwam het gewoon doordat ze alles met mijn vader deelde. Onder het genot van een wijntje, dat steevast een dromerige blik in haar ogen en een nostalgische stemming opriep, had ze me vaak genoeg verteld dat hij de liefde van haar leven was.

'Grace?' galmde de bariton van mijn vader door de lijn, een stem die tot aan zijn pensioen de studenten die zijn colleges hadden gevolgd, met ontzag had vervuld.

'Hé, pap,' begroette ik hem, terwijl mijn mondhoeken zich tot een schoorvoetend lachje krulden. Niet dat ik niet graag met mijn vader praatte, maar relaties die waren stukgelopen op iets wat zich tussen de lakens had afgespeeld, waren nu eenmaal niet iets waarover ik mijn hart bij hem uitstortte.

Dus omschreef ik het ter ziele gaan van onze tweeeenheid als een weloverwogen beslissing. 'We zaten niet echt op één lijn,' zei ik, wat waarschijnlijk nog waar was ook. Ik bedoel, ik wilde echt graag een baby. Ik was er altijd van uitgegaan dat ik moeder zou worden – ooit. Hoe diep dat verlangen zat, had ik me die ene avond echter pas gerealiseerd. Gek toch dat een stukje gescheurd rubber zo'n... inzicht kan opleveren.

'Het is maar goed dat je daar nu achter komt, Grace, in plaats van later,' zei mijn moeder, waarmee ze mijn laatste mislukking op relatiegebied omtoverde tot een meesterzet van mijn kant, iets waar ze zeer bedreven in was. Hoewel ze al vanaf haar vijfentwintigste gelukkig getrouwd was met dezelfde man, leek ze voor mij een ander recept voor een gelukkig leven te hebben. 'Bovendien heb je nu een carrière waar je voor moet gaan,' zei ze, zoals ze me al vanaf de dag waarop ik drie jaar geleden de functie van senior productmanager bij Roxanne Dubrow had weten te bemachtigen, op het hart drukte.

In haar ogen was ik de zelfstandige carrièrevrouw die ze zelf nooit was geweest. Vanaf haar negende had mijn moeder cello gestudeerd en ervan gedroomd ooit in een symfonieorkest te spelen. Die droom had ze opgegeven na haar huwelijk met mijn vader, toen ze genoegen had genomen met een baan als muzieklerares op een middelbare school. Haar overtuiging dat vrouwen in de eerste plaats trouw aan zichzelf en hun eigen doelen moesten blijven, had ze echter altijd fier overeind gehouden. Keer op keer zei ze tegen me dat ze apetrots op me was dat ik dat in de praktijk bracht. 'Als de meiden van Hewlett High je nu eens konden zien,' zei ze dan, doelend op mijn opstandige puberteit en ietwat wilde reputatie. Als in mijn jaarboek ruimte gereserveerd was geweest voor een persoonlijke noot, dan had het onderschrift bij mijn foto geluid: 'Meisje dat gedoemd is om eigenhandig haar leven te ruïneren.'

Toch was ik nu een lichtend voorbeeld geworden. Mondain. Succesvol. Een vrouw van de wereld.

Zelfs mijn vader bromde instemmend – het enige teken van leven waaraan ik merkte dat hij nog steeds aan de lijn was – zoals hij altijd deed als mijn moeder weer eens begon te ratelen over de belangrijke functie die ik bij Roxanne Dubrow had en over het geweldige leventje dat ik leidde.

Waarschijnlijk was het inderdaad geweldig, bedacht ik, zodra ik de telefoon had opgehangen en eens om me heen keek. In elk geval vanuit een vastgoedoptiek.

Ik woonde in een gebouw met een portier in de Upper West Side. Dat was synoniem aan megahuren, hoewel de mijne nog niet de astronomische hoogte had bereikt die er gewoonlijk voor werd gevraagd, want ik had dit appartement bijna zes jaar daarvoor al op de kop weten te tikken.

Toen was ik achtentwintig jaar oud geweest en net begonnen aan mijn eerste baan als productmanager.

Oké, dat was bij een farmaceutisch bedrijf geweest – lang niet zo tot de verbeelding sprekend als mijn huidige baan – maar ik was helemaal in de wolken geweest. Eindelijk had ik een salaris verdiend dat dik genoeg was om mijn etage driehoog-achter in de negorij Kip's Bay te verlaten. Ik had zelfs een assistente gehad, hoewel ik destijds amper had geweten wat ik met haar aan moest. In die tijd was ik, bijna dertig, ervan overtuigd geweest dat het mooiste deel van een vrouwenleven voor mij nog moest komen, in seksueel, emotioneel en financieel opzicht. Op haar vijfendertigste, had een professor die ik mateloos bewonderde me ooit eens verteld, had een vrouw doorgaans alles wat haar hartje begeerde.

Ik liet mijn blik door mijn zitkamer dwalen, die was ingericht in verschillende tinten wit. Dit was waarvan ik altijd had gedroomd: een luxueuze, romantische, uitnodigende ruimte. Ineens schoot me te binnen dat Dianne me tijdens ons jaarlijkse bedrijfsuitje van de zomer in de Southampton Yacht Club had gezegd dat ze vond dat ik 'visie' had – het soort visie waarnaar het hogere management bij Roxanne Dubrow op zoek was in mensen, had ze laten doorschemeren.

Nee, ik had inderdaad weinig te klagen, dacht ik. Tot mijn oog viel op de twee kaartjes die nog op de salontafel lagen, van de opera waar Ethan en ik die ene avond naartoe waren geweest...

Mijn maag kromp ineen, waarop ik zachtjes met mijn hand streek over wat Ethan ooit eens mijn Botticelli-buik had genoemd. Net als de godinnen op de schilderijen van de oude meesters, was ik iets voller rond de heupen en borsten dan de kindvrouwtjes die tegenwoordig de norm aangaven. Ethan had mijn lichaam altijd mooi gevonden. Net zoals ik dat van hem. Dat was waar het om ging, had ik gedacht.

Tot afgelopen zaterdagavond.

Wat had ik nu werkelijk van hem verwacht, vroeg ik

me af, terwijl ik mezelf omhoog hees van de bank en de kaartjes weggooide, voordat ik naar de badkamer toog om me aan mijn dagelijkse reinigings- en insmeerritueel te wijden.

Ik had niets verwacht. En dat was precies wat ik had gekregen.

'Morning Mist,' zei Claudia toen ik de volgende morgen haar kantoor binnen liep waar ze zat te turen naar een klein glazen flesje met een etiket dat ik herkende als dat van Olga Parks, onze grootste concurrent op de markt voor de rijpere vrouw.

'Ook goedemorgen,' zei ik, me afvragend wat die schittering in haar ogen te betekenen had.

Claudia schudde haar hoofd en hield het flesje omhoog. 'Heb je dit al gezien?' wilde ze weten.

Omdat ik een uitbrander voelde aankomen, bekeek ik het flesje vluchtig. Een van mijn taken was om de concurrentie in de gaten te houden, en het was overduidelijk dat Claudia dacht dat ik op dit gebied de boel had laten versloffen.

Dus besloot ik de zaak even recht te zetten. 'Olga Parks. Lentelijn. Twee jaar geleden.' Ik kon me dat product nog heel goed herinneren, omdat ik zelf op zoek was geweest naar iets wat de dauwachtig frisse uitstraling terug kon halen die vlak na mijn dertiende verjaardag uit het gezicht leek te zijn verdwenen. Ondanks een prijskaartje van vijfenzestig dollar voor vijftig milliliter had Morning Mist niet beloofd om het vochtgehalte van de huid te herstellen – dat was de taak van de vochtinbrengende crème á raison van vijfentachtig dollar die erbij hoorde. Het doel van Morning Mist was meer voor de schone schijn; de verstuiver gaf mijn gezicht een glans die de indruk wekte dat ik bij een temperatuur van dertig graden een halve marathon door New York had gelopen. Dat was naar mijn smaak iets te veel van het goede, en dat had ik in mijn verslag aan Claudia ook vermeld. Twee jaar geleden.

De woede van mijn direct leidinggevende was inmiddels echter omgeslagen in fascinatie. 'Waarom hebben wij dit idee niet opgepikt? Het is gewoon geniaal!' zei ze, de glimmende rug van haar hand, die ze inmiddels royaal had beneveld, bestuderend. 'Kijk!' riep ze uit, haar hand naar mij uitstekend, alsof dit resultaat geen verder betoog behoefde. 'Wanneer heb jij voor het laatst zo'n glans op je huid gezien?'

'In de sportschool. Het ziet er zweterig uit, Claudia. Trouwens, horen we ons momenteel niet te richten op producten voor vrouwen die nog te kampen hebben met een te veel aan talg?'

Er ging een huivering door haar heen, alsof ze alleen bij het idee al dat we onze jongere evenknieën moesten bedienen, onpasselijk werd. 'Nu we het daar toch over hebben, waar is dat gehaaide hulpje van ons vanochtend? Het is tien uur, en ze heeft nog steeds geen acte de présence gegeven. Ze moet voor mij wat verkoopcijfers uitdraaien.'

Ik had die ochtend een berichtje op mijn voicemail van Lori afgeluisterd, waarin ze op zachte toon had gezegd dat ze zich niet zo lekker voelde en zou proberen om tegen het middaguur op kantoor te zijn. Hoewel ik uit haar tamelijk moedeloze toon had afgeleid dat wat haar mankeerde eerder een emotionele dan een lichamelijke achtergrond had, besloot ik haar de hand boven het hoofd te houden. 'Ze heeft een beetje last van haar maag. Ze zei dat ze om een uur of twaalf zou komen.'

'Die meiden van tegenwoordig ook,' schamperde Claudia. 'Aanstellers zijn het.' Ze schudde haar hoofd. 'Ze worden nooit zoals wij destijds waren, hè, Grace?'

Nee, en wij worden nooit zoals zij nu zijn, dacht ik. Nooit meer. Omdat ik geen trek had om daarbij stil te staan, bracht ik het onderwerp op de reden voor onze afspraak, namelijk de bespreking van de bedrijfsplannen die waren gesmeed in de Zwitserse Alpen. 'Wat mij betreft, kunnen we met de bespreking beginnen,' spoorde ik Claudia aan, die met een mengeling van bewondering en afschuw naar het kleine sierlijke flesje keek.

'Oké,' zei ze op gelaten toon. 'Nou, ten eerste moet ik je zeggen dat het niet zozeer een brainstormsessie was, als wel een grote verlakkerij. Ze hadden ons daar niet uitgenodigd om een nieuwe visie voor Roxanne Dubrow te formuleren, maar om ons hun nieuwe beleid door de strot te duwen. Ik denk dat Dianne ervan uitging dat ze haar misselijke plannetje er gemakkelijker doorheen kon jassen onder het genot van wat bronwater en pâté.'

'Je gaat me toch niet vertellen dat Burkeston eindelijk het groene licht heeft gekregen van Dianne voor die productlijn die ze al een eeuwigheid aan het testen is?'

Winona Burkeston, manager van de onderzoeksafdeling, was een beetje een buitenbeentje. Ondanks het feit dat ze zelf al tegen de vijftig liep, liep ze al een paar jaar te drammen dat het bedrijf zich moest profileren met een jeugdlijn.

'Wat? In welke grot heb jij gezeten, Grace? Burkeston is vertrokken. Een maand of twee geleden al. Ze zeiden dat ze ontslag had genomen, maar ik denk dat ze is gewipt. Dianne heeft er zelf een memo over rondgestuurd. Die moet jij toch ook...' Even fronste Claudia haar wenkbrauwen. 'Misschien heb ik hem niet aan jou doorgestuurd.' Ze haalde haar schouders op, alsof het feit dat ze herhaaldelijk vergat om essentiële bedrijfsinformatie door te geven eigenlijk helemaal geen punt was. 'In elk geval heeft ze een opvolgster. Een knap Engels meisje, Courtney Manchester, die eruitziet alsof ze amper zestien is en zo uit Londen komt, met het een of andere ingewikkelde diploma en een paar borsten waarvan ik gezworen zou hebben dat het siliconen exemplaren waren als ik ze niet met eigen ogen had gezien in het Turkse stoombad.' Haar ogen vernauwden zich. 'Weet je, het zou me niets verbazen als die parmantige borstjes van haar handig van pas blijken te komen als ze haar plannen erdoor wil krijgen. Je weet hoe Michael reageert op lekkere wijven.'

Bij die laatste opmerking kreeg ik het ineens warm. En waarom ook niet? Want Michael Dubrow, de jongste telg en enige zoon uit het Dubrow-geslacht, had ooit zijn zinnen gezet op dít lekkere wijf, gedurende een korte heftige periode in mijn begintijd bij Roxanne Dubrow. Net zo snel als we ons hadden laten meeslepen door het gewaagde romantische idee van een relatie tussen ons, ondanks de opschudding die een verhouding tussen de Dubrow-erfgenaam en de nieuwe – nu ja, destijds was ik nieuw – senior productmanager in het hele bedrijf zou veroorzaken, had datzelfde gegeven ons de das omgedaan. Althans, dat gold voor Michael.

'Kom op, Grace, dat kun je niet menen,' had hij gezegd, toen ik tijdens een romantisch weekendje in de Hamptons over de toekomst had gefantaseerd. 'Jij en ik zijn vrienden,' had hij verklaard, terwijl het enige bewijs van de intimiteit die we naar mijn idee hadden gedeeld, uit een kneepje in mijn hand had bestaan. 'Bovendien werken we samen. Denk je eens in wat de mensen zullen zeggen...'

Eerlijk gezegd, had ik me tot dat moment slechts één ding ingedacht: dat ik mijn wederhelft had gevonden. Ja, zelfs ík ben ooit in de ban geweest van dat mallotige idee. Ik was zo verblind door het plaatje van Michael en mij als het toekomstige droompaar van de Dubrow-dynastie, dat ik de werkelijkheid uit het oog was verloren. In plaats daarvan had ik alleen nog maar gedroomd van het moment waarop ik de wereld kon vertellen dat ik de liefde – ja, de liefde – had gevonden in Michael Dubrow. Dat moment was echter nooit aangebroken.

Want zodra ik had beseft dat Michael geen enkele droom koesterde over 'ons', had ik het hele idee uit mijn hoofd gezet.

Ironisch genoeg waren er geen dramatische toestanden aan het eind geweest, ondanks het feit dat de gevoelens die ik tijdens onze korte affaire voor hem was gaan koesteren, intens waren geweest. Geen donderpreek. Niet eens een echt einde eraan. Ik had er net zo gemakkelijk een punt achter gezet als het vier maanden daarvoor bij een paar cocktails op een conferentie allemaal was begonnen.

Nog geen twee weken na het debacle in de Hamptons waren Michael en Dianne een paar dagen naar New York gekomen voor allerlei vergaderingen. Toen hij aan het einde van de eerste vergaderdag discreet had voorgesteld om er tussenuit te knijpen om samen wat te gaan drinken – wat normaal gesproken betekende dat hij zin had om een nummertje maken – had ik de uitnodiging beleefd afgeslagen met de mededeling dat ik die avond vroeg naar bed moest als ik de volgende ochtend weer fris en fruitig aan de vergadertafel wilde verschijnen. Dat was een handige afpoeiermethode van me geweest. Michael Dubrow beschouwde zichzelf als een modelwerkgever, en ik wist dat hij een voorbeeldige werkhouding nooit ter discussie zou stellen. Zoals verwacht, had hij er ook niets tegenin gebracht. Na een tijdje was hij er vanzelf mee opgehouden me uit te vragen, en al snel was onze relatie van zeer persoonlijk tot koel zakelijk verworden. Alsof alles wat er daarvoor was gebeurd, er niet meer toe had gedaan. Alsof hij er voor mij niet meer toe had gedaan.

Nu wist ik dat hij dat op een bepaalde manier wel degelijk had gedaan.

'Wat is er in vredesnaam met je aan de hand?' vroeg Claudia, waardoor ik opschrok uit mijn gemijmer.

Snel trok ik mijn gezicht in de plooi om een eventueel teleurgesteld trekje daarop te verhullen en verzon een slap excuus over een gebrek aan slaap. Ik kon niet anders. Niemand was op de hoogte van Michael en mij. Claudia niet. Zelfs Angela niet. En of het nou uit een soort misplaatste loyaliteit tegenover Michael was, of uit de behoefte om dat stukje romantische verdwazing van mijn eigen persoontje stil te houden, ik wilde het graag zo houden.

Gelukkig zat Claudia zich te veel op te winden over het onheil dat de nieuwe bedrijfsstrategie over ons zou afroepen om zich te interesseren voor mijn gevoelsleven. 'Weet je nog dat we dat productlijntje hebben overgenomen van dat Engelse bedrijf dat in moeilijkheden verkeerde? Sparkle?' vroeg ze, doelend op de make-uplijn die we vorig jaar aan ons assortiment hadden toegevoegd, toen het hele idee om een jongere doelgroep aan te boren nog in de kinderschoenen had gestaan. 'Dianne heeft – samen met Michael, vermoed ik – besloten dat die lijn Roxanne Dubrow er weer bovenop moet helpen.' Ze draaide met haar ogen. 'De bedoeling is om er een nieuwe naam aan te geven waaruit de link met het moedermerk moet blijken. Met andere woorden: het dochtermerk blaast de moeder weer nieuw leven in.'

'Zit wat in,' zei ik. 'Zo heeft People Magazine ook een oppepper gekregen door de uitgave van Teen People.'

Met tot spleetjes samengeknepen ogen keek ze me aan, alsof ik haar had verraden door gewoon te wijzen op het principe van het plan.

Meteen krabbelde ik wat terug, omdat ik geen zin had om Claudia zo vroeg in de werkweek al tegen de haren in te strijken. 'En heeft deze zogenaamde dochter al een naam?' vroeg ik op een toon waarin, naar ik hoopte, voldoende minachting doorklonk.

'O, zeker,' antwoordde ze, me strak aankijkend. 'Roxy D.'

Ik vond het sterk, en dat zei ik haar ook.

'Nou, ik ben blij dat je je hierin kunt vinden,' luidde Claudia's sarcastische commentaar. 'Want ruim tweederde van ons marketingbudget voor dit jaar wordt nu aangewend om van Roxy D een succes te maken – of moet ik zeggen: een toppertje?'

'Hm,' mompelde ik vaag, terwijl ik dit even op me liet inwerken. De afgelopen drie jaar was het mijn taak geweest om, onder leiding van Claudia, marketing- en reclamecampagnes te bedenken die Roxanne Dubrow een marktpositie moesten opleveren als toonaangevend cosmeticabedrijf voor de rijpere vrouw.

'Nu hebben ze zo'n stoeipoes uit Engeland binnengehaald, en die heeft kennelijk de hele Dubrow-kliek in haar ban gebracht – in elk geval Michael. Maar je weet hoe Dianne altijd aan de lippen van haar broer hangt, alsof hij het een of andere marketinggenie is.' Claudia kon het niet laten om weer een keer met haar ogen te draaien, want ze kon het niet uitstaan dat Michael, alleen maar omdat hij toevallig als troonopvolger van het Dubrow-imperium was geboren, zich met alles bemoeide, van marketing en verpakkingsmateriaal tot de nieuwe make-upkleuren. Hij zat overal bovenop, en hoewel ik het niet graag toegaf, was dat een van de dingen die ik in hem had bewonderd. Zijn passie voor het vak. Zijn ambitie.

'Opeens is Dianne helemaal verblind door het idee dat Roxy D al die twintigers terug gaat lokken naar de Roxanne Dubrow-schappen. En daar zet ze groots op in,' besloot Claudia haar verhaal, waarna ze een bedrag noemde dat mij de adem benam.

De laatste keer dat onze afdeling over zoveel geld had beschikt, was tijdens de hoogtijdagen van Roxanne Dubrows Youth Elixer geweest. Niet dat ik daar persoonlijk bij was geweest, trouwens. Youth Elixer was de vochtinbrengende crème waarmee Roxanne Dubrow in het begin van de jaren tachtig haar reputatie had gevestigd. Het smeerseltje beloofde de huid te verkwikken, te zuiveren en – het belangrijkste van alles – de hele vochthuishouding te herstellen, die zienderogen achteruit begon te gaan zodra een vrouw de leeftijd van dertig jaar bereikte. Het was een heel behoorlijk product. Ik zou serieus hebben overwogen om vijfenzestig dollar voor vijftig milliliter van dat spul uit te geven als ik het niet gratis had gekregen.

'Hoe zit het dan met de Youth Elixer-campagne?' vroeg ik, omdat ik me afvroeg waar het geld voor die reclamecampagne dan vandaan moest komen. Youth Elixer was al zo lang een bestseller van Roxanne Dubrow, dat Dianne nog geen halfjaar geleden het idee had geopperd om de hele voorjaarscampagne daaraan op te hangen. Tijdens een vergadering over de bedrijfsstrategie hier in New York, had ze uiteengezet dat als we het paradepaardje van het bedrijf weer in de etalage zouden zetten, de klanten zich met hernieuwde belangstelling zouden storten op het product dat Roxanne Dubrow had gemaakt tot wat het vandaag de dag is, en hopelijk nieuwe klanten ertoe zou aanzetten het eens te proberen. Kennelijk was dat plannetje nu echter helemaal van de baan.

'Die wordt in de ijskast gezet,' antwoordde Claudia, me een veelbetekenende blik toewerpend. Alsof ze dit zag als het begin van een einde dat ik nog niet kon bevatten. 'De redenering is dat als het ons lukt om de jongere doelgroep naar de kassa te lokken met Roxy D, ze uiteindelijk zullen overstappen op Roxanne Dubrow.'

'Hm,' murmelde ik maar weer eens, omdat ik me afvroeg wat dit voor gevolgen voor mij zou hebben. Per slot van rekening was de Youth Elixer-campagne een reclamecampagne die ik zou runnen, onder leiding van Claudia, natuurlijk.

Alsof ze mijn gedachten kon lezen, ging Claudia verder: 'Jij en ik zullen de komende maanden onze handen vol hebben aan deze afschuwelijke nieuwe campagne.'

Ik keek haar aan, lichtelijk opgelucht dat mij ook een rol was toebedeeld in de campagne die, te oordelen naar de smak geld die erin werd gestoken, de levensader van het bedrijf zou worden. Ik had al eerder gezien dat er in één klap een einde kon komen aan de carrière van een productmanager wanneer de budgetten werden bijgesteld. Hoewel Roxanne Dubrow in de loop van de tijd andere merken had overgenomen, was ik altijd blij dat ik voor de eigen merken werkte, met name als de budgetteringsperiode weer aanbrak.

'We moeten een paar tests uitvoeren, een nieuwe verpakking creëren,' hoorde ik Claudia zeggen. 'Laat alle talenten aantreden voor de advertentiecampagne.'

In gedachten liep ik onmiddellijk de hele lichting modellen door die er momenteel rondliep. 'Nou, aan jonge modellen is bepaald geen gebrek,' zei ik uiteindelijk, wat me deed beseffen dat het jeugdvirus al grootscheeps om zich heen had gegrepen. Dat Roxanne Dubrow in feite wel eens wat aan de late kant zou kunnen zijn om nog op deze hype mee te kunnen liften.

'O, Dianne heeft al een beslissing genomen,' zei Claudia, en ik hoorde aan haar stem hoe geïrriteerd ze was over het feit dat ze van hogerhand allerlei orders kreeg opgedragen. 'Ze wil Irina Barbalovich,' verklaarde ze.

Sinds Irina op de prille leeftijd van zeventien jaar was weggeplukt van de boerderij van haar ouders op het platteland van Rusland om over de catwalk in Parijs te paraderen, werd ze op handen gedragen door het modewereldje. Het afgelopen halfjaar had ze zelfs vaker op de cover van tijdschriften gestaan dan Cindy Crawford op het toppunt van haar roem. Wat inhield dat ons het vel over de oren zou worden gehaald. Nu begreep ik waar het leeuwendeel van dat budget naartoe ging. Irina behoorde tot de nieuwe generatie supermodellen, en het feit dat Dianne hoopte dat zij de hoofdrol wilde spelen in onze nieuwe voorjaarscampagne was veelzeggend. Normaal gesproken koos Roxanne Dubrow een onbekende beauty van wie vervolgens een ster werd gemaakt. Nu zag het ernaar uit dat Dianne gebruik wilde maken van de uitstraling van het nieuwste supermodel.

'Zei je niet dat ze op zoek waren naar een zestienjarige?' vroeg ik afwezig, omdat ik nog steeds probeerde te doorgronden wat dit voor consequenties had voor ons op de marketingafdeling. 'Volgens mij is Irina intussen bijna negentien...' kakelde ik verder, want ik had laatst een artikel over haar gelezen, toen ze op de cover van de Cosmo had gestaan.

'Zestien, negentien. Wat maakt het uit,' zei Claudia met een wegwerpgebaar, alsof niemand onder de twintig haar belangstelling waard was. 'Zij gaat het helemaal maken, en als we haar nu niet snel binnenhalen, beste Grace, dan zouden we binnenkort wel eens helemaal zonder campagne kunnen zitten.'

Het verkapte dreigement ontging me niet, maar ik nam het met een korreltje zout. Claudia zat altijd en eeuwig te zinspelen op het overbodig worden van onze functies. Ik vroeg me wel eens af of dat haar enige motivatie was om 's ochtends uit bed te komen en naar haar werk te gaan.

'We krijgen haar wel,' verzekerde ik haar, klaar om deze uitdaging aan te nemen. Tenslotte gaat er niets boven een hectische baan, die ervoor zorgt dat een vrouw niet stilstaat bij de enorme leegte die ineens in haar liefdesleven is ontstaan.

3

Laat een man de vrije hand, en hij zal hem van top tot teen over je heen laten gaan. (Mae West)

Het nieuwe marketingplan van Roxanne Dubrow mocht Claudia dan koude rillingen bezorgen, voor mij was het balsem voor de ziel. Terwijl ik de agenda voor de komende maand opstelde, die bomvol stond met vergaderingen met de afdeling Productontwikkeling, onderhandelingen over offertes met reclamebureaus en besprekingen over winkelruimte met vertegenwoordigers, wist ik dat het met mij wel goed zou komen.

Zelfs Lori leek haar persoonlijke dipje van zich af te schudden, toen ik haar vertelde wat er allemaal moest worden gedaan voor de nieuwe campagne. Misschien kwam het door de sensatie dat we het nieuwe product, dat bekend zou worden onder de naam Roxy D, inmiddels in huis hadden, want er waren dozen vol Sparkle aangekomen vanuit de Dubrow-vestiging op Long Island, zodat we het goedje konden bestuderen. Of misschien kwam het door de bos rode rozen die Dennis had laten bezorgen en die de pijn leek te verzachten die zijn onlangs aangekondigde toekomstplannen hadden veroorzaakt.

Daarop begon zelfs ik heel eventjes te hopen op mijn eigen bos rode rozen. Niet dat ik Ethan terug wilde, maar een vrouw ziet een man nu eenmaal graag een klein beetje door het stof gaan. Alleen had ik daar een hard hoofd in; een van de weinige dingen die Ethan en ik gemeen hadden, was een koppig trekje dat een ezel niet zou misstaan. Bovendien was ik intussen al begonnen een muur van onverschilligheid tussen ons op te trekken.

Dus was ik dubbel bewapend toen ik plaatsnam tegenover de enige persoon die zich met haar hele ziel en zaligheid, althans gedurende de vijfenveertig minuten die we elke week met elkaar doorbrachten, toelegde op het wroeten in de gevoelens die volgens haar bij mij leefden.

Shelley Longford, mijn therapeute.

'Heb je het úítgemaakt?' vroeg Shelley, nadat ik opgewekt mijn relaas had gedaan van het incidentje met Ethan.

Op dat moment had ik er al meer dan een halve sessie op zitten, waarin ik vanuit de stoel tegenover haar, in een piepklein nietszeggend kantoortje op de vierde verdieping van al net zo'n nietszeggend kantoorgebouw in West 72nd Street, had zitten verhalen over de meer alledaagse gebeurtenissen in mijn leven. Over de nieuwe campagne bij Roxanne Dubrow. Over het feit dat het mij maar niet lukte om de conciërge zo ver te krijgen, dat hij naar boven kwam om een scheur te repareren in het plafond van mijn mooie, maar oeroude badkamer. Ik vermoed dat ik op een gegeven moment mezelf was gaan vervelen, waardoor ik plotseling het nieuwtje over mijn verbroken relatie eruit had geflapt.

Heimelijk zat ik me een beetje te verkneukelen om de geschokte uitdrukking die van Shelleys doorgaans bedaarde gezicht was af te lezen. Ik kwam al vier maanden bij haar, en dit was de eerste keer dat ik haar enigszins op de kast leek te hebben gejaagd. Het heftigste wat ik tot dusver had gezien, was dat ze dat glanzende donkere haar van haar zenuwachtig achter haar oor stopte, of haar donkere ogen samenkneep. Nu, na haar ietwat verontruste uitroep, had ik een gevoel van... triomf.

'Wat zou jij dan gedaan hebben?' vroeg ik, in de wetenschap dat ze een manier zou verzinnen om die vraag naar mij terug te kaatsen. Dit therapeutische gedoe was zo omslachtig, en als de maatschappelijk werkster me niet zo achter mijn vodden had gezeten, zou ik hier helemaal niet zijn geweest. Op de een of andere manier was dit zo zinloos. Ik kwam hier nu al vier maanden lang één keer per week en zat dan tegenover een vrouw die ik niet kende – en die ik ook niet wilde kennen, gezien de onwaarschijnlijk kleurloze inrichting van haar kantoortje, haar saaie kapsel, haar afstandelijke houding en het feit dat ik haar honderdveertig dollar betaalde voor drie kwartier waarin ik amper mijn mond opendeed, terwijl zij vragen stelde die niets met mij van doen leken te hebben. Vragen die altijd naar dat ene antwoord leken te leiden – een antwoord dat ik haar weigerde te geven.

'Nou, er zijn een heleboel dingen die iemand zou kunnen doen in een situatie zoals jij die aan de hand hebt gehad met Ethan,' begon Shelley, zichzelf zorgvuldig buiten schot houdend zoals ze ongetwijfeld in haar opleiding had geleerd.

Begrijp je wat ik bedoel? Hoe kun je ook maar een greintje sympathie gaan voelen voor zo iemand?

Ik trok mijn wenkbrauwen op en onderdrukte, puur uit koppigheid, de neiging om het haar wat gemakkelijker te maken. Dus wachtte ik tot zij me ging vertellen uit welke opties ik zogenaamd allemaal had kunnen kiezen, nu Ethan Lederman de Derde per ongeluk wat van zijn kostbare zaad had laten lopen in een vrouw met wie hij al maandenlang het bed deelde, maar met wie hij zich op de een of andere manier nu niet meteen zag voortplanten.

'Je had het gesprek kunnen aangaan,' zei ze na een langdurige stilte.

Een stilte die me tegen dit tarief een aardige duit kostte. Dat bedrag had ik ook kunnen investeren in de nieuwe Stila-lipstick; dat had meer resultaat opgeleverd. 'Over?' vroeg ik, geen duimbreed toegevend.

'Je keuzemogelijkheden,' antwoordde ze.

'Keuzemogelijkheden?' begon ik, terwijl ik voelde dat ik plotseling – en tot mijn eigen verbazing – mijn stekels opzette. 'Eens even kijken, wat waren precies de keuzemogelijkheden die Ethan Lederman de Derde me voorhield? O, ja. Allereerst hadden we de irrigatie – heel slim van hem. Dat deed bij mij de vraag rijzen of hij dit al eens eerder aan de hand had gehad. O, en vervolgens kregen we de morning-afterpil. Tuurlijk. Zorg dat je het kwijtraakt voordat het zelfs maar iets kan worden. Keurig nette oplossing. Beter dan, noem eens wat, het in de Hudson gooien na de geboorte...'

Toen ik zag dat ze ondanks mijn tirade nog steeds geen krimp gaf, ging ik verder: 'Weet je, waar het op neerkomt, is dat hij gewoon niet wilde dat er iets wezenlijks tussen ons zou zijn. Het was oogverblindend duidelijk dat hij geen kind met mij wilde. Dat hij míj niet wilde.'

Dat laatste zinnetje kwam er nogal schril uit, waardoor ik me realiseerde hoe vervaarlijk dicht de tranen achter mijn ogen prikten. Ik greep de armleuningen van de stoel vast om het beven van mijn handen tegen te gaan. Niet huilen, niet huilen, niet huilen, scandeerde een inwendig stemmetje. Binnen een paar tellen had ik die op handen zijnde emotionele uitbarsting weggeslikt.

Helaas was dat net iets te laat. Shelley Longford had het allemaal gezien. En ik wist precies wat ze ermee ging doen.

Gelukkig bleek ik me nog maar door tien minuutjes therapie te moeten heen worstelen. Tien minuten struisvogelpolitiek, want de waarheid waar Shelley me voorzichtig naartoe probeerde te manoeuvreren, wilde ik voor geen prijs onder ogen zien. De terminologie alleen al stond me tegen: angst voor afwijzing. Haar volgende stap was om – zachtzinnig maar halsstarrig – alles terug te voeren op mijn moeder. Nou ja, niet op mijn moeder. Mijn moeder was een ontzettend lieve keurig nette muzieklerares, die inmiddels gepensioneerd was en met mijn keurig nette vader in New Mexico woonde. Waar Shelley over wilde praten, was de vrouw die mij gebaard had. Kristina Morova, die – zo was ik drie jaar geleden te weten gekomen na een maandenlange speurtocht door allerlei registers – een metroritje van me verwijderd woonde in Sheepshead Bay in Brooklyn en die weigerde mijn bestaan te erkennen. De enige reactie die ik had gekregen op de aangetekende brief die ik haar zeven maanden geleden eindelijk had durven sturen, was het ontvangstbewijs met haar handtekening erop. Een haastig neergekrabbeld 'K. Morova', waarover ik mijn vinger wel tien keer had laten gaan sinds ik het papiertje in mijn brievenbus had gevonden. Geen briefje waarin ze me uitnodigde om haar te ontmoeten op een voor ons allebei aanvaardbare plek, zodat ik antwoord zou kunnen krijgen op al die vragen die me het grootste deel van mijn leven hadden gekweld en, om de een of andere reden, nog meer nadat ik dertig was geworden. Geen dramatisch telefoontje waarin ze tot tranen toe geroerd was bij het vooruitzicht dat ze eindelijk het kind kon ontmoeten van wie ze, om redenen die mij niet bekend waren, op zeventienjarige leeftijd afstand had gedaan.

Niets.

Vooraf was mij door het bureau dat adoptiekinderen hielp hun biologische ouders op te sporen al verteld dat dit kon gebeuren. Dat was ook de reden waarom ze me hadden aangeraden eerst een aangetekende brief te sturen, zodat ik zeker zou weten dat de brief was aangekomen en dat een emotioneel trauma veroorzaakt door een bezorgfout me ten minste bespaard zou blijven. Ja, nu wist ik dat het trauma waar ik volgens Shelley zogenaamd mee worstelde, verband hield met het simpele feit dat mijn moeder wist dat ik hier rondliep, maar niets met me te maken wilde hebben.

Dat gegeven had ik geaccepteerd met dezelfde soort beheerste woede waarmee ik Ethan vorige week uit mijn appartement had gezet. Hij kan de pot op, had ik gedacht, terwijl ik toe had gekeken hoe hij nijdig zijn kleren aan had getrokken en mijn voordeur uit was gebeend.

Ze kan de pot op, had ik gedacht, nadat ik me door de twee weken van volledige radiostilte had geslagen die was gevolgd op het versturen van mijn brief. Ja, ik was teleurgesteld geweest, maar boven alles was ik kwaad geweest. Zo kwaad zelfs, dat ik met een huurauto naar haar bescheiden twee-onder-een-kapwoning in Sheepshead Bay was gereden, waar ik vervolgens op de stoep had gestaan met de allesverterende wens om het schattige bloembakje dat midden in haar keurig aangeharkte tuin stond, door haar ruit te gooien.

In plaats daarvan was ik weer in de auto gestapt, me hullend in de veilige anonimiteit van de getinte ruiten, en was naar Barbara gereden, de maatschappelijk werkster die me hielp bij mijn zoektocht.

Nadat Barbara een halfuur lang mijn tirade had aangehoord over alles wat me dwarszat, van Kristina Morova's onuitstaanbaar keurige bloemperkjes tot haar tekortkomingen als mens, was ze er eindelijk in geslaagd om me zo ver te krijgen, dat ik zou doen wat ze me al had aangeraden te doen sinds ik met mijn zoektocht was begonnen: professionele hulp zoeken.

Niet dat de zestien keer dat ik Miss Shelley Longford, gediplomeerd psychotherapeute, had bezocht ook maar enig verschil hadden gemaakt.

Zelfs nu, terwijl ik haar kamer uit liep na haar te hebben verzekerd dat ik er volgende week woensdag om halfzeven weer zou zijn, vroeg ik me af waarom ik de moeite nam om hierheen te komen.

Eigenlijk ging het prima met me. Ik wist alles wat ik werkelijk moest weten over Kristina Morova. Dat ze een van twee dochters was. Dat er geen heel ernstige ziektes voorkwamen in haar familie, op een paar gevalletjes diabetes en een enkele vorm van kanker na.

Ik bedoel, strikt genomen hoefde ik verder niets te weten, toch?

'Hoe gaat het nu écht met je, Grace?' vroeg Angie de volgende avond bij een drankje in Bar Six, een klein bistrootje in de West Village.

'Héél goed,' verzekerde ik haar voor de derde keer sinds we een plaatsje hadden weten te bemachtigen. Voor ons op tafel stonden twee martini's. Ik had helemaal geen zin om de teloorgang van mijn laatste relatie te gaan analyseren, zeker niet omdat ik donders goed besefte dat Ethan er zelf geen moment meer over na had gedacht.

Dat was nu precies het irritante verschil tussen mannen en vrouwen. Als een relatie eindigde, en dan maakte het niet uit wie daarvoor het initiatief had genomen, dan was het alsof een man de vrouw in kwestie volledig uit zijn hoofd had gezet. Vrouwen, daarentegen, konden bijna obsessief worden, waarbij ze elke blijk van geringschatting, elk telefoontje of het uitblijven daarvan op een goudschaaltje wogen en vervolgens met een ingewikkelde analyse op de proppen kwamen van zijn emotionele gesteldheid.

Ik besloot de mannelijke koers te volgen door Ethan compleet uit mijn gedachten te bannen en het gesprek te brengen op een onderwerp waarvan ik hoopte dat het meer vruchten zou afwerpen: Angie. 'Vertel eens, hoe gaat het met de serie?'

Angie was actrice en had een jaar geleden haar eerste grote kans gekregen toen ze in Lifetime, een soap op prime time, de rol in de wacht had weten te slepen van Lisa Petrelli, alleenstaand moeder en politieagente in New York. Hoewel de kijkcijfers niet om over naar huis te schrijven waren, had Angie een heel aardige recensie gekregen voor haar volgens Entertainment Weekly 'hartveroverend bevlogen' vertolking van een vrouw die haar uiterste best deed om twee kinderen groot te brengen en de wereld – of althans New York City, haar politiedistrict – te verlossen van de misdaad. Het grappige was dat die hele hartveroverende bevlogenheid voortkwam uit het feit dat Angie nooit zelf aan den lijve had ondervonden hoe het was om kinderen groot te brengen en voornamelijk bezig was om zich niet in de gordijnen te laten jagen door de twee kinderen die haar kroost speelden.

'De zender is op dit moment bezig de nieuwe programmering vast te stellen, maar het ziet ernaar uit dat een tweede seizoen er niet meer inzit,' zei ze met een bezorgde trek op haar gezicht. Met haar grote donkere ogen, hartvormige gezichtje en donkerbruine schouderlange lokken leek mijn vriendin Angie bijna de dubbelgangster van Marisa Tomei. Niet dat ik dat ooit tegen haar zou zeggen; dat had ze in de loop van de jaren al vaak genoeg te horen gekregen. Maar daar had ze zich, na haar eerste enthousiaste recensie als Angie Di-Franco, niet meer druk om gemaakt. Dat duwtje voor haar carrière had haar zelfrespect vergroot.

Ik kende Angie al vanaf de tijd dat we geheimpjes en lief en leed hadden gedeeld in Marine Park, waar ik had gewoond totdat mijn ouders van mening waren geweest dat ik in Brooklyn opgroeide tot een onhandelbare puber en me op mijn zestiende mee hadden gesleept naar Long Island. Angie en ik waren vriendinnen gebleven; de zomers hadden we samen op het strand doorgebracht, en nadat ik mijn rijbewijs had gehaald, waren we hele weekenden gaan shoppen en stappen. De keren dat het ons was gelukt om allebei tegelijk een vriendje aan de haak te slaan, waren we met ons vieren uitgegaan. In al die jaren had ik haar nooit zo zien stralen. Het leek alsof alle puzzelstukjes eindelijk op hun plaats waren gevallen, hoewel de nerveuze frons die nu haar knappe gezicht ontsierde, wel anders deed vermoeden. Soms moest mijn vriendin Angie, die carrière begon te maken als actrice, een geweldige vriend had en een tweekamerappartement in de East Village, er even aan herinnerd worden hoe fantastisch haar leven eigenlijk was.

'Misschien is dat maar beter ook,' zei ik. 'Zou je in het voorjaar niet gaan spelen in Justins film?'

Haar vriend was een scenarioschrijver die zelf ook juichende kritieken had ontvangen voor de speelfilm die hij als student aan de filmacademie had gemaakt. Nu had hij een gloednieuw scenario en een hoofdrolspeelster, want hij had een rol speciaal voor Angie geschreven.

'Ja, we beginnen in april...' antwoordde ze. Bij de gedachte eraan begon ze op haar onderlip te kauwen.

Het was niet zo dat Angie niet in haar getalenteerde vriendje geloofde. Het was alleen dat ze, ondanks de zekerheid die zijn liefde haar bood, geneigd was paniekerig te worden bij alles waarvan ze niet wist hoe het zou aflopen. Wat voor ongeveer alles geldt, als je het mij vraagt.

'Nou dan, waar hebben we het dan nog over?' zei ik. 'Jouw toekomst is zo zonnig, dat je eropuit moet om een Ray Ban te kopen.'

'Misschien wel,' zei ze, niet overtuigd.

Ik kende Angie al zo lang, dat ik bijna haar gedachten kon lezen. Dat ik haar zorgen als kleine hamstertjes in het rad van haar gedachten kon zien, driftig rondrennend op die wat-als-vragen die haar kwelden. Wat als ik die rol niet aankan? Wat als ik een levensbedreigende ziekte oploop? Haar vader was overleden aan kanker, en net zoals haar al even neurotische moeder, leek Angie te denken dat haar eigen dood door de uitzaaiing van kwaadaardige cellen een uitgemaakte zaak was. De belangrijkste vraag, en waarschijnlijk de bron van al haar zorgen, was echter: wat als ik plat op mijn gezicht ga?

'Je gaat de sterren van de hemel spelen,' zei ik, de onrustbarende gedachte bij haar wegnemend, voordat ze die kon verwoorden. Dat riedeltje had ik al iets te vaak gehoord; elke keer wanneer Angie aan iets nieuws begon, was het raak.

Schaapachtig lachte ze me toe. 'En hoe zit het dan met jou, Grace?'

'Wat is er met mij?' vroeg ik. 'Ik heb een nieuwe campagne om me op te storten,' bracht ik haar de nieuwe missie van Roxanne Dubrow in herinnering, waarover ik haar al eerder had verteld. 'En aangezien Claudia in de ontkennende fase verkeert ten aanzien van die hele jongere, stralendere, betere toer waar de hoge pieten hun zinnen op hebben gezet, zal een groot deel van de uitvoering waarschijnlijk op mijn schoudertjes neerkomen.'

'Ik bedoel wat je van plan bent te gaan doen aan Ethan?'

'Wat valt er nog te doen?' reageerde ik schouderophalend. 'Het is voorbij.'

Ze tuitte haar lippen, alsof ze besefte dat ze zich op terrein begaf dat ik niet wilde betreden. 'Maar vind je niet dat jullie met elkaar moeten praten? Om er een streep onder te zetten?'

'Die streep heb ik al dubbel en dwars gezet,' liet ik haar weten. Net als Ethan, was ik in staat om weg te lopen zonder om te kijken. Daarom wist ik ook zeker dat Ethan prima zonder mij kon. Kennelijk had ook Michael Dubrow dat talent, bedacht ik, waarna de herinnering aan Claudia's zinspeling dat hij inmiddels een nieuw 'lekker wijf' op het oog had, tot mijn verbazing een vlaag van woede in me opwekte. Snel schudde ik die van me af. Dat was nu eenmaal het type man waarop ik viel: onafhankelijk of – zoals alle zelfhulpboeken die Angie me de laatste tijd had proberen aan te smeren, het noemden – 'emotioneel niet beschikbaar'.

'Wat vindt Shelley ervan?' vroeg ze.

Nu wist ik helemáál zeker dat Angie met alle geweld mijn zielenroerselen wilde uitpluizen. Want in de vier maanden dat ik bij Shelley kwam, had Angie zich min of meer gedragen alsof mijn therapeute de vijand was door telkens partij voor mij te kiezen wanneer ik iets aan te merken had, en dat gebeurde nogal eens, op de vrouw die ik honderdveertig dollar per sessie betaalde om mij te genezen van wat me in haar ogen mankeerde. Stiekem verdacht ik Angie ervan een beetje jaloers te zijn op Shelley. Ik denk dat zij vond dat ik mijn hart bij haar zou moeten kunnen uitstorten om het juiste advies te krijgen. Per slot van rekening was ze mijn beste vriendin.

'O, je weet hoe ze is,' zei ik. 'Ze probeert altijd alles terug te voeren op Kristina, omdat ik volgens haar gebukt ga onder de afwijzing door een vrouw die ik nog nooit heb ontmoet.' Met mijn hand maakte ik een gebaar dat hopelijk duidelijk maakte hoe laconiek ik tegenover die theorie stond. 'Ik dacht dat dat soort gezeur me bespaard zou blijven als ik naar een psychoanalyticus ging. Misschien heb ik Freud niet helemaal goed begrepen, maar is mijn vader niet degene die een puinhoop van mijn gevoelsleven hoort te maken?' Ik stootte een vreugdeloos lachje uit. Welke vader? Op het originele geboortebewijs dat ik in handen had weten te krijgen, stond geen vader vermeld. En de vader die me had opgevoed, maakte kans om tot Man van het Jaar te worden gekozen, te oordelen naar de manier waarop iedereen –

mijn moeder, zijn studenten, zelfs de buren – hem op handen droeg.

Plotseling zat Angie me aan te kijken alsof ze, voor de verandering, vond dat mijn therapeute wel eens iets op het spoor zou kunnen zijn.

'Nog een martini?' vroeg ik, het laatste restje van de mijne achteroverslaand.

Ze fronste haar wenkbrauwen.

'Kom op, Ange,' begon ik, in een poging de stemming wat op te peppen. 'Dit is New York City. Hier zijn genoeg mannen...' Ik gebaarde naar onze ober, die mij al eerder was opgevallen als een heel smakelijk exemplaar van de andere sekse. '...en Stolichnaya om je mee te vermaken.'

Genoeg werk te doen ook, realiseerde ik me. Daar was ik echter wel tegen opgewassen. Dat was maar goed ook, want Claudia was weer begonnen met roken, een gewoonte waarmee ze een paar maanden geleden was gestopt nadat ze een vers lijntje in haar bovenlip had ontdekt. Kennelijk had ze belangrijkere dingen aan haar hoofd nu Roxanne Dubrow haar leven had geruineerd, zoals ze telkens beweerde wanneer ze stinkend naar sigarettenrook terugkwam van het invalidentoilet. Ik vond het niet erg dat ze zo vaak weg was, want ik had het gevoel dat ik deze campagne best in mijn eentje op touw kon zetten, met de hulp van Lori uiteraard.

Net op tijd voor de doelgroeptest verloor Claudia haar belangstelling voor de nicotinestokjes echter weer. Als we namelijk de wensen en onzekerheden van de leeftijdsgroep achttien tot vierentwintig jaar net zo goed wilden leren kennen als we die van de dertigplussers kenden, dan moesten we onderzoek doen. Zelfs Dianne kwam over uit de Dubrow familie-enclave in Old Brookville op Long Island, waar ze het Dubrowimperium min of meer vanuit haar huis runde, om persoonlijk leiding te geven aan het onderzoek. Ondanks het feit dat het gebouwencomplex in Bethpage waarin de afdeling Onderzoek & Ontwikkeling en een van onze productie-eenheden huisden, maar een klein stukje rijden was, zouden de marktonderzoeken worden uitgevoerd in Cincinnati en Minneapolis. In haar functie van marketingmanager was Claudia daar ook naartoe gegaan.

Hoewel ik verbaasd was dat mij niet gevraagd was om mee te gaan, vond ik het niet erg. Eigenlijk had ik doelgroeponderzoeken, die in veel opzichten noodzakelijk waren, altijd op het belachelijke af gevonden. Alsof bij de New Yorker in mij, bij de vrouw die was geboren en getogen in het Mekka op shoppinggebied, het idee er niet helemaal in wilde dat een stelletje vrouwen uit het midden van Amerika mij iets gingen vertellen over wat vrouwen nu echt op prijs stelden in cosmetica.

Dus bewaakte ik met plezier het Roxanne Dubrowfort aan Park Avenue, terwijl Claudia en Dianne op pad gingen om een zorgvuldig geselecteerd groepje achttien- tot vierentwintigjarigen te observeren die onze nieuwe doelgroep vertegenwoordigden.

Overigens was ik net zo blij toen Claudia weer terugkwam, want Lori was weer begonnen te jeremiëren over Dennis' inschrijving. 'Stel dat hij wordt toegelaten? Hij praat niet eens over wat dat voor ons zal betekenen...' zanikte ze op momenten dat ik haar duidelijk met te weinig werk had opgescheept. Op gepaste ogenblikken knikte ik begrijpend, me intussen afvragend of wat Dennis al dan niet zou doen ook maar iets uitmaakte. Lori kon met hem meegaan of haar eigen plan trekken. Het leven ging gewoon door, of je je daar nu zorgen over maakte of niet. Dit was een van de wijsheden die met de jaren was gekomen. In zekere mate putte ik troost uit het feit dat ik dat smachtende dat bij een drieëntwintigjarige hoorde, achter me had gelaten. Op de lange termijn was het allemaal zo nutteloos, toch?

Hoe geringschattend ik ook dacht over het smachten van de jeugd, toen Claudia de resultaten van het doelgroeponderzoek op mijn bureau had gegooid om door te nemen, werd ik ineens overstelpt met informatie over wat de achttien- tot vierentwintigjarige vrouw het liefst wilde. Althans wat haar uiterlijk betrof.

Ze wilde kleur. Heel veel kleur. Ze wilde stralen, sprankelen, schitteren. Ze wilde opvallen. Uniek zijn. Ze wilde sterk zijn, maar wel vrouwelijk. Een elegante sterke persoonlijkheid met lip gloss met aardbeiensmaak.

Ze had gemiddeld twee Juicy Couture-outfits in haar kast hangen, bracht meer tijd door met surfen op internet dan met televisiekijken en gaf de voorkeur aan cosmetica met de naam Don't Quit Your Day Job boven het meer lyrische Passionfruit Pink. Bovendien las ik dat de persoon op wie ze het liefst wilde lijken, Irina Barbalovich was.

Dat was ook precies de reden waarom Roxanne Dubrow, in de persoon van Dianne, haar als het nieuwe gezicht wilde.

Dus werd alles in gang gezet om haar te krijgen. In het begin ging het tamelijk eenvoudig. Er waren niet veel mensen in het modewereldje die een telefoontje van Dianne Dubrow persoonlijk onbeantwoord lieten, en Mimi Blaustein, algemeen directeur van Turner Modeling Agency en agent van hun ster van het moment, Irina, al helemaal niet.

Zoals bij de meeste relaties, begon de flirt met een etentje; er werd onmiddellijk een lunchafspraak gemaakt. Aangezien er veel afhing van deze relatie, was de restaurantkeuze cruciaal. Prompt werd Lori erop uitgestuurd met de opdracht om uit te zoeken waarnaar Irina's voorkeur uitging.

Dat was niet zo'n moeilijke opdracht. Op internet

waren te kust en te keur sites over Irina te vinden, compleet met interviews. Kennelijk wilde de hele wereld weten wat Irina wilde. Aangezien tot voor kort niemand onderscheid had gemaakt tussen Irina en een willekeurige andere negentienjarige, nam ik aan dat ze deze belangstelling te danken had aan het feit dat haar heupen smal genoeg waren om er onweerstaanbaar uit te zien in een strakke heupjeans en aan het feit dat de verhouding tussen haar boven- en heupwijdte ervoor zorgde dat ze oogverblindend oogde, wat een ontwerper ook om haar heen drapeerde.

Wat Lori ontdekte, was dat Irina een veganist van de ergste soort was. Geen zuivelproducten. Geen tarwe. En alles honderd procent biologisch.

Gelukkig waren we in New York City, waarschijnlijk de enige plek op de wereld waar je een restaurant zou kunnen vinden dat hip en chic was en ook nog in staat om oogstrelende borden op te maken met voedsel dat niet was gemarteld, besproeid met pesticiden, in leven gehouden met antibiotica of op welke manier dan ook mishandeld of misvormd.

Dat restaurant was Mandela, dat op loopafstand lag aan Madison Avenue en normaal gesproken een wachtlijst van een maand had voor een reservering. Tenzij je toevallig ging dineren met Irina, natuurlijk.

Wonderlijk genoeg – of niet zo wonderlijk, dat hing ervan af hoe je het bekeek – had Mandela net een tafeltje vrij tijdens de twee uren die Mimi's assistente voor Irina had gereserveerd om zich te vervoegen bij Dianne Dubrow en co..

Er was een tafel voor zes mensen gereserveerd volgens de haastig gekrabbelde notitie die Claudia op Lori's bureau had laten liggen en die ik had gezien toen ik een paar dossiers was komen brengen.

Zes? Dat leek me een vreemd aantal. Irina en haar agent, Claudia, Dianne en ik. Wie was die zesde persoon, vroeg ik me af.

Lori was het in elk geval niet, want hoewel ze met al die administratieve afwikkelingen waarschijnlijk net zo hard had gewerkt als ik om deze bespreking voor te bereiden, gingen de leuke kanten van het werk altijd aan haar neus voorbij. Het zou Lana Jacobs kunnen zijn, hoewel we de pr-afdeling er zo vroeg meestal nog niet bij betrokken – niet voordat we het model dat we op het oog hadden, ook daadwerkelijk hadden gecontracteerd. Mark Sulzberg van de juridische afdeling? Daar was het nog veel te vroeg voor. Het was bepaald niet zo dat Irina al op het punt stond een contract met ons te tekenen, met name omdat we niet de enige spelers op het modeveld waren die streden om Irina's hand.

Het zou ook Phillip Landau kunnen zijn, de veelbelovende fotograaf die Irina als eerste had gefotografeerd voor Vogue. Die twee waren bijna onafscheidelijk sinds die modereportage waarmee ze zichzelf op de kaart hadden gezet, en hun vriendschappelijke omgang met elkaar had geruchten de wereld in kunnen helpen over een romance, ware het niet dat Phillip homo was.

Omdat ik mijn nieuwsgierigheid niet kon bedwingen, stak ik mijn hoofd om de hoek van Claudia's kantoor. 'Wie gaan er mee lunchen volgende week?' vroeg ik.

Claudia keek op van het nummer van W waarin ze verdiept was. Of ze nu trends probeerde op te pikken of gewoon kruit aan het verzamelen was voor haar eerstvolgende aanval van koopwoede, wist ik niet.

'Lunchen?' herhaalde ze, me aanstarend op een manier alsof ze zwaar gedrogeerd was. Ze was aan het shoppen, wist ik. Niets anders kon zo'n waas voor Claudia's ogen brengen als de jacht op de nieuwste handtas of het hipste model broek.

'Met Irina?'

Onmiddellijk klaarde haar blik op, alsof alleen het noemen van Irina's naam al haar zintuigen op scherp zette. 'Nou, Irina en Mimi natuurlijk. Ik en Dianne,' zei ze, elke naam aftellend op haar gemanicuurde vingers. 'Michael –'

'Michael Dubrow?' viel ik haar geschokt in de rede. 'Waarom gaat hij mee?'

Onderzoekend nam Claudia me op. Ik moest toch iets meer emotie hebben getoond dan gepast was in deze situatie.

Als mijn uitroep argwaan bij haar had gewekt, dan moest ik die meteen de kop indrukken, besefte ik, dus praatte ik snel verder. 'Het is een beetje merkwaardig dat de directeur van onze Europese afdeling tijd vrijmaakt voor een lunch om ons nieuwe model in de watten te leggen, vind je niet?' Hoewel ik die woorden uitsprak met de zelfverzekerde nonchalance die mijn handelsmerk was geworden, maakte ik me wel degelijk ongerust. Het was al een hele tijd geleden dat ik Michael van dichtbij had gezien.

Kort na onze affaire had hij de leiding over de Europese afdeling overgenomen, waardoor hij vaak in het buitenland zat. Als hij in het land was, werkte hij vaak vanuit het kantoor op Long Island, en zelfs als hij naar New York kwam, was het geen enkel probleem om hem te ontlopen; de deur van het Dubrow-herenhuis in Sutton Place stond niet bepaald voor iedereen open. De paar keer dat hij wel opdook bij vergaderingen in ons kantoor aan Park Aveneu, waren er zo veel anderen aanwezig, dat ik gemakkelijk een koele, professionele houding tegenover hem kon aannemen.

Ik zag er echter als een berg tegenop om tegenover Michael in een restaurantje te zitten. Het verbaasde me dat ik me na al die tijd nog zo van mijn stuk liet brengen door hem. Misschien begon ik inderdaad wel soft te worden op mijn oude dag.

'Ik geloof dat hij Courtney vergezelt,' zei ze, inmiddels weer verlekkerd door het tijdschrift bladerend.

'Courtney?'

'Courney Manchester. De nieuwe manager van Onderzoek & Ontwikkeling?' zei ze, naar mij opkijkend. 'Ik denk dat hij zich verantwoordelijk voor haar voelt. Of zoiets,' ging ze verder. 'Tenslotte heeft hij haar ook min of meer overgenomen, samen met de Sparkle-lijn. Hem kennende, zal hij het nieuwe troetelkindje van het bedrijf als het zijne bestempelen zodat hij met alle eer kan gaan strijken zodra Roxy D de markt verovert.' Verachtelijk snoof ze. 'Want met de zak geld die dit bedrijf in dit product steekt, kan het bijna niet misgaan.'

Terwijl Claudia haar overbekende tirade begon af te steken over het totale gebrek aan kennis bij Michael – en bij Dianne trouwens ook – over de marketing van een product, knikte ik afwezig, omdat mijn hoofd tolde van wat ze me zojuist had verteld. Heel even wist ik niet eens wat me nu het meest dwarszat: het vermoeden dat Michael zijn nieuwste verovering openlijk inpalmde of het feit dat ik kennelijk geen grote rol speelde in de nieuwste reclamecampagne van Roxanne Dubrow. Ik was niet eens uitgenodigd voor die rottige lunch.

Voordat de stoom zichtbaar uit mijn oren kwam, onderbrak ik Claudia's scheldkanonnade met een smoesje over een telefoontje dat ik nog moest plegen, waarna ik naar mijn kantoor liep en de deur achter me dichtgooide.

Daar probeerde ik het besef tot me te laten doordringen dat mijn toekomst bij Roxanne Dubrow niet zo rooskleurig was als ik had gedacht. Intussen klikte ik gedachteloos op de e-mailmap waarin ik de halfjaarlijkse nieuwsbrieven opsloeg.

Al snel had ik de nieuwsbrief gevonden waarin de acquisitie van Sparkle werd vermeld. Zodra ik die had geopend, zocht ik het betreffende artikel op – en met name de foto van Courtney Manchester waarnaar ik amper had gekeken toen ik de nieuwsbrief had ontvangen. Nu liet ik echter elk detail tot me doordringen. Zoals Courtney Manchesters triomfantelijke glimlach. Haar roodbruine haren en fonkelende groene ogen.

Michael had zich altijd laten inpakken door een knap smoeltje. En dit exemplaar was in één woord onweerstaanbaar voor hem; daar twijfelde ik niet aan. Als hij nog niet met haar tussen de lakens was beland, dan was het slechts een kwestie van tijd.

Te bedenken dat ik die man ooit in me had laten komen zonder condoom.

Zelfs mijn woede kon echter het moedeloze gevoel dat me overviel, niet onderdrukken. Waarom zat ik hier zo mee in mijn maag? Sindsdien had ik betere mannen dan Michael gedumpt; Drew en Ethan waren in elk geval beschikbaar geweest op momenten dat ik dat had gewild.

Omdat je van hem hield, fluisterde een inwendig stemmetje, toen ik eraan terugdacht hoeveel nachten ik wakker had gelegen tijdens onze verhouding, wensend dat hij niet zo machtig was, zo ambitieus, zo moeilijk te verleiden tot meer dan een paar vluchtige maar intieme contacten.

Was dat liefde? Verlangen gevolgd door pijn en verdriet?

Als dat zo was, dan hoefde het voor mij niet.

4

Een verliefde man is incompleet totdat hij is getrouwd. Dan is hij verloren. (Zsa Zsa Gabor)

Als ik mezelf met hart en ziel op de nieuwe campagne had kunnen storten, dan had ik dat gedaan. Alles om maar niet te hoeven denken aan hoe zwaar de mannen in mijn leven me waren tegengevallen.

Aangezien Claudia me echter vakkundig op een zijspoor had gezet in de Roxy D-campagne, voelde ik me niet langer geroepen om over te werken om de voorstellen van reclamebureaus te beoordelen. Als Claudia dit kindje helemaal voor zichzelf wilde, dan kon ze het ook helemaal zelf uitzoeken.

Ik had wel wat beters te doen. Roxanne Dubrow zou het volgende jaar niet alleen op het succes van Roxy D kunnen teren. Volgens ons marktonderzoek was er ook nog een heel segment vrouwen in de leeftijdscategorie van vijfendertig tot vijftig jaar die de wonderen van Youth Elixer, ons vochtinbrengende paradepaardje, nog moest ontdekken. Ik besloot mezelf maar weer eens in te zetten voor de bevolkingsgroep die mij het meest nodig had, althans vanuit het oogpunt van huidverzorging. Bovendien had ik al mijn creativiteit nodig als ik de Youth Elixer-campagne goed uit de verf wilde laten komen, nu het budget daarvoor bijna was gehalveerd.

Tijdens onze sessie van die week had ik Shelley omstandig uit de doeken gedaan wat een uitdaging het was om Youth Elixer te promoten met een drastisch gekort budget. Ik zag dat ze zocht naar een aanleiding om te praten over iets met een beetje meer diepgang dan de vraag of ik in mijn eentje de verkoopcijfers van Youth Elixer naar ongekende hoogten kon opstuwen, maar daar gaf ik haar de kans niet voor. Wat had het voor zin om me te wentelen in problemen die volgens haar onder de oppervlakte sudderden?

Desondanks was ik me bewust van een knagend gevoel van onbehagen over Michael, dat ik niet zo rigoureus kon uitwissen als bij Ethan.

Die week betrapte ik mezelf er maar liefst drie keer op dat ik zat te fantaseren over een enorme scène waarin ik, met een paar dodelijke opmerkingen, zowel Courtney als Michaels liefhebbende zus, Dianne, duidelijk maakte dat Michael Dubrow een misselijke rokkenjager was. Dat was ook de reden waarom ik besloot even te verdwijnen tijdens de paar uurtjes waarin ik het risico liep Michael en zijn gevolg tegen het lijf te lopen.

Dus ging ik, om half twaalf op de bewuste dag – maar liefst drie kwartier voordat de Dubrow-clan per limo zou arriveren vanuit Long Island – in mijn eentje naar Bloomingdale's.

Voor het geval je denkt dat ik ertussenuit kneep omdat ik het emotioneel niet aankon, geloof me, ik moest echt een vergelijkend warenonderzoek doen. Een paar van de grootste fabrikanten hadden nieuwe cadeauverpakkingen op de markt gebracht, en ik moest toch met eigen ogen zien wat Roxanne Dubrows concurrenten in hun schild voerden?

Dat ik, zodra ik de cosmetica had gehad, rondlummelde op de kledingafdeling op de tweede etage, stond overal los van. Per slot van rekening was het inmiddels september, en ik kon al duidelijk voelen dat de temperaturen begonnen te dalen. Ik moest hoognodig wat broeken en truien uit de nieuwe collecties inslaan als ik de komende winter heelhuids wilde doorkomen.

Tegen de tijd dat ik Bloomingdale's twee uur later verliet, was ik met zo veel tassen behangen, dat ik op kantoor wel eens de indruk zou kunnen wekken dat ik die paar uurtjes weg was geweest om voor mezelf te gaan winkelen. Dus nam ik een taxi naar mijn appartement, waar ik alle niet-werkgerelateerde aankopen neerzette en even de tijd nam om mijn gezicht te poederen en mijn lipstick bij te werken. Want als ik de pech had dat ik Michael tegen het lijf liep, dan moest ik er zo oogverblindend uitzien, dat hij bij wijze van spreken de haren uit zijn hoofd trok dat hij mij nooit ofte nimmer meer in de horizontale stand – of anderszins – zou nemen.

'Ziezo,' zei ik tegen mijn evenbeeld in de passpiegel in mijn slaapkamer, met een goedkeurende blik op het truitje dat mijn welvingen prima liet uitkomen en het strakke rokje dat als blikvanger voor mijn benen fungeerde. Mijn strak gesneden jasje gaf de sexy outfit net dat tikje zakelijkheid waardoor ik in de categorie 'smaakvol professioneel en toch op en top vrouwelijk' viel. Nog een veegje lipstick (gewoon even wat bijwerken, hoor – ik wilde er niet uitzien alsof ik op oorlogspad was) en ik was de deur uit, klaar om Michael Dubrow onder ogen te komen.

Natuurlijk zag ik in de taxi op weg naar Park Avenue pas dat ik bijna drie uur weg was geweest; dus de kans dat ik een van de Dubrows zou tegenkomen, was vrijwel nihil. Mijn inschatting was dat de lunch om twee uur was afgelopen en dat Dianne en co. uiterlijk om kwart over twee op de terugweg waren.

Mijn ogen vielen dan ook bijna uit hun kassen, toen ik zag dat de glanzend zwarte wagen van de Dubrows nog voor het gebouw geparkeerd stond. De chauffeur zat achter het stuur op zijn gemak de krant te lezen alsof hij voorlopig nog niet hoefde te vertrekken.

Nadat ik de taxichauffeur had betaald, stapte ik uit in het volle besef dat ik de Dubrow-clan op geen enkele manier zou kunnen ontlopen.

Het eerste wat mij opviel toen ik het kantoor binnen kwam, was dat het spookachtig verlaten en angstaanjagend stil was. Lori zat niet achter haar bureau, en als ik het woedende getik met een sleutelbos niet uit Claudia's kantoor had horen komen, dan had ik gedacht dat het gebouw ontruimd was.

In haar deuropening bleef ik staan. 'Wat is er aan de hand?'

Ze keek op. 'Waar heb jij uitgehangen?'

'Bloomingdale's,' antwoordde ik, het enige tasje dat ik mee naar kantoor had genomen, omhooghoudend. Daar zat een heel assortiment aanbiedingen van onze voornaamste concurrenten in. 'De cadeauverpakkingen voor deze winter liggen in de winkel,' legde ik uit.

'Dianne heeft iedereen naar de vergaderzaal geroepen,' zei Claudia. 'We gaan zo de champagne ontkurken.'

'Je gaat me toch niet vertellen dat Mimi Blaustein tijdens de lunch haar goudmijntje heeft vastgelegd?'

'Nee, nee,' ontkende Claudia hoofdschuddend. 'Alsjeblieft, zeg. Je had moeten zien hoe ze allemaal liepen te slijmen bij die Irina. Walgelijk. Alsof iemand ook maar werkelijk geïnteresseerd was in wat een meisje dat net aan de beha is, te vertellen heeft. Bar weinig, trouwens.' Ze draaide met haar ogen. 'Nee, Irina en Mimi zijn allang vertrokken. Irina moest een vlucht naar Parijs halen of zo.' Haar zorgvuldig opgemaakte ogen stonden wat wazig, en ik besefte dat Claudia waarschijnlijk doodmoe was van het onderdrukken van haar ergernis over een meisje-dat-netaan-de-beha-was omwille van het bedrijfsbelang. 'Ik wilde dit e-mailtje voor het eind van de dag nog versturen en hoopte jou wat extra tijd te kunnen geven...'

'Tijd waarvoor?'

'O, Joost mag het weten. Dianne wil de een of andere mededeling doen.'

Iedereen was er al, van de pr- en de verkoopafdeling tot de marketingteams voor alle drie onze merken. Ik zag Michael meteen, vrolijk kletsend met Doug Rutherford, de manager van de verkoopafdeling, die een kantoor had aan de andere kant van onze U-vormige ruimte voor het geval hij in de stad was. In die ene vluchtige blik die ik mezelf toestond, zag ik dat Michael nog steeds even aantrekkelijk was met zijn donkerbruine haar en zijn blauwe ogen met die ongelooflijke wimpers. Hoewel hij net tweeënveertig was geworden, leek hij jonger dan ooit. Michael was het schoolvoorbeeld van 'jongensachtig knap' met zijn (op het oog) onschuldige trekken, ietwat humeurige mond en vooruitstekende kin. Het paste ook bij zijn positie als nakomertje – hij was maar liefst twaalf jaar na Dianne geboren, tot grote vreugde van Roxanne Dubrow en wijlen haar echtgenoot, Ambrose. Bovendien was Michael precies zo verwend en egoïstisch als bij die plek in het gezin hoorde, had ik me gerealiseerd vlak nadat hij tamelijk achteloos met mij had gevreeën, alsof het er niet toe had gedaan. Alsof ik er niet toe had gedaan.

Omdat ik niet langer over hem wilde nadenken – of over de huivering die door me heen ging, zelfs na al die tijd – keek ik de zaal rond, tot mijn blik op Dianne viel, die aan het hoofd van de tafel stond.

Haar glanzend bruine haar omlijstte haar perfect opgemaakte gezicht en gave huid – nou ja, zo gaaf als de huid van een vierenvijftigjarige vrouw er nog uit kon zien. Zoals altijd was ze tiptop gekleed in een op maat gemaakt ivoorwit mantelpakje (het nieuwe zwart, volgens het laatste nummer van W) en voldeed ze aan het beeld van de tengere maar elegante koningin van de Dubrow-clan, dat ze was geworden toen haar moeder meer dan tien jaar geleden met pensioen was gegaan. Dat ze hier nu stond, vervulde me met een vreemd soort opluchting, omdat ik haar al maandenlang niet had gezien. Hoewel ze altijd de scepter had gezwaaid vanuit het kantoor op Long Island, had ze vroeger regelmatig haar neus laten zien op het kantoor in New York. Ik vroeg me af wat haar hier weg had gehouden.

'Dat is toch om kotsmisselijk van te worden, vind je niet?' zei Claudia, die naast me was komen staan.

'Kotsmisselijk?' herhaalde ik niet-begrijpend.

'Courtney Manchester. Die roodharige die met Dianne staat te praten...'

Aandachtig nam ik de vrouw op die naast Dianne stond en haar met haar perfect opgemaakte poppengezichtje glimlachend aankeek. Ik had haar niet eens herkend. Misschien omdat ze in werkelijkheid nog mooier was dan op dat kleine fotootje dat ik had opgezocht.

Ik besloot me op de vlakte te houden. Wat kon ik anders doen? 'Ze is wel heel mooi,' reageerde ik, alsof dit alles verklaarde.

Claudia snoof verachtelijk. 'Alsjeblieft, zeg. Wacht maar tot je haar gebit ziet. Ze is een Britse, weet je nog?'

Ik probeerde me te concentreren op dat ene minpuntje, terwijl ik de zaal doorliep om Dianne te begroeten. Ik kon moeilijk de president-directeur van Roxanne Dubrow negeren alleen maar omdat ik het gevoel had dat er net een rotsblok in mijn maag was beland. Bovendien had Dianne me al gezien en me vriendelijk gebaard dat ik naar haar toe moest komen.

'Grace Noonan!' zei Dianne, een gemanicuurde hand naar me uitstekend. Vervolgens trok ze me in een omhelzing trok waarbij onze wangen elkaar even schampten. Dianne ging met haar personeel om alsof het familie was, alleen had ik me nooit echt lid daarvan gevoeld, hoeveel omhelzingen en kerstcadeautjes mij in de loop van de tijd ook te beurt waren gevallen. 'We hebben je vandaag gemist bij de lunch. Claudia zei dat je een andere afspraak had...'

Voordat ik een vragende blik op mijn baas kon werpen, stelde Dianne me voor aan de lieftallige Courtney, die me vriendelijk toelachte.

Ze was maar een klein popje, niet langer dan één meter zestig, schatte ik.

Plotseling stond ik daar net zo hartelijk terug te glimlachen. Was dit de vrouw die Michael Dubrow ervan kon overtuigen dat een relatie met een van zijn werkneemsters het Dubrow-imperium niet te gronde zou richten, vroeg ik me af. Intussen bekeek ik haar knappe gezichtje aandachtig – ja, ze had inderdaad een scheefstaande voortand, maar dat was eigenlijk best charmant – en luisterde ik naar haar gebabbel met dat prachtige Engelse accent. Ik putte een klein beetje troost uit het idee dat Michaels belangstelling wellicht meer te maken had met de winst die de fusie tussen Sparkle en Roxanne Dubrow volgens hem zou opleveren. Misschien was het dit kleine sprankje hoop dat me kracht gaf, toen Michael in hoogsteigen persoon naar ons toe kwam.

De ballen, dacht ik, toen hij me ongegeneerd aanstaarde, een zelfverzekerd lachje om die goedgevormde mond. Eén ding moest ik hem nageven: Michael Dubrow had in elk geval ballen. Opnieuw voelde ik de neiging opkomen om hem op zijn nummer te zetten onder het toeziend oog van Dianne, die hem met een liefhebbende blik aankeek, en Courtney, die op het punt leek te staan hem onder te kwijlen, te oordelen naar de verliefde blik die in haar ogen verscheen toen hij naast haar ging staan.

'Grace, leuk je te zien,' zei hij met een knikje in mijn richting, voordat hij zich naar Courtney omdraaide. 'Ik neem aan dat je kennis hebt gemaakt met Courtney?' ging hij verder, zonder zijn blik van haar af te wenden, alsof ze een kostbaar juweel was waar zijn oog op was gevallen.

Kennelijk was dat ook het geval. Want zodra Michael en de aanbiddelijke Courtney elkaar in de ogen keken, herinnerde Dianne zich ineens dat ze ons hierheen had laten komen met een reden.

'Het is tijd,' zei ze, in haar handen klappend, waarop iedereen haar verwachtingsvol aankeek en Lori, die met een dienblad vol glazen champagne rondliep, naar ons toe snelde. Toen wij de resterende vijf glazen van het blad hadden gepakt, dat Lori vervolgens onder de vergadertafel legde, was de vloer voor Dianne.

'Jullie vragen je vast af waarom ik jullie hier vandaag bijeen heb geroepen,' begon ze met een stralende glimlach. 'Het geval wil dat ik een fantastische aankondiging mag doen. Twee, eigenlijk.' Haar van trots vervulde blik schoot even naar Michael en Courtney.

'Zoals jullie weten, hebben we vorig jaar de geweldige Sparkle-lijn overgenomen waarover Courtney Manchester vanuit Engeland de leiding had. Het is onze vurige wens dat door deze lijn onder de paraplu van Roxanne Dubrow te brengen, de toekomst van onze succeslijn verzekerd zal zijn. Daarom kondig ik met trots aan dat Courtney Manchester, die zal toezien op de metamorfose van dit nieuwe product, benoemd is tot manager van de afdeling Productontwikkeling.'

De zaal reageerde met een lauw applausje, zodat ik

Claudia hoorde foeteren: 'Alsof we dát niet hadden zien aankomen.'

Vervolgens ging Dianne onverstoorbaar verder: 'En ik ben ook dolblij nog een fusie te kunnen aankondigen, een meer persoonlijke.' Haar glas heffend zei ze: 'Op Michael en Courtney, die het afgelopen weekend hun verloving bekend hebben gemaakt.'

5

Onze lotsbestemming ligt vast, en daar valt op geen enkele manier aan te ontkomen. (Rita Hayworth)

Op weg naar huis ging ik bij Zabar langs, omdat ik een onbedwingbare behoefte had om te hakken, te wokken en te sudderen. Ik kookte niet vaak, en als ik het wel deed, was het eerder uit therapeutische overwegingen dan uit culinaire belangstelling. Die avond ging ik roerbakken, voornamelijk omdat ik besefte dat ik na de schokkende gebeurtenissen van die middag een tuin vol groenten zou moeten hakken om de pijn te verzachten. En hakken zou ik, want ik had drie paprika's gekocht, een gigantische aubergine, een struik broccoli, een enorme hoeveelheid champignons en meer knoflook dan je zou moeten eten op vrijdagavond als je je nog onder de mensen wilde begeven. Ik had echter al besloten dat ik geen trek had om gezellig te doen. Claudia had erop aangedrongen dat ik na het werk meeging een cocktailtje drinken, maar ik voelde er niets voor om in de een of andere bar te gaan staan luisteren naar mijn baas die met het uur verbitterder begon te fulmineren tegen het onrecht van Courtneys plotselinge promotie tot rechterhand van de Dubrow-familie, met name omdat het me nog steeds stak dat zij een plek in Michaels hart had veroverd. Want steken deed het. Des te meer toen ik had gezien hoe Dianne het gelukkige stel had omhelsd. De manier waarop ze Courtney in de familie verwelkomde, bracht in mij een vreemd verlangen boven. Nu wist ik waarom ik me nooit lid van de Dubrow-familie had gevoeld. Omdat ik dat niet was – en het nooit zou worden.

Die gedachte leidde me van Zabar linea recta naar de slijterij om een fles wijn te halen. Ik was vastbesloten om van dit avondje alleen net zo'n aangename en ontspannende avond te maken als het had kunnen zijn als ik hem met iemand anders had doorgebracht. Ik ging me zelfs te buiten aan een Franse Bordeaux.

Even later trippelde ik met een tas vol groenvoer en een fles wijn door de hal. Ik knipoogde zelfs naar Malakai, mijn altijd vriendelijke en altijd gedienstige portier, die de deur voor me openhield en intussen mijn aankopen bekeek. 'Komt mijn lange vriend vanavond langs?' vroeg hij opgewekt, doelend op Ethan. Malakai omschreef de mannen in mijn leven altijd aan de hand van een lichamelijk kenmerk. Mijn vorige vriendje, Drew, was zijn blonde vriend geweest. Zelfs Michael, die maar één paar keer bij me thuis was geweest, werd door Malakai aangeduid als zijn blauwogige vriend.

Dat was het probleem met portiers: je kon je liefdesleven – of het gebrek daaraan – niet voor hen verbergen. Hoewel wij er maar eentje hadden en hij er alleen maar van vijf uur tot middernacht was, vielen zijn werkuren precies samen met dat cruciale deel van de avond waarin alles – hopelijk – gebeurde in een vrouwenleven.

'Nee, er komt niemand langs,' antwoordde ik met een stralende glimlach, waarna ik koers zette naar de brievenbussen aan de andere kant van de hal om te voorkomen dat ik Malakais onvermijdelijke commentaar moest aanhoren, namelijk dat hij me nooit een avond in mijn eentje zou laten doorbrengen als hij twintig jaar jonger was geweest.

Ik wist dat hij het goed bedoelde, zoals een oom op leeftijd het ook goed bedoelde wanneer hij het Miss America-liedje voor je zong op je zesde. Ditmaal was ik er echter gewoon niet voor in de stemming.

Uit mijn brievenbus haalde ik de stapel catalogussen, rekeningen en creditcardaanbiedingen tevoorschijn die ik daar dagelijks aantrof, totdat mijn oog op een brief viel waarvan de afzender me inmiddels heel bekend voorkwam: K. Morova. Brooklyn, New York.

Ik kende dat handschrift, maar niet de schrijfster zelf. Vaak genoeg was ik met mijn vinger over de handtekening gegaan die op het ontvangstbewijs stond van de brief die ik maanden geleden aan Kristina Morova had gestuurd.

Mijn moeder, althans biologisch gezien. De vrouw van wie ik tot nu toe had aangenomen dat ze geen belangstelling had voor een ontmoeting met mij.

Het gevoel van angst dat mijn keel dichtkneep, negeerde ik, waarna ik de brief snel tussen de bladzijden van een keramiekcatalogus liet glijden, alsof ik mezelf zo wilde beschermen tegen de inhoud ervan. Daarna liep ik naar de liften, die zich aan de zijkant van de hal bevonden.

'Eindelijk begint het lekker koel te worden buiten,' deed een stem me opschrikken uit mijn warrige gedachten. Toen ik opkeek zag ik Mrs. Brandemeyer, die een etage lager woonde dan ik en al sinds de zestiger jaren appartement 122 huurde. Het feit dat ze er al zolang woonde en al op leeftijd was, had haar een paar privileges opgeleverd. Zoals bijvoorbeeld het gebruik van de wasruimte (de laatste vrije wasdroger was je altijd kwijt aan Mrs. Brandemeyer, die 'te oud was om steeds maar met de lift op en neer te gaan') of het bezitterige air dat ze aannam als het om Malakai ging. Ze was nogal argwanend tegen me geweest toen ik hier zes jaar geleden was komen wonen. 'Ik heb een hekel aan harde muziek,' had ze verkondigd, onmiddellijk nadat ze had vernomen dat ik niet alleen single was maar ook in het appartement boven dat van haar woonde. Pas toen ze ervan overtuigd was geweest dat ik niet van plan was elk weekend een wild feest te organiseren, was ze begonnen me te verblijden met typisch burengebabbel over uiteenlopende onderwerpen, zoals het weer, het aantal menu's dat op een willekeurige dag onder haar deur door werd geschoven of de staat waarin het tapijt op de gangen verkeerde.

Dat gepraat over koetjes en kalfjes kon me normaal al gestolen worden, maar die avond vond ik het helemaal een bezoeking, nu er iets brandde tussen de bladzijden van de catalogus in mijn hand. Dus knikte ik beleefd glimlachend, terwijl zij hardop mijmerde over de plotselinge temperatuurdaling.

'Het wordt een ijskoude winter,' besloot ze tevreden, toen ze uit de lift stapte en mij achterliet om het laatste stukje alleen af te leggen.

Heel eventjes bleef ik verrast staan toen ik mijn appartement in stapte en ontdekte dat het nog precies hetzelfde was als ik het die ochtend had achtergelaten, op het schemerige avondlicht na dat nu door de transparante roomwitte gordijnen naar binnen viel. Buiten lag de stad te schitteren, en ik hield me bemoedigend voor dat wat Kristina Morova ook had geschreven in haar brief aan mij, New York City daarna nog steeds aan mijn voeten zou liggen, wachtend op me als een goede oude vriend.

Misschien waren de brief en de onbekende inhoud daarvan er de oorzaak van dat ik eerst als een kip zonder kop door het huis begon te hollen. Ik zette de boodschappen in de keuken, hing mijn jas op, legde de stapel tijdschriften recht die ik nog moest lezen en nam de keukenbladen af. Pas daarna won mijn nieuwsgierigheid het van de angst die me in zijn greep had, want ineens had ik mijn schoenen uitgeschopt, me op de bank genesteld en de brief opgepakt met het fatalistische gevoel dat ik maar niet van me af had kunnen schudden sinds ik zeven maanden geleden zelf die brief had verstuurd.

Voorzichtig maakte ik de envelop open en haalde er één velletje ivoorwit briefpapier uit dat bovenaan was versierd met een bloemmotief. Mijn eerste gedachte was dat het me deed denken aan het briefpapier dat mijn oma gebruikte. De tweede was dat er maar één blaadje met krullerige hanenpoten was. Daar keek ik even vreemd van op, maar vervolgens begon ik te lezen.

Beste Grace Noonan,

Ik wil je hartelijk bedanken voor je brief van een paar maanden geleden en schrijf je nu om je te laten weten dat het me vreselijk spijt dat ik niet eerder heb gereageerd, maar er is zoveel gebeurd. Ik heb nieuws over mijn zus, Kristina Morova, maar helaas moet ik je tot mijn grote spijt meedelen dat het geen goed nieuws is. Mijn zus is vorig jaar december overleden aan borstkanker. Ik vind het heel naar dat ik zulk verdrietig nieuws voor je heb, maar ik weet dat mijn zus zou hebben gewild dat ik je op de hoogte breng.
Ik schrijf je ook om je te vertellen dat je een zus hebt, Sasha, die net zestien is geworden. Ze woont momenteel bij mij, in Brooklyn.
Ik weet niet of je ons nog wilt ontmoeten, maar uit respect voor de wens van mijn zus wil ik je hierbij uitnodigen om bij ons thuis te komen. Ik geef je mijn nummer in Brooklyn en hoop van je te horen over deze kwestie.

Met vriendelijke groet,
Katerina Morova

Ik moest de brief drie keer lezen voordat de inhoud tot me doordrong. Voordat de keiharde waarheid achter dat onvaste schuinschrift en die vormelijke zinnen tevoorschijn kwam.

Ze was er niet meer. Kristina Morova was er niet meer.

Heel even voelde ik me opgelucht dat er in elk geval een reden was voor dat stilzwijgen van de afgelopen maanden. De teleurstelling die daarop volgde, was echter zo hevig, dat de tranen achter mijn ogen prikten.

Ze was er niet meer. Dood.

Toch wilden de tranen nog steeds niet stromen. Misschien omdat ze er voor mij nooit echt was geweest. Kon ik werkelijk rouwen om iemand die ik formeel niet kende?

Ik stond van de bank op met het vage idee dat ik iets moest doen. Omdat ik niet wist wat dat iets was, liep ik houterig naar de keuken waar ik naar de tassen met boodschappen staarde en vervolgens, op de automatische piloot, de snijplank tevoorschijn haalde.

Uit de tas pakte ik een bol knoflook, pelde het knisperende schilletje van een van de tenen en begon te hakken, want ik had in mijn hoofd gehaald dat deze maaltijd bereid moest worden, wat er ook gebeurde. Niet dat ik honger had, maar nu had ik ten minste het idee dat ik een doel had, al was het maar om deze berg groenten te redden van het rottingsproces dat ze te wachten stond als ze in de onderste lade van mijn ijskast zouden belanden, waar ik ze glad zou vergeten.

Pas bij de achtste teen knoflook – een stuk of vier meer dan ik nodig had – ontwaakte ik uit mijn nevelige toestand. En dat alleen maar doordat ik er op de een of andere manier in was geslaagd tijdens mijn stoïcijnse gehak in mijn wijsvinger te snijden.

'Verdomme!'

Het volgende moment, toen ik een huilbui voelde opkomen die absoluut meer om het lijf had dan deze snijwond kon veroorzaken, gooide ik het boeltje erbij neer, ademde eens diep in en, nadat ik de wond met koud water had afgespoeld en mijn vinger in een servet had gewikkeld, pakte ik de telefoon.

'Angie, met Grace,' zei ik tegen het antwoordapparaat van mijn beste vriendin. Zodra ze de telefoon oppakte, ging er een golf van opluchting door me heen.

'Wat is er aan de hand?' vroeg ze op gebiedende toon, alsof ze de emotie had horen doorklinken in de drie woorden die ik op haar antwoordapparaat had ingesproken. Waarschijnlijker was echter dat ze gewoon verbaasd was iets van me te horen. Het was niets voor mij om haar op vrijdagavond te bellen om bij te kletsen.

Zo nonchalant als ik verslag zou hebben gedaan van een auto-ongeluk dat ik vanaf een veilige positie op het trottoir had zien gebeuren, vertelde ik haar het hele verhaal.

'Allemachtig... Grace, gaat het wel met je?' bracht ze stamelend uit. En toen: 'Laat maar. Geef daar maar geen antwoord op. Ik kom eraan.'

Ik had geen puf om tegen te stribbelen. Of misschien wilde ik dat voor een keer niet. Want welke gevoelens ik in mijn ogen ook hoorde, of juist niet hoorde te hebben over de dood van Kristina Morova, ik had in elk geval wel door dat er iets heel ingrijpends was gebeurd. Iets wat ik niet op mijn gebruikelijke manier onder het tapijt kon vegen.

Dus liet ik Angie even later mijn appartement binnen benen en kreeg ik zelfs een brok in mijn keel toen ze me stevig omhelsde. Dat was ook, meer dan iets anders, de reden waarom ik haar toestond om me te troosten, om op de bank te zitten en me te vergasten op allerlei raadgevingen omdat ik mezelf niet zover kon krijgen erover te praten. En toen ze daarmee klaar was, om eten voor me klaar te maken.

'Hoe weet je wanneer de kip gaar is?' riep ze vanuit de keuken. Ze had erop gestaan mijn werk af te maken. Ik denk dat de manier waarop ik zwijgend op de bank had gehangen tijdens haar troostende woorden, haar ervan had overtuigd dat ze iets voor me moest doen, maakte niet uit wat. Dus had ik me met een glas wijn dat ze voor me had ingeschonken, op de bank genesteld, waar ik me nu herinnerde dat als het om keukenaangelegenheden ging, Angie degene was die met het glas wijn in de woonkamer had moeten blijven.

Ik voelde dat er onwillekeurig een grijns op mijn gezicht verscheen toen ik opstond van de bank om naar de keuken te slenteren. Een grijns die op slag verdween bij de aanblik van de puinhoop die Angies laatste culinaire ambities hadden veroorzaakt: ernstig toegetakelde groenteresten lagen verspreid over het aanrecht, terwijl er ondefinieerbare reepjes, waarschijnlijk kippenvet, lagen te dobberen in een plas olijfolie naast het fornuis. De maaltijd zelf leek op een ramp die bezig was zich te voltrekken. De groenten waren intussen aan de kook gebracht en waarschijnlijk het stadium beetgaar allang gepasseerd. De kip was in enorme hompen gesneden in de wok gegooid.

Kennelijk had Angie het roerbakken nog niet ontdekt.

'Hm... ik weet niet zeker of het vlees zo wel gaar wordt,' zei ik voorzichtig, waarna ik het heft in handen nam. Zodra ik de stukken kip – die ik voorzichtig uit de pan had gehaald – in smalle reepjes begon te snijden, voelde ik me stukken beter. Door al dat vertroetelen van Angie was ik me alleen maar hulpelozer gaan voelen, en dat was niet een gevoel dat ik graag koesterde.

Nu stond Angie er hulpeloos bij, maar ook zichtbaar opgelucht dat ik het van haar had overgenomen, hoewel ze zich maar bleef verontschuldigen.

'Misschien moeten we iets laten bezorgen,' mompelde ze, starend naar het nog steeds roze kippenvlees dat ik weer in de pan gooide. Ze was doodsbenauwd het loodje te leggen door een bacteriële besmetting.

'Rustig maar, ik maak er wel iets eetbaars van,' stelde ik haar gerust, terwijl ik de laatste homp aan reepjes sneed en in de wok mikte.

Tegen de tijd dat we aan tafel zaten te eten, voelde ik me weer de oude. De touwtjes in handen. Tevreden. Bovendien was ik niet langer in de stemming om te blijven stilstaan bij wat geweest had kunnen zijn. Eigenlijk had ik niets verloren. Ik was echt nog steeds dezelfde Grace Noonan als de vorige dag. Er was geen begrafenis waar ik heen moest; er waren geen condoleances. Formeel was ik geen rouwend familielid. Dus formeel viel er niets te rouwen, toch?

Ook had ik inmiddels een besluit genomen, ondanks Angies aansporingen dat ik die pas ontdekte tante en zus moest gaan opzoeken. Hoewel ik nieuwsgieriger naar hen was dan ik liet merken, had ik besloten dat ik hen niet wilde leren kennen. Ik wilde niet geven om familie die alleen uit plichtsgevoel contact met me had opgenomen.

'Dat was verrukkelijk, Grace,' zei Angie achteroverleunend in haar stoel. Toen ze er eenmaal van overtuigd was dat ze aan de kip niet dood zou gaan, had ze met zo veel smaak van het wokgerecht zitten eten, dat ze nu toe leek aan een taxiritje naar huis en haar hoofdkussen.

Dat vond ik prima. Ik wilde zo langzamerhand wel weer eens alleen zijn.

Helaas had Angie andere plannen gemaakt. 'Nou, eh... ik heb een tandenborstel meegenomen en schoon ondergoed...' begon ze.

'O, Angie, je hoeft niet te blijven,' protesteerde ik onmiddellijk. Bij de gekwetste blik in haar ogen voelde ik me echter schuldig; dus liet ik me vermurwen.

Prompt begon ze te stralen. 'Geweldig. Ik ren even naar buiten om wat Double Chocolate Häagen-Dazs voor ons te halen. Dit wordt gezellig, Gracie. Net als vroeger in Brooklyn, toen we bij elkaar gingen logeren...'

Het deed me nog meer aan vroeger denken dan ik me vooraf had kunnen voorstellen, met name doordat Angie de slaapbank afwees en in plaats daarvan per se bij mij in bed wilde kruipen.

Dus daar lagen we even later dan, zij aan zij in het donker, net als vroeger toen we nog op de middelbare school hadden gezeten. We waren ons te buiten gegaan aan het ijs, terwijl Angie enthousiast had verteld over de locatie die Justin had gevonden om de openingsscène van zijn film op te nemen. Daarna waren we vanzelf bij andere onderwerpen beland, zoals bijvoorbeeld mannen.

Ik vertelde Angie hoe opgelucht ik was dat Ethan uit mijn leven verdwenen was. 'Ik geloof niet dat hij goed had kunnen omgaan met deze hele toestand met Kristina Morova...' bracht ik onverwacht het onderwerp ter sprake dat ik de hele avond zorgvuldig had vermeden.

In het donker voelde ik Angies blik op me rusten. Alsof ze aanvoelde dat ik me hier ongemakkelijk bij voelde. Zonder een woord te zeggen, pakte ze mijn hand vast.

Ondanks de onafhankelijke façade die ik probeerde op te houden, was ik op dat moment heel erg blij dat ik niet alleen was. Niettemin wachtte ik tot ik aan Angies ademhaling hoorde dat ze sliep, voordat ik de tranen liet komen.

Ik weet niet precies hoe lang ik de waterlanders stilletjes over mijn wangen liet rollen, mijn lichaam schokkend van de ingehouden snikken zodat ik Angie niet wakker zou maken, maar op een gegeven moment waren de tranen gewoon op. Met een droevige glimlach draaide ik me om om naar mijn slapende vriendin te kijken. Al met al had ik toch niets verloren? Ik had nog steeds mijn beste vriendin. En mijn familie, die ik hoognodig moest bellen, besefte ik met een plotselinge huivering.

Daar was geen haast bij, hield ik me voor, terwijl ik langzaam begon in te dommelen. Bijna was ik weggezonken in een toestand van zalige bewusteloosheid, toen het geluid van een rinkelend mobieltje me met een schok deed ontwaken.

'Shit,' hoorde ik Angie foeteren. Snel keek ze opzij, waar ik haar versuft lag aan te staren. 'Sorry, Grace,' mompelde ze, waarna ze uit bed klauterde.

Ik zag haar donkere gedaante door de slaapkamer trippelen. In haar haast om de kamer uit te komen liet ze de deur echter op een kier staan. Die kier was zo groot, dat ik haar door haar tas kon horen rommelen om de nog steeds rinkelende telefoon op te diepen.

'Hé, schat...' hoorde ik haar zeggen.

Justin, realiseerde ik me slaperig.

'Ik weet het, ik weet het. Ik mis jou ook, lief...'

Ontroerd door Angies zachtjes uitgesproken woorden, stelde ik me Justin alleen in hun appartement voor, net zo hevig naar Angie verlangend als zij ongetwijfeld naar hem verlangde.

Zo te worden bemind...

Ineens kreeg ik het te kwaad.

Ik besefte dat ik die avond wel degelijk iets had verloren. Iets wat nog veel belangrijker was dan een eenenvijftigjarige vrouw die ik nooit had gekend, maar aan wie ik verwant was door de innigste band ter wereld.

Hoop.

6

Je kunt de rondingen van een vrouw bewonderen bij de eerste kennismaking, maar de tweede ontmoeting zal weer heel nieuwe kanten aan het licht brengen. (Mae West)

De laatste persoon van wie ik verwachtte dat ze mij kon opmonteren, was Irina Barbalovich, maar toen ik die maandagochtend ons kantoor binnen kwam en daar werd aangestaard door een twee meter hoge kartonnen afbeelding van haar, kreeg ik ineens weer nieuwe energie.

Misschien kwam het door haar prachtige blonde haren, die wapperden in de niet-bestaande wind, of door haar houding, met haar heup opzij gebogen en haar kin opgeheven alsof ze alle redenen van de wereld had om gelukkig te zijn. Die had ze waarschijnlijk ook, als je bedacht wat een zak geld de Dubrow-clan voor haar mooie blauwe ogen liet bengelen in de hoop haar aan boord te krijgen.

'Wat moet die Irina-pop in de hal?' vroeg ik aan Lori, die al achter haar bureau zat.

'Die heeft Dianne besteld,' antwoordde Lori. 'Ik geloof dat ze van plan is Irina uit te nodigen voor een rondleiding door het bedrijf.'

Ik knikte begrijpend bij dit nieuwtje en bestudeerde het gezicht van de vrouw die iedereen wilde hebben.

'Ze is wel bloedmooi, hè?' zei Lori, terwijl ze naast me kwam staan. Haar blik dwaalde van Irina's kartonnen gezicht naar dat van mij. 'Weet je, je zou haar moeder kunnen zijn.'

Haar móéder? Van ontzetting vloog mijn hand naar mijn wang, alsof mijn ietwat gevorderde leeftijd plotseling voor de hele wereld zichtbaar was.

Lori verschoot van kleur, waarschijnlijk omdat ze zich realiseerde dat haar opmerking een klap in het gezicht van mijn vierendertigjarige ego was. 'Wat ik bedoelde, was dat jullie tweeën wel wat van elkaar weg hebben. Dezelfde teint, de vorm van jullie gezichten...'

Welwillend glimlachte ik. Als ze hiermee haar gezicht wilde redden, dan had ze het handig aangepakt. Een vrouw wordt tenslotte niet elke dag vergeleken met het heersende supermodel.

Ik bekeek de foto nog eens wat beter en besefte toen dat de vage gelijkenis die Lori meende te zien, waarschijnlijk te maken had met het feit dat we allebei Oost-Europees bloed in onze aderen hadden. De structuur van onze gezichten en de iets schuine stand van onze ogen vertoonden inderdaad wel overeenkomsten, maar zij zag er Slavischer uit dan ik.

'Mijn moeder was Oekraïense,' zei ik zonder erbij na te denken. Onmiddellijk drong het tot me door dat dit de eerste keer in mijn leven was dat ik Kristina Morova mijn moeder had genoemd. Na de onthullingen die ik dit weekend te verwerken had gekregen, voelde ik een steek door me heen gaan bij dat woord.

Even stond Lori verbaasd met haar ogen te knipperen, waarna ze haar wenkbrauwen fronste. 'Echt waar? Maar je hebt me toch verteld dat je ouders Iers waren?'

Nu was het mijn beurt om mijn wenkbrauwen te fronsen. Ineens herinnerde ik me weer dat niemand op kantoor wist dat ik geadopteerd was. Voornamelijk omdat ik er geen behoefte aan had om over mijn achtergrond te praten met anderen dan Angie, Justin, de familie DiFranco en de paar vriendjes tegenover wie ik me open had durven opstellen. De rest van de wereld wist niet beter of mijn ouders waren Thomas en Serena

Noonan, een gepensioneerde professor en zijn lieve musicerende vrouw, uit New Mexico.

'Mijn vader is Iers,' zei ik terugkrabbelend. Dat was waar. Mijn adoptiefmoeder was een mengelmoesje van Iers, Duits en een snufje Engels. Bij de gedachte aan mijn ouders moest ik een zucht onderdrukken, want ik moest ze nog steeds bellen. Ik had Angie beloofd dat ik dat zou doen.

Nu vroeg ik me af wat ik ermee zou bereiken door hun het nieuws te vertellen. Er was immers niets veranderd in mijn leven. Niet echt. In feite was het zo dat ik, nu ik eenmaal over de schok van de teleurstelling heen was, me lichter voelde. Vrijer. Ik denk dat er iets te zeggen valt voor het denkbeeld om geen verwachtingspatroon te hebben. Als je niets hebt om naar uit te kijken, dan heb je ook niets te verliezen.

'Haar haar is langer dan dat van jou en niet zo blond,' vatte Lori haar vergelijkend warenonderzoek weer op.

'Ja, dat kan een goede kapper nou voor je betekenen,' zei ik, een hand door mijn schouderlange lokken halend. 'Haar ogen zijn blauwer,' voegde ik er afwezig aan toe, omdat er nog steeds allerlei dingen door mijn hoofd speelden waarover ik niet wilde praten.

'Toch zie ik een gelijkenis,' hield Lori vol, alsof ze aanvoelde dat er iets met me aan de hand was en dat probeerde te verbloemen door mij op te hemelen tot de ongekende hoogte waarop Irina's schoonheid zich bevond.

Starend naar de kartonnen pop, wilde ik plotseling elke overeenkomst tussen mij en het supermodel negeren. Elke overeenkomst die me in verband kon brengen met Kristina. Van Irina's koele zelfverzekerdheid kon ik echter best iets leren, bedacht ik. Tenslotte was Irina Barbalovich maar een gewone boerendochter uit Rusland met een knap snoetje. Ze was echter aan een nieuw leven begonnen, zodra ze in dit land voet aan de grond had gezet. Ik zou ook opnieuw kunnen beginnen.

Per slot van rekening draaide het allemaal om marketing.

Dus schudde ik alles wat nog aan me knaagde van me af en toverde mezelf om tot Grace Noonan, dochter van Thomas en Serena Noonan. Geboren in Brooklyn. Getogen op Long Island. Opgeleid aan Columbia University, met dank aan de positie van mijn vader op de geschiedenisfaculteit. Getalenteerd, succesvol, slim.

Het was maar goed dat ik dat had gedaan ook. Want ondanks het feit dat Claudia had geprobeerd de Roxy D-campagne voor zichzelf op te eisen, had ze me nodig. Bovendien kwam ik tot de ontdekking dat ik deze campagne ook nodig had. Al was het alleen maar om te kunnen vergeten...

En vergeten deed ik. Om mijn werkritme niet te hoeven doorbreken, zegde ik zelfs mijn therapiesessie af. Ik werkte zo hard, dat ik op een gegeven moment zelfs niet meer wist welke dag het was.

'Lori, heeft dat bureau ons de definitieve offerte al een keer toegestuurd?' vroeg ik, opduikend uit de papierwinkel waarin mijn kantoor de afgelopen twee weken was veranderd. Ik wierp een blik op het voorstel dat ik in mijn hand hield. 'Hier staat dat ze voor 2 oktober contact met ons moeten opnemen. Misschien moet je ze eens even een belletje geven –'

Bij het geluid van Lori's diepe zucht, keek ik haar vragend aan.

'Grace, het is vandaag de negende,' zei ze, zichtbaar geïrriteerd. Lori vond het krankzinnig zoals ik tijdenlang door kon buffelen zonder dat ik in de gaten had welke maand of welke dag het inmiddels was.

Ik weet niet hoe dat kwam; dat vroeg ik me ook niet af. Misschien dacht ik wel dat ik langer jonger bleef als ik het verstrijken van de tijd gewoon negeerde. Ik keek even op mijn horloge alsof ik haar mededeling wilde controleren. 'Hm, wil je ze toch even bellen?' vroeg ik, voordat ik me op mijn hakken omdraaide om weer terug te keren naar mijn bureau. Vaag was ik me ervan bewust dat er inmiddels nog iets anders gebeurd had moeten zijn.

Ik stond op het punt om in mijn agenda te kijken, toen het met een schok tot me doordrong.

Mijn menstruatie. Verdomme nog aan toe. Ik was... over tijd.

Ineens schoten me ook andere dingen te binnen. Zoals de pijn in mijn borsten die ik de laatste tijd had, en die krampen... Verbeeldde ik het me, of waren ze anders dan anders?

Mijn blik viel op de half opgegeten maïsmuffin dik besmeerd met boter die op mijn bureau lag. Ik at nooit maïsmuffins. Die ochtend had ik echter gesnakt naar zo'n ding. Met boter nog wel. In mijn leven was boter taboe, behalve als ik in een restaurantje zat en geen weerstand kon bieden aan het mandje met brood. Die ochtend had ik aan niets anders kunnen denken. Het was het enige waarnaar ik had verlangd...

Plotseling dreigde de halve muffin die ik al had verorberd, weer tevoorschijn te komen.

Kordaat rolde ik het restant van de muffin in een servetje, waarna ik het pakketje in de prullenbak naast mijn bureau deponeerde.

Het had niets te betekenen, hield ik me voor, driftig bladerend in mijn agenda omdat ik geen idee had wanneer ik voor het laatst ongesteld was geweest. Dat hield ik nooit echt bij, maar over het algemeen kon ik wel ongeveer achter de data komen aan de hand van gebeurtenissen in mijn leven. Soms bepaalde de menstruatiefactor namelijk mijn kledingkeuze. Aha, hier is het al, dacht ik, toen ik de woorden 'bijeenkomst fondsenwerving' in de laatste week van augustus zag staan. Ik wist nog dat ik toen mijn zilverblauwe jurk niet had willen dragen in verband met het zwellingsaspect – die Boticelli-buik van mij was soms op het dikke af vlak voor mijn menstruatie. Daarop volgde het weekend met Ethan waarin hij geen seks had gewild omdat ik ongesteld was geweest (hij was nogal pietluttig – nóg een reden om blij te zijn dat hij uit beeld verdwenen was). Mijn vinger vloog naar de volgende afspraak. Die afschuwelijke opera van Wagner, die zelfs Ethan niet had willen uitzitten, dus waren we tussentijds weggeglipt, naar mijn huis gegaan en...

'Shit!'

'Grace, gaat het?' riep Lori uit.

Geschokt sprong ik op uit mijn stoel. Instinctief liep ik eerst naar de deur. 'Prima. Niets aan de hand,' zei ik met een afwezig knikje in haar richting. 'Ik, eh... moet... Verbind even geen telefoongesprekken door, oké?'

Nadat ik de deur had dichtgedaan, staarde ik nogmaals naar mijn agenda en begon te rekenen; ik telde de dagen tussen mijn laatste menstruatie en die rampzalige avond. O, lieve help. Het was niet te geloven, maar rond die tijd was mijn ovulatie geweest. Dat uitgerekend die avond het rubber het had moeten begeven...

Ik legde een hand op mijn buik en staarde naar beneden, alsof ik kon uitvogelen wat er in mijn lichaam gebeurde door er alleen maar naar te kijken. Ik probeerde me voor te stellen dat er een kind in me groeide, en plotseling zag ik het voor me, knus opgerold in mijn schoot. Het was net alsof ik haar warmte – ik wist zeker dat het een meisje was – tegen mijn lichaam voelde.

Ineens kreeg ik dat gevoel weer; het warme gevoel dat die avond met Ethan ook door mijn aderen had gegolfd. Alleen had het deze keer meer weg van een... hunkering.

'Dit is waanzin,' sprak ik mezelf toe. Als om mijn woorden te benadrukken, begon mijn intercom te zoemen. Claudia, zag ik aan het toestelnummer dat op het schermpje verscheen.

'Zeg het eens,' nam ik op.

'Hoe bedoel je, zeg het eens? We hadden om elf uur afgesproken. Het is nu vijf over. Niet dat ik je wil stóren, hoor.'

De vinnige reactie die op het puntje van mijn tong lag, slikte ik in. Soms verdenk ik Claudia ervan dat ze graag ziet dat ik iets verknal, wat niet vaak gebeurt. Maar kan iemand het me kwalijk nemen dat ik even was vergeten dat we die ochtend een afspraak hadden met een reclamebureau? Het hoeft toch geen betoog dat ik met mijn hoofd even ergens anders zat?

Pas tegen een uur of kwart voor twaalf trok de mist die over me was neergedaald sinds ik mijn berekening had gemaakt, eindelijk op. Tijdens de vergadering zat ik er voor spek en bonen bij. Nou ja, bijna dan. Want mijn enige bijdrage bestond uit het zwijgend overhandigen van het doelgroeponderzoek, terwijl Claudia een gewichtig verhaal ophing tegen de twee reclamejongens over wat wij wilden betekenen voor de jongere marktgroep.

Zelfs het onmiskenbaar aantrekkelijke uiterlijk van de oudste van de twee – Laurence Bennett, een jaar of achtendertig, nog één stap verwijderd van de directiestoel en, afhankelijk van hoe je naar zijn presentatie keek, nogal opzichtig gebarend met zijn ringloze linkerhand – deed me niets.

Het was me niets eens opgevallen dat het een knappe vent was, als ik de schittering in Claudia's ogen niet had zien verschijnen. Dat gebeurde nadat ze in haar diapresentatie had uitgelegd wat de wensen, de verlangens, de dromen en – het belangrijkst – het koopgedrag waren van de groep achttien- tot vierentwintigjarigen en Laurence met een knipoog had gegrapt dat hij blij was dat hij in elk geval niet meer zo jong was.

Vanaf dat moment zag ik een soort gespannenheid in Claudia's bewegingen komen. Als ze een staart had gehad, dan zou die recht omhoog in de lucht hebben gestoken, precies zoals mijn moeders kat altijd deed wanneer er een krolse kater in onze tuin rondsnuffelde.

Niet dat Larry daar iets van merkte, trouwens. Claudia was een meester in het verhullen van haar lustgevoelens, als ze die al had. Negen van de tien keer viel het de man in kwestie niet eens op dat ze een vrouw was, laat staan dat hij in de gaten had dat ze zich tot hem aangetrokken voelde. Dat was waarschijnlijk ook de reden waarom Claudia geen nummertje meer had gemaakt sinds haar echtgenoot haar vijf jaar geleden had verlaten voor een jongere vrouw.

Dat ze zich voor haar doen nu zo uitsloofde, vervulde me met een vreemd soort droefheid. Wat had het voor zin, vroeg ik me af, toen ik zag dat ze met hun hoofden dicht bij elkaar een grafiek bestudeerden waarin het onderzoek werd samengevat. Het leidde toch allemaal tot niets...

In een reflex ging mijn hand naar mijn buik.

Dit, daarentegen... Dit was...iets.

Wat het precies was, moest nog worden vastgesteld. Dat had natuurlijk eenvoudig kunnen gebeuren door even bij de drogist naar binnen te lopen voor een zwangerschapstest. Om de een of andere reden voelde ik echter een soort weerzin om te controleren wat mijn lichaam me leek te vertellen.

In plaats daarvan voedde ik het. Letterlijk.

Die avond at ik thuis een hele beker roomijs met pecannoten leeg. Dat was niet de enige uitspatting waaraan ik me bezondigde. De volgende dag volgde een zak chips (Spaanse peper en cheddar) die ik zonder enig schuldgevoel soldaat maakte bij de lunch. En de Fettuccine Alfredo, die ik opknabbelde in een cafeetje op de terugweg naar huis.

Toen ik aan het eind van die week thuiskwam, een

bak vol chocoladekrakelingen met me meezeulend, besefte ik nog iets anders.

Ik vond dit eenzame leventje wel lekker. Dat er geen berichten op mijn antwoordapparaat werden ingesproken, kon me weinig schelen. Zelfs de herinnering aan Michaels zelfverzekerde grijns en verliefde blik naar Courtney kon me niet meer kwetsen. Net zomin als Kristina Morova, bedacht ik, terwijl ik de brief van haar zus in mijn bureaulade opborg omdat ik inmiddels zeker wist dat er geen reden voor me was om erop te reageren.

Zes chocoladekrakelingen later stond ik in mijn badkamer mijn werkkleding te verwisselen voor de zachte katoenen yogabroek die ik tegenwoordig 's avonds droeg. Toen ik die aan wilde trekken, ving ik in de spiegel op de achterkant van de deur een glimp op van mijn naakte lichaam. Aarzelend bekeek ik mezelf van opzij om te controleren of er al zichtbare veranderingen hadden plaatsgevonden.

Ik verbeeldde me dat de zwelling die ik op buikhoogte zag niets te maken had met mijn recente eetbuien en alles met het verlangen dat bezit van me had genomen. Een baby, mijmerde ik, met een hand over de lichte zwelling strelend.

Plotseling leek alles... mogelijk.

Er stond een koud briesje toen ik de trap op liep naar de ingang van het gebouw waar Shelley Longford praktijk hield. Voor het eerst in weken ging ik er met een gevoel van verwachting naar binnen. Misschien kwam dat omdat ik er nu voor het eerst sinds ik bij haar kwam, werkelijk naar uitkeek. Per slot van rekening had ik een nieuwtje mee te delen.

'En hoe kom je erbij dat je zwanger bent?' verbrak Shelley uiteindelijk de stilte die ze had laten vallen, nadat ik mijn nieuws opgewekt had aangekondigd.

Daarmee had ik handig haar vragen omzeild over de reden van mijn afzeggingen van de laatste paar weken. Terwijl ik mijn verhaal opsmukte met de data van mijn laatste ovulatie, de zwelling die ik voelde en het pijnlijke gevoel in mijn borsten, zag ik op haar doorgaans onbewogen gezicht een achterdochtige frons verschijnen.

Het was duidelijk dat ze er geen woord van geloofde. 'De symptomen die je beschrijft, kunnen net zo goed de voorbode van je menstruatie zijn.'

Mijn haren gingen recht overeind staan. 'Ik denk dat ik na bijna vijfendertig jaar mijn eigen lichaam wel ken,' sprak ik haar tegen, me plotseling bewust van het feit dat ik haar probeerde te overreden. Op iets rustigere toon voegde ik eraan toe: 'Ik bedoel, ben jij ooit zwanger geweest?'

Zodra ik die vraag had gesteld, leek hij ongepast. Want ik had tijdens onze sessies nog nooit het onderwerp van haar privé-leven aangesneden. Dat was nooit eerder een onderwerp van gesprek geweest en dat was het nu waarschijnlijk ook niet, bedacht ik met een blik op haar ringloze linkerhand. Er kwamen allerlei vragen in me op over de wildvreemde vrouw die tegenover me zat, en ik staarde haar aan in de hoop dat ze voor de verandering eens iets over zichzelf zou loslaten.

Uiteraard deed ze dat niet. 'Heb je wel eens eerder een keertje overgeslagen?'

'Nooit,' antwoordde ik, ietwat voorbarig, in aanmerking genomen dat ik me niet helemaal goed kon herinneren of dit waar was. 'En ik heb nog nooit meegemaakt dat het condoom binnen in me scheurde,' ging ik verder, omdat ik vond dat de feiten in dit geval voor zich spraken. 'Bovendien, voel ik me... anders. Mijn lichaam voelt anders.' Dat was waar. Sinds mijn menstruatie, die anders altijd met de regelmaat van de klok begon, was uitgebleven, leek mijn lichaam een nieuwe dienstregeling te hebben ingevoerd. 's Morgens stond ik op met een enorm loom gevoel in mijn armen en benen, terwijl ik in mijn hoofd klaarwakker was.

Nu zat ik hier, tegenover een gediplomeerde prof bij wie ik eindelijk durfde te verwoorden wat mijn lichaam allang geloofde, en begon ik haar hoe langer hoe meer te wantrouwen. Wie dacht zij wel dat ze was, dat ze mij meende te moeten vertellen dat ik buikkrampen had? Zie je, dat was nu het hele probleem met dat therapiegedoe. Alsof iemand anders je kan vertellen wat er werkelijk in je omgaat.

'Ik wilde alleen maar zeggen dat het mogelijk is dat je gewoon aan PMS lijdt,' was haar enige reactie op mijn protest.

Ik besloot het daarbij te laten omdat het me geen bal kon schelen hoe zij erover dacht en bracht het gesprek vervolgens op Claudia, die, voorspelbaar als ze was, al was begonnen te kreunen en steunen om Laurence Bennett, Begeerlijke Vrijgezel Nummer 6.785.

'Ik snap haar gewoon niet,' zei ik. 'Als ze die vent wil, dan moet ze werk van hem maken. Maar in plaats daarvan kakelt ze maar door over wat een lekker ding hij is. Wanneer het hem vervolgens dan niet opvalt hoe ze hem vanaf de andere kant van de vergadertafel zit aan te gapen, begint ze tegen mij te jammeren dat niemand inziet wat een lot uit de loterij ze eigenlijk is en dat ze in haar eentje beter af is, terwijl ze in werkelijkheid gewoon eens een goede beurt moet hebben.'

Ik moet even opmerken dat Shelley geen stom woord zei tijdens mijn verhandeling over Claudia's psyche. Dat was ook iets wat ik irritant vond aan haar. Hoe moet je een gesprek voeren met iemand die totaal niet reageert op wat je zegt? Het is volslagen belachelijk. Omdat ze die dag extra op mijn zenuwen leek te werken, besloot ik dat tegen haar te zeggen.

'Hoe kom je erbij dat ik het niet belangrijk vind wat je zegt?' luidde haar reactie.

'Je zou jezelf eens moeten zien,' zei ik kwaaiig, tegelijkertijd mijn best doend om een nuffig maar uitdrukkingsloos gezicht te trekken. 'Voor mij is het overduidelijk dat het je geen bal kan schelen wat ik je net over Claudia heb verteld.'

'Misschien kan het jóú geen bal schelen wat je me net over Claudia hebt verteld.'

Daar had ik even niet van terug. Misschien omdat ik Miss Nuf nog nooit een krachtterm had horen gebruiken – of welke term dan ook die mijn moeder als ongepast zou betitelen. Of misschien kwam het omdat ze gelijk had. Ik gaf geen bal – niet écht – om Claudia's liefdesleven. Of het gebrek daaraan. Waarom zat ik daar dan zo over door te zagen, zeker tegen deze uurtarieven?

Dus bracht ik het volgende punt ter sprake. Dat dacht ik althans, toen ik begon te vertellen over de nieuwe campagne, al het werk waaronder ik plotseling werd bedolven. Totdat ik mijn verhaal ongemerkt weer op iemand anders had gebracht, dit keer op Lori. Ik was net bezig de larmoyante liefdesperikelen van mijn assistente samen te vatten, toen ik me realiseerde dat ik het wéér deed. Doorzeuren over flauwekul. Wat mankeerde me toch? Ik had belangrijkere dingen aan mijn hoofd. Bijvoorbeeld dat ik binnen een jaar moeder zou kunnen zijn.

In de wetenschap dat dit niet de gewenste reactie van Shelley zou opleveren, en omdat ze op haar gebruikelijke krenterige manier aangaf dat onze tijd erop zat, besloot ik dat niet weer op te rakelen. Ik bedoel maar, kon die vrouw nou nooit eens vijf minuutjes extra voor me uittrekken?

Toen ik opstond, besefte ik ineens dat ik doodmoe was. Waarschijnlijk van al dat gepraat. Ik kon me niet herinneren dat ik ooit zoveel aan het woord was geweest in een sessie.

Toch kon ik de verleiding niet weerstaan om er nog een kleinigheidje aan toe te voegen; dus draaide ik me bij de deur nog even om naar Shelley. 'O, dat moet ik je ook nog vertellen. Ik heb een brief teruggekregen van K. Morova,' zei ik met een vreugdeloos lachje, alsof ik er de grap wel van inzag dat ik min of meer geobsedeerd was geraakt door een handtekening die ik had toegeschreven aan mijn biologische moeder, maar die in werkelijkheid van mijn al even onbekende tante was geweest. 'Het bleek dat K. Morova ook mijn biologische tante is. Katerina stond er onder de brief, geloof ik.' Op een toon die net zo nonchalant was als wanneer ik iets over het weer had gezegd, voegde ik eraan toe: 'Kristina had vast zelf wel terug willen schrijven, denk ik, maar ze is vorig jaar overleden. Kanker.' Achteloos haalde ik mijn schouders op, waarna ik mijn tas steviger over mijn schouder hing en een hand uitstak naar de deurkruk. 'Nou, ik zie je volgende –'

'Grace, besef je wel wat je zojuist hebt gedaan?' vroeg Shelley op het moment dat ik ervandoor wilde gaan.

Ik staarde haar aan, lichtelijk ondersteboven van het feit dat ze me een vraag stelde en me een extra minuutje van haar kostbare tijd gunde. 'Wat?' reageerde ik als een opstandige puber.

Even zweeg ze, alsof ze haar woorden met zorg moest kiezen, waardoor ik natuurlijk meteen op mijn hoede was. Ik vertrouwde mensen niet die zolang moesten nadenken voordat ze iets zeiden.

'Je vertelde me over Kristina's dood terwijl je de deur uit liep. Waarom deed je dat, denk je?'

Ik haalde mijn schouders op, hoewel ik me wat ongemakkelijk begon te voelen. Als ik eerlijk was, moest ik toegeven dat ik de dood van de vrouw die mij het leven had geschonken, niet met zo'n vluchtige opmerking af had moeten doen. Aan de andere kant had Kristina Morova kennelijk ook niet vaak aan mijn persoontje gedacht toen ze nog leefde.

'Ik zal je vertellen waarom,' hoorde ik Shelley zeggen.

Dit kon wel eens interessant worden. Al maandenlang spekte ik de bankrekening van deze vrouw, en tot nu toe was er nog geen woord over haar lippen gekomen waaraan ik ook maar iets had.

Kom maar op, ik ben héél benieuwd, dacht ik, op haar neerkijkend.

'Ik denk dat je hebt gewacht met het ter sprake brengen van het belangrijkste dat er de laatste tijd in je leven is gebeurd totdat je wist dat er geen tijd meer over was om erover te praten. En volgens mij heb je de vorige twee afspraken om dezelfde reden afgezegd.'

Ik had kunnen weten dat ze het zou verdraaien tot zo'n maffe paradox. Mijn adem, die ik onwillekeurig had ingehouden, liet ik ontsnappen. Omdat ik voor de verandering eens geen weerwoord had, haalde ik mijn schouders nog maar een keer op. 'Misschien,' gaf ik een haarbreedte toe, 'maar ik denk het niet.'

'Nee?' zei ze, terwijl ze me met haar donkere ogen aankeek alsof ze me... uitdaagde.

'Nee hoor,' zei ik, iets stelliger nu.

'Laat me je eens iets vragen, Grace. Heb je er met iemand over gepraat nadat je die brief had gekregen?'

'Natuurlijk,' antwoordde ik. 'Ik heb het aan Angie verteld.'

'Aan niemand anders? Je ouders bijvoorbeeld?'

'Luister, ik ben een volwassen vrouw. Ik hoef mijn ouders niet alles te vertellen.'

Daarop trok ze een wenkbrauw op. Of ze nu te gierig was om dit gesprek nog een minuut langer te laten duren, of omdat dit de een of andere stompzinnige tactiek van haar was om me echt pisnijdig te maken, in elk geval zei ze slechts: 'Zullen we volgende week op dit onderwerp terugkomen?'

'Goed, hoor,' antwoordde ik, waarna ik de deur uit huppelde alsof er niets aan het handje was.

Die avond belde ik mijn moeder. Ik hield me voor dat ik gewoon als brave dochter even wilde bijkletsen, maar onderhuids voelde ik een spanning die niet viel te negeren. Inmiddels had ik besloten mijn ouders in te lichten over Kristina Morova. Tenslotte wisten ze van haar bestaan, hadden ze achter me gestaan toen ik haar had opgespoord. Ze hadden er recht op te weten dat ze er niet meer was.

Bovendien irriteerde Shelleys insinuatie dat er een diepere psychologische reden was waarom ik dit nog niet met mijn ouders had besproken, me nog steeds. Het was namelijk niet zo dat ik geen hechte band met mijn ouders had...

'Gracie, wat een verrassing!' riep mijn moeder uit, zodra ze had opgenomen.

Dat vond ik een belediging. Alsof ik nooit belde.

'Tom!' hoorde ik haar brullen. 'Het is Grace.'

'Is alles goed met je?' vroeg ze op bezorgde toon.

Ineens voelde niets meer goed. Wat ik hun moest vertellen, drukte plotseling als een loden last op mijn schouders, waardoor ik het liefst in huilen was uitgebarsten. 'Prima,' antwoordde ik, al was het alleen maar om mezelf te overtuigen.

'Hé, Grace,' galmde mijn vaders stem een paar tellen later over de lijn. Bij zijn opgewekte toon moest ik even slikken.

Razendsnel nam ik een beslissing. Het was uitgesloten dat ik hen met deze informatie opzadelde op een woensdagavond. Ik wist dat mijn moeder meelevend zou mompelen, terwijl ze intussen bedacht hoe ze zo snel en goedkoop mogelijk naar me toe kon komen – want hoewel haar moederinstinct het altijd won van haar zuinigheid, wilde ze het liefst niet te veel betalen voor een ticket. Ze zou de hele nacht op internet zitten surfen, zodat zij en mijn vader de eerste vlucht konden nemen die geen enorm gat in zijn pensioen sloeg.

Dat leek me te veel gevraagd op een doordeweekse avond. 'Het gaat prima,' zei ik nog een keer. 'Ik bel alleen... Ik bel gewoon zo maar even.'

Mijn vader bromde slechts.

'Dat vinden we hartstikke leuk,' zei mijn moeder op zo'n vrolijke toon, dat ik de enorme afstand tussen ons nog scherper voelde. 'We hebben namelijk een nieuwtje. Tom, vertel Gracie eens over het forum waarvoor je bent uitgenodigd.'

Ik voelde dat mijn lichaam zich langzaam weer ontspande, toen mijn vader begon te vertellen over de lezing die hij moest geven. Ondanks het feit dat hij al vier jaar met pensioen was, werd hij nog steeds beschouwd als een van de grootste deskundigen op zijn vakgebied, het tijdperk van de revoluties, en gaf hij van tijd tot tijd lezingen op universiteiten in de buurt van Albuquerque.

Met een glimlach luisterde ik naar hem. Het feit dat mijn vader nog altijd zo'n plezier had in zijn oude vak, vond ik geruststellend.

Mijn moeder, daarentegen, begon ongeduldig te worden. 'Tom, dat is niet belangrijk. Vertel Grace waar je de lezing gaat geven!'

'O, ja,' zei mijn vader, alsof het hem nu zelf pas te binnen schoot. 'Parijs.'

'Alles wordt voor ons betaald, Grace,' kwam mijn moeder er weer tussen. 'En het valt precies samen met ons veertigjarig huwelijksfeest!'

Toen pas drong het tot me door wat dit betekende. Mijn ouders hadden elkaar in Parijs leren kennen. Destijds was mijn moeder een jonge veelbelovende celliste geweest, die net was afgestudeerd aan Julliard en met een klein symfonieorkest had rondgereisd. Mijn vader had een jaar vrij genomen om het boek te schrijven waarmee hij naam zou maken als professor in de geschiedenis en die hem uiteindelijk de vaste benoeming zou opleveren aan Columbia University, waar hij het grootste deel van zijn leven had gewerkt. De grap was natuurlijk dat, hoewel ze allebei uit New York kwamen en hun leven lang op een paar kilometer afstand van elkaar hadden gewoond, ze elkaar in Parijs hadden ontmoet. En wat een ontmoeting was dat geweest! Volgens mijn moeder was mijn vader op haar afgestapt tijdens de opening van een galerie waar jonge kunstenaars uit Parijs hadden geëxposeerd, en nog geen uur nadat hij haar hand in de zijne had genomen en deze zo vurig had gekust, dat mijn moeder ervan had gebloosd, had hij haar plechtig verklaard dat hij haar op een dag tot zijn vrouw zou nemen. Meedogenloos had ze hem uitgelachen. Binnen een jaar tijd hadden ze echter voor een priester in de kathedraal van St. Patrick aan Fifth Avenue gestaan en hadden ze plechtig beloofd elkaar voor altijd lief te hebben.

'Dat is fantastisch nieuws,' zei ik. Dat was ook zo. Zo fantastisch zelfs, dat mijn eigen nieuws als vanzelf naar de achtergrond verdween. Ik was blij dat ik het hun niet had verteld. Dit was duidelijk niet het geschikte moment voor treurige mededelingen.

Dus luisterde ik naar de poëtische beschrijvingen van mijn moeder over de musea die ze dolgraag nog een keer wilde bezoeken, de bezienswaardigheden die ze mee wilde pikken, de straten waar ze doorheen wilde slenteren, arm in arm met mijn vader, net alsof het vier dagen geleden was dat ze elkaar hadden ontmoet, in plaats van veertig jaar.

Die oude vertrouwde pijnscheut ging door me heen. Hoewel de levenslange liefdesrelatie van mijn ouders me vervulde met een soort gelukzalige weemoed, gaf deze me vaak het gevoel dat ik een indringer was. Nu voelde ik me echter niet het vijfde wiel aan de wagen. Ik had het gevoel dat ik onzichtbaar was. Ik geloof niet dat ze beseften dat ik nog aan de lijn was.

Nou ja, mijn moeder wel. Uiteindelijk dan. 'Gracie, er is alleen één klein probleempje,' zei ze. 'We vertrekken op twaalf december om er op tijd te zijn voor het symposium op de vijftiende. En daarna willen we graag blijven om ons veertigjarig huwelijk te vieren, wat betekent dat we met de kerstdagen ook daar zijn...'

Mijn ouders waren twee dagen na de kerst getrouwd, met de gedachte dat hun liefde het mooiste cadeau was dat ze elkaar konden geven.

'O, maak je geen zorgen om mij,' stelde ik haar onmiddellijk gerust. 'Ik kan de kerst altijd bij Angie vieren.'

'Weet je het zeker, Grace?' vroeg mijn moeder.

'Natuurlijk weet ik dat zeker,' zei ik. 'Geen enkel probleem.'

Op dat moment vond ik dat ook. In feite voelde ik bijna een soort opluchting dat ik dit jaar niet die tocht naar New Mexico hoefde te ondernemen. Ik ben echt dol op Kerstmis in Manhattan. Bovendien was Kerstmis met Angies familie bijna even leuk als met mijn eigen familie.

Ja, met mij zou het allemaal wel goed komen. Dat was toch altijd zo? Trouwens, dacht ik, met mijn hand op de lichte zwelling van mijn buik, misschien zou ik toch niet zo alleen zijn...

7

Ik heb tijd genoeg om te dagdromen en ik dagdroom liever dan wat ook ter wereld. (Jane Russell)

Sommige mensen zouden misschien zeggen dat ik in een fantasiewereld leefde. Dat was misschien ook zo, aangezien ik geen enkele behoefte voelde om achter de waarheid omtrent mijn lichamelijke toestand te komen, wat ik volgens een inwendig stemmetje, dat irritant veel weg had van Shelleys stem, wel zou moeten doen. In plaats daarvan koos ik voor de eenzaamheid, waar ik me in hulde alsof het een beschermende cocon was. De vrijdagavond bracht ik in mijn eentje door, en tot volle tevredenheid. Ik voelde zelfs geen enkele aandrang om groenten te snijden of rekeningen te betalen. Ook Malakais vragen over mijn afwezige vriendje *du jour* had geen invloed op het prettige gevoel dat het alleenzijn me gaf.

Omdat ik me niet meer alleen voelde.

Of het kind dat volgens mijn overtuiging in me groeide, nu een fantasie was of niet, het was iets waaraan ik me voorlopig wilde – of liever gezegd, móést – vastklampen.

Dus klampte ik me vast, op de bank genesteld in mijn zachtste badjas met een bakje pikante lekkernijen van de afhaalchinees, klaar voor een film met een nog pikantere vrouw. Mae West in I'm No Angel, die ik tijdens het zappen toevallig langs zag komen.

De telefoon liet ik rustig gaan; het antwoordapparaat

nam de honneurs waar. Eerst belde Claudia, die waarschijnlijk bevestigd wilde worden in haar hoop dat Laurence Bennett – die naar aanleiding van onze vergadering op de proppen was gekomen met een uitgebreide offerte voor de campagne en een vage toezegging over cocktails – haar net zo begeerlijk vond als zij hem. Er werd ook een paar keer opgehangen, waar ik normaal gesproken mijn ex van verdacht, dus in dit geval Ethan, maar ik had geen zin om me illusies te maken over hartstocht die er niet was. Er was een bericht van Angie, en ik had bijna de telefoon opgenomen, omdat ze een beetje wanhopig klonk. Aangezien ze me echter verzekerde dat er niets bijzonders aan de hand was, ging ik ervan uit dat het aan Angies gebruikelijke theatrale gedrag lag. Wat ze me wilde vertellen, kon best wachten.

Dus wachtte ik. Ik ging vroeg naar bed en maakte er een heerlijke luie zaterdagochtend van. De papierwinkel die ik mee naar huis had gesleept, negeerde ik. Zelfs de krant keurde ik nauwelijks een blik waardig, nadat ik die van de deurmat had opgeraapt. In plaats daarvan deed ik me te goed aan een fikse kom yoghurt met fruit, waarna ik een lange hete douche nam. Voor het eerst sinds tijden zat ik weer lekker in mijn vel.

Ik voelde me niet langer verplicht om iets te doen, me te bewijzen, gezellig te doen, te paren. Het was alsof er een enorme druk was weggenomen.

Dezelfde middag nog ontdekte ik waar dat bevrijdende gevoel vandaan kwam: mijn menstruatie.

Nog nooit had ik me zo intens teleurgesteld gevoeld. Diep vanbinnen moest ik echter toegeven dat ik dit al die tijd al had verwacht. Dacht ik nu echt dat ik kreeg wat ik wilde alleen omdat ik ernaar verlangde?

'Waarom heb je me niet teruggebeld?' klaagde Angie, zodra ik op zondagavond eindelijk de telefoon een keertje opnam.

Ik begon net een geloofwaardig smoesje op te hangen, toen ze me in de rede viel.

'Luister, ik wilde je vragen om wat te komen drinken om het je te vertellen, maar nu is het al zondagavond, en ik weet dat je morgen weer moet werken. En Justin en ik moeten morgen vroeg op om een locatie te bekijken. Ik weet niet eens of we die wel kunnen gebruiken voor de film. De hemel mag weten waarom we daar om zes uur al moeten zijn –'

'Angie, wat is er?' vroeg ik. Ik wist dat als ze begon te ratelen zoals ze nu deed, er iets aan de hand was.

Even viel er een korte stilte, maar vervolgens, alsof ze geen andere manier kon bedenken om het te brengen, zei ze: 'Gracie, vrijdagavond, Justin... We zijn verloofd!'

Mijn maag deed vreemd, en tranen welden op in mijn ogen. 'O, hemel, Angie... dat is... dat is geweldig. Gefeliciteerd!' riep ik uit. Hoewel ik echt blij voor haar was, legde ik het er te dik bovenop. 'Wauw, ik kan het amper geloven. Ik bedoel, niet dat ik het niet kan geloven...' Ineens kon ik geen woord meer uitbrengen. Wat ik precies voelde, begreep ik eigenlijk niet, maar plotseling kreeg ik een enorme brok in mijn keel. Mijn hemel. Angie ging trouwen. De vriendin met wie ik alles had gedeeld vanaf mijn twaalfde, ging haar leven met iemand anders delen...

'Ik kan het zelf ook niet geloven, Grace. Ik bedoel, ik wist dat Justin en ik altijd samen zouden blijven, maar uitgerekend nu wil hij ineens dat we ons verloven? We gaan in april beginnen met filmen!'

Alle ongerustheid die dit ongetwijfeld bij haar teweeg had gebracht, schoof ze opzij om me te vertellen hoe hij zijn aanzoek had gedaan. 'We waren vrijdagavond naar de bioscoop, naar die nieuwe film met Nicole Kidman. Die trouwens heel goed was...'

Ik moest een lach onderdrukken, toen de onvermijdelijke filmrecensie volgde. Toen ze op het punt stond om uit te gaan weiden over de regie, onderbrak ik haar. 'Angie, de verloving? Wat is er daarna gebeurd?'

'O, ja. Oké, we lopen dus de zaal uit – je weet wel, in de AMC bioscoop in 42nd Street? Ik loop richting de lift naar beneden, wanneer Justin me mee begint te trekken naar de lift omhoog. Ik heb geen idee wat hij van plan is, maar je weet hoe leuk hij het vindt om gebouwen te bekijken; dus we gaan naar een van de bovenste verdiepingen. Je weet hoe groot die bioscoop is, hè? Daar loodst hij me door een deur, die ik nog nooit eerder heb gezien, naar buiten, en ik word een beetje nerveus, want daarboven is geen kip te bekennen. Justin kijkt om zich heen alsof we in de problemen kunnen raken, en ik besef dat dit is omdat we ons waarschijnlijk op verboden terrein hebben begeven, en opeens staan we op een soort balkon. Met uitzicht op 42nd Street zodat we de lichtjes van Times Square in de verte kunnen zien, echt prachtig. Alleen mogen we daar volgens mij helemaal niet komen, dus ik draai me om om dat tegen Justin te zeggen, maar ik zie hem niet. Ik bedoel, ik zie hem wel, maar hij is niet meer op ooghoogte. Hij zit op een knie en neemt plotseling mijn hand in de zijne...' Met een snik onderbrak ze haar verhaal.

'Waarom huil je?' vroeg ik bezorgd.

'O, ik weet het niet, Gracie. Het is gewoon... Het was net alsof alles waar ik ooit van had gedroomd ineens ook echt gebeurde. Zomaar, vanuit het niets. Ik bedoel, ik had echt geen idéé.'

Onwillekeurig moest ik lachen. Dit was nu niet helemaal uit de lucht komen vallen. Zij en Justin kenden elkaar al vijf jaar en woonden bijna net zolang samen. Het was waar dat ze pas ruim een jaar geleden echt een stel waren geworden, maar ik stelde me zo voor dat ze op het moment van hun eerste kus allang verliefd op elkaar waren geweest zonder het zelf te weten.

'Je had mijn moeder moeten zien toen we haar het

nieuws vertelden,' ging Angie verder, zodra ze haar emoties weer onder controle had. 'Vanmiddag zijn we zoals gewoonlijk naar Brooklyn gegaan,' vervolgde ze, doelend op het wekelijkse viergangendiner dat haar moeder zondags voor de familie bereidde en waar Angie tegenwoordig regelmatig naartoe ging, waarschijnlijk omdat ze Justin de legendarische rode saus van haar moeder niet wilde onthouden. 'Justin wilde wachten totdat hij de kans kreeg om de fles champagne die we hadden meegenomen, te ontkurken, maar het leek wel alsof mijn moeder er een maf soort radar voor had. Ze zag de ring zodra ik een voet in de keuken had gezet. Het volgende moment stond ze te huilen en te lachen, en zij en mijn oma – wat heet, iedereen – begon ineens te gillen en ons te omhelzen. Het was een compleet gekkenhuis.'

Dat gekkenhuis kende ik maar al te goed, bedacht ik glimlachend.

'Een glaasje champagne later begon mijn moeder echt te huilen,' pikte Angie de draad weer op. 'Ze had het over mijn vader en hoe graag ze zou willen dat hij nog leefde om zijn enige dochter in het huwelijk te zien treden...'

Bij die woorden ging er een huivering door me heen en kwam er een verloren gevoel over me, dat ik niet goed kon plaatsen.

'Maar ze vrolijkte meteen weer op zodra Sonny en Vanessa binnenkwamen met mijn schattige peetdochtertje.'

Sonny was Angies oudere broer – en een van mijn eerste vriendjes. Nu was hij getrouwd met Vanessa, en een jaar geleden was hun eerste kindje geboren. Sonny was altijd al een clown geweest. Daarom was onze tienerromance waarschijnlijk ook vriendschappelijk geëindigd. Het viel niet mee om diefbedroefd te zijn om een jongen die je dubbel kon laten liggen van het lachen. Of misschien kwam het doordat ik er niet slechter van was geworden toen ik Sonny kwijt was geraakt als vriendje. Tenslotte had ik er een beste vriendin voor in de plaats gekregen – en haar familie.

'In elk geval begint mijn moeder nu al te praten over de bruiloft. Justin en ik hebben nog niet eens een datum geprikt, maar zij is al een lijst aan het opstellen, en die wordt met de minuut langer. Ik weet natuurlijk dat ik een grote familie heb, maar zij tovert familieleden uit haar hoge hoed van wie ik nog nooit heb gehoord. Wist jij dat ik een nicht Mildred heb op Staten Island? Het is gewoon waanzinnig! Mijn moeder had al honderdvijftig mensen tegen de tijd dat we vertrokken, en daar is Justins familie nog niet eens bij inbegrepen.'

Hier had ik niets op te zeggen. Want ineens realiseerde ik me wat de ware reden was van het verdrietige gevoel dat me had overvallen toen ze me haar heuglijke nieuws had verteld.

Terwijl Angies familie steeds groter werd, leek het bescheiden familiekringetje dat ik had, steeds kleiner te worden.

De volgende ochtend kwam ik iets later op mijn werk dan gewoonlijk, omdat ik me slechts met moeite uit bed had kunnen slepen. Op mijn bureau vond ik een fles Dom Perignon.

Niet bepaald in een jubelstemming – en enigszins op mijn hoede voor eventuele blijde boodschappen waarmee ik die dag weer overstelpt zou worden – bleef ik in de deuropening staan. Aan Lori, die al druk aan het werk was, vroeg ik: 'Wat moet die champagne daar?'

'Dianne heeft iedereen op de marketingafdeling een fles gestuurd,' antwoordde Lori opgewekt. 'Nou ja, jou en Claudia in elk geval,' ging ze verder. 'Blijkbaar heeft Mini Blaustein Dianne vrijdag gebeld om te zeggen dat Irina de nieuwe campagne voor ons gaat doen.'

Goed, dan was er ten minste iemand die kreeg wat ze wilde, dacht ik. Ik bekeek het chique etiket en dacht terug aan de laatste keer dat ik Dom had gedronken (met Michael, op het strand). Alsof ik die herinnering wilde wegstoppen, pakte ik de fles bij de hals met de bedoeling hem in de onderste bureaulade te leggen.

Op dat moment verscheen Claudia in mijn deuropening.

'Ik neem aan dat je het nieuws hebt gehoord,' zei ze met een lachje.

'Ja, inderdaad. Dat is fantastisch, Claudia. Gefeliciteerd,' reageerde ik flauwtjes, ondanks de enthousiaste woorden.

Niet dat dat Claudia opviel, overigens. 'Nog niet openmaken,' zei ze, alsof ik dat van plan was geweest. 'Ze heeft het contract nog niet getekend. Dianne gaat Mimi en haar onuitstaanbare model deze week hoogstpersoonlijk een rondleiding geven over het complex op Long Island. Irina schijnt een soort dierenrechtenactiviste te zijn, en ze wil zich ervan verzekeren dat het met onze fabrieken wel snor zit.' Ze draaide met haar ogen. 'Zoals het er nu naar uitziet, hebben we dat contract volgende week binnen. We zijn zelfs van plan om hier een feestje voor Irina te organiseren zodra ze heeft getekend, om haar welkom te heten als lid van de Dubrow-familie.' Weer dat gedraai met haar ogen, gevolgd door een halfslachtige glimlach. 'O, wat maakt het ook uit. Laten we hem opentrekken.'

Ik wierp een blik op de klok. 'Claudia, het is nog niet eens tien uur.'

'O, kom op, Grace. doe niet zo truttig.'

Ja, Claudia Stewart, mijn op en top sophisticated baas, had werkelijk 'truttig' gezegd.

Mijn voelsprieten gingen uit. Helemaal toen ze verdween en een paar tellen later weer terugkeerde met twee champagneglazen in haar hand en een glimlach op haar gezicht die zowaar vrolijk leek. Nou ja, voor Claudia's doen, dan. Ze deed de deur achter zich dicht, zodat Lori uit het zicht verdween, die net zo nieuwsgierig had toegekeken als ik was over Claudia's plotselinge zonnige humeur.

Ik bedoel, ja, uiteraard was ze opgelucht dat ze het mooie smoeltje voor de nieuwe campagne zo goed als vast had gelegd, maar het was vanaf het begin duidelijk geweest dat Claudia alles verafschuwde waar het negentienjarige supermodel voor stond. Dus kon het onmogelijk Irina zijn die die schittering in haar ogen teweeggebracht...

Daar bleek ik gelijk in te hebben.

'Ik heb Larry's offerte bekeken.'

'O, is het nu al Larry?' vroeg ik.

Vorige week was Claudia nog tekeergegaan over diezelfde Laurence Bennett, die zijn belofte om iets met haar te gaan drinken nog steeds niet was nagekomen, hoewel zijn assistent wel al twee keer had gebeld om te vragen of we kans hadden gezien om zijn offerte voor de Roxy D-campagne te bekijken.

In plaats van op mijn suggestieve vraag in te gaan, concentreerde ze zich op het ijzerdraad om de kurk, dat ze voorzichtig losdraaide. 'Zijn ideeën zijn heel goed. We gaan woensdag wat drinken om ze uitgebreider te bespreken.'

'O, ja?' zei ik, aandachtig naar haar gezicht starend, dat een lichte blos begon te vertonen. Ik had het gevoel dat die blos weinig te maken had met de inspanning die ze moest leveren om die fles te openen. 'Dus hij heeft eindelijk gebeld?'

'Nou, ik heb hem gebeld,' antwoordde ze, het ijzerdraad verwijderend. 'Om de offerte met hem te bespreken, natuurlijk,' voegde ze er snel aan toe, alsof ze bang was dat ik zou denken dat ze achter de man aan zat.

'Uiteraard.'

'In elk geval raakten we aan de praat, en ik vertelde hem dat ik zijn offerte zou doorsturen naar Dianne. Van het een kwam het ander, en op een gegeven moment stelde hij voor om iets te gaan drinken.'

Ik staarde haar aan. Plotseling zag ik in hoe Laurence Bennett de grootste reclamecampagne – althans wat het gereserveerde budget betrof – ging binnenhalen via de normaal zo gevreesde marketingmanager van Roxanne Dubrow. Hij had Claudia's kwetsbaarste punt ontdekt: haar vrouwelijke ego.

'Claudia, je beseft toch wel dat we hierover geen beslissing kunnen nemen, voordat we offertes van andere bureaus hebben beoordeeld.'

Met haar handen om de flessenhals keek ze me kwaad aan. 'Dat weet ik heus wel.' Vervolgens begon ze ietwat dromerig te glimlachen. 'Maar ik moet zeggen, deze offerte van Larry's bureau ziet er erg... veelbelovend uit.'

Met een knal schoot de kurk eruit, die op een haar na de kartonnen versie van Priscilla onthoofde, het nog-maar-vijftentwintig-en-nu-al-afgeschreven-model van vorig jaar. Omdat ik het niet over mijn hart had kunnen verkrijgen om haar weg te doen, had ik Lori gevraagd haar tegen een van mijn wanden te zetten.

Ik beet op mijn tong, want ik wilde de blije uitdrukking waarmee Claudia onze glazen volschonk, niet van haar gezicht verjagen. Wie was ik om haar te vertellen hoe ze haar campagne moest leiden – of haar liefdesleven? Ik was nu niet bepaald een lichtend voorbeeld op beide gebieden.

Ze hief haar glas en kneep haar ogen even samen om over haar toost na te denken. Vervolgens liet ze onze glazen met een elegante beweging klinken en zei: 'Dat we mogen krijgen wat we willen.'

Blijkbaar was ze er stellig van overtuigd dat zijzelf alles zou krijgen wat ze wilde, want ze sloeg dat glaasje Dom in één keer achterover.

'Wat vind je van Pete?' vroeg Angie toen we dinsdagavond samen op de bank hingen die achter in Three of Cups stond, de bar in East Village waar zij en Justin hun vrienden hadden uitgenodigd voor een informeel feestje om hun verloving te vieren.

Dankbaar greep ik de verandering van onderwerp aan, want daarvoor had Angie geprobeerd me ervan te overtuigen dat ik contact op moest nemen met Katerina en mijn halfzus. Nadat ik mijn beslissing om niet bij hen betrokken te willen raken met verve had verdedigd, was ik maar al te blij dat ik nu mijn aandacht kon richten op Justins vriend, die samen met hem bij de bar stond.

Toegegeven, Pete Jordan was een aantrekkelijke man. Lang en slank, gespierd, met van dat warrige lichtbruine net-uit-bed-haar. Zijn sikje, in combinatie met de nogal duistere tatoeage op zijn onderarm, gaven hem de machoachtige uitstraling van een East Village-nietsnut. Alleen was Pete geen nietsnut. Hij regisseerde bijna alle reclamefilmpjes en bedrijfsvideo's waar hij en Justin aan werkten tijdens Justins 'reguliere baan' bij een productiebedrijf in Long Island City. Van Angie had ik gehoord dat Pete, net als Justin, de ambitie koesterde om een speelfilm te regisseren. Hoewel Pete nog stappen in die richting moest zetten, was hij zo te zien niet afgunstig dat Justin die droom in de lente ging realiseren; hij en Justin vermaakten zich prima aan de bar.

'Niet mijn type,' zei ik uiteindelijk. Niet meer. Er was een periode geweest, vlak na de universiteit, waarin ik idolaat was geweest van artistieke mannen. Nu vond ik de gedachte om iets met zo'n type te beginnen, om 's nachts naast hem in bed te liggen en te moeten luisteren naar weer een geweldig idee dat waarschijnlijk nooit verwezenlijkt zou worden, eerlijk gezegd doodvermoeiend.

'Colin lijkt dolgelukkig met Mark,' bracht ik het onderwerp op een andere man die Angie en Justin hadden uitgenodigd voor hun besloten feestje. Colin, die vroeger samen met Angie als presentator had gewerkt in de tijd dat haar carrière als actrice nog had bestaan uit het begeleiden van een groepje zesjarigen tijdens een ochtendgymnastiekprogramma, stond geanimeerd te praten met zijn partner, Mark. Ze waren een aanbiddelijk stel – en gelukkig, zo te zien. Colin, die heel lang naar een kind had verlangd, had het nu allemaal, besefte ik. Mark was namelijk een gescheiden vader, en tegenwoordig speelden die twee bijna elk weekend My Two Dads voor Marks zoontje.

'Ja,' beaamde Angie met een warme blik op Colin. 'Weet je dat ze er zelfs over denken om te gaan trouwen?'

'Trouwen?'

'Hm. In Toronto.' Ze glimlachte. 'Het is nu wettelijk toegestaan in Canada. Dus het enige wat mij nog te doen staat, is iemand voor jou vinden...' Haar ogen dwaalden door de bar alsof ze mijn toekomstige echtgenoot zo uit de mensenmenigte wilde plukken.

'Het huwelijk is niet voor iedereen weggelegd,' zei ik, ineens defensief.

Precies op dat moment dook Angies vriendin Michelle Delgrosso op uit de toiletten, haar lippen vers in de gloss en haar haren opgespoten tot nieuwe angstaanjagende hoogten. Michelle kwam uit ons oude buurtje in Brooklyn. Zelf mocht ik haar niet zo, maar ze was aan Angie blijven klitten als een stukje kauwgom onder de zool van een van Angies afgetrapte maar hippe schoenen. Ik geloof dat Michelle, die een aanhangster was van de theorie dat je met de nodige dwang iedere man voor het altaar kon krijgen, zelfs de eer opeiste voor Angies verloving met Justin.

Ik zag dat Michelle langs de bank stoof waar wij nog steeds op hingen, zonder ons een blik waardig te keuren, en koers zette naar de bar waar Pete en Justin stonden. Met uitzondering van de officiële verlovingstoost die we hadden uitgebracht zodra iedereen binnen was, had Michelle de hele avond om Justins vriend heen gehangen, wat Angie lichtelijk scheen te irriteren, zag ik.

Michelle was op de gevorderde leeftijd van vierentwintig jaar in het huwelijksbootje gestapt met Frankie Delgrosso, inmiddels alweer acht jaar geleden. Een huwelijk waarvoor ze, volgens Angie, erg haar best deed, want ze had onlangs een huwelijksconsulent bezocht en was zelfs op een tweede huwelijksreis naar Hawaï geweest.

Ik bekeek haar eens goed toen ze langs ons sloop – of beter gezegd, langs ons glibberde, gezien haar reptielachtige verschijning in de zwartleren broek waarin ze zich had geperst voor haar avondje uit in Manhattan – op weg naar Pete, terwijl haar monsterlijke trouwring me zelfs in de schemerig verlichte bar bijna verblindde.

Misschien bleef ze daarom getrouwd met Frankie, bedacht ik, toen ik zag dat er ook glimmertjes aan haar polsen en oren fonkelden. Hij was de erfgenaam van Kings County Cadillac, het bedrijf van zijn vader, en kon zich Michelles onverzadigbare honger naar diamanten veroorloven.

Over glimmertjes gesproken, mijn oog viel op de steen die de hand van mijn beste vriendin sierde...

Zich bewust van mijn blik, hield Angie haar hand omhoog en glimlachte voor zo ongeveer de tiende keer die avond ietwat verbijsterd naar haar diamant.

Dat kon ik haar niet kwalijk nemen. Het was me nogal een ring; een anderhalf karaats Tiffany geslepen diamant, gevat in platina en geflankeerd door baguettes.

Niet dat ik het soort vrouw was dat hunkerde naar juwelen. Dat was Angie ook nooit geweest, totdat ze was gaan shoppen voor een verlovingsring. Nee, niet met Justin, maar met Kirk, haar vorige vriendje. Het ironische was alleen dat toen ze eenmaal de ring had gevonden die ze wilde, ze had beseft dat ze niet de man had die ze wilde. Nu had ze de ring, mijmerde ik met een blik op haar niet te versmaden aanstaande echtgenoot, én de man.

Te oordelen naar de frons die op haar voorhoofd was verschenen, was ze echter nog steeds niet tevreden.

'Wat is er nu weer?' vroeg ik.

'Niets,' antwoordde Angie, haar ogen gericht op Justin, die nu samen met Pete voorovergebogen stond te kijken naar Michelles demonstratie van de draaitechniek die bij haar nieuwe navelring kwam kijken. Deze onsmakelijke vertoning werd even onderbroken toen de barkeeper een nieuw rondje drankjes met een klap op de bar zette, die Justin vervolgens doorgaf aan Michelle en Pete.

Ik hoorde Angie zuchten toen Justin de inhoud van zijn portefeuille naar de vrouwelijke barkeeper schoof, die verrukt naar hem opkeek, of omdat ze zwaar onder de indruk was van Justins knappe uiterlijk of omdat hij haar zijn gebruikelijke royale fooi had gegeven. 'Moet je hem nu eens zien. Ik betwijfel of we straks nog geld voor de taxi overhebben,' zei ze.

Nu was het mijn beurt om mijn wenkbrauwen te fronsen. 'Angie, jullie wonen een paar straten verderop.'

'Daar gaat het niet om,' zei ze met een blik op haar ring, waarna ze haar hand snel liet vallen alsof ze bang was om te lang naar die fonkelende belofte te staren.

'Vertel me dan maar eens waar het wel om gaat,' reageerde ik, hoewel ik me een beetje aan haar begon te ergeren. Hoe had ze in vredesnaam een minpuntje kunnen ontdekken in zo'n perfecte man?

'Hij is te... vrijgevig,' zei ze, opnieuw een vluchtige blik op haar ring werpend.

'Je neemt me in de maling, hè?' Zulke problemen willen we allemaal wel.

Ze beet op haar lip, alsof ze het moeilijk vond om te verwoorden wat haar dwarszat, ondanks al dat geluk dat ze op haar pad had gevonden. 'Vind je niet dat het, eh... verkéérd is dat een man die een groot deel van zijn spaargeld moet aanspreken om te investeren in zijn nieuwe filmproject, de barrekening betaalt... of negenduizend dollar aan verlovingsringen uitgeeft? Daar hadden we trouwens nog een mazzeltje; de juwelier heeft ons een behoorlijke korting gegeven.'

'Angie, volgens mij was jij degene die deze ring wilde.'

'Ik weet het,' verzuchtte ze, met weer een snelle blik naar beneden, alsof de aanblik ervan pijn deed. 'Het lijkt alleen niet... juist.'

'Niet juist?' herhaalde ik op geïrriteerde toon. 'Niet juist?' Ik schudde mijn hoofd. 'Angie, hij heeft een prachtige ring voor je gekocht. Jou gevraagd om je leven met hem te delen. En alsof dat nog niet genoeg is, heeft hij je zelfs de hoofdrol in zijn nieuwe film gegeven!'

Hoewel ze geen nagelbijter was, begon ze nu te knagen aan de nagelriem van die prachtig geringde vinger.

Ik sloeg haar hand weg. 'Angie!'

'Ik weet het! Ik weet dat ik gelukkig zou moeten zijn! En dat bén ik ook. Alleen...' Ze slaakte een diepe zucht. 'Als ze besluiten dat New York Beat volgend seizoen niet terugkomt, dan zit ik straks zonder werk. En mijn ziektekostenverzekering wordt beëindigd, zodra ik de premie niet meer op kan hoesten. Justin gaat de helft van zijn kapitaal in deze film steken... Niet dat ik niet in hem geloof, hoor, want dat doe ik wel. Maar je weet van tevoren niet of de filmwereld zijn talent op waarde zal weten te schatten. En als deze film een flop wordt, hoe moet het dan met ons? Dan ben ik een van de vele werkloze actrices, en Justin...' Ze beet op haar lip. 'Deze film is alles voor hem. Stel dat hij een mislukking niet te boven komt? Stel dat –'

'Angie, moet ik je nu echt vertellen dat niemand hier ook maar ergens heeft gefaald? Hou op met nadenken over dingen die je niet in de hand hebt. De dingen gaan zoals ze gaan, hoeveel kopzorgen je je daar ook over maakt. Wees gewoon blij dat je iemand hebt gevonden van wie je houdt en die er altijd voor je is.'

Zwijgend keek ze me aan, en ik zag dat mijn preek ervoor had gezorgd dat ze zich nu ergens anders zorgen over maakte: mij. 'En jij dan, Grace? Wil jij niet iemand hebben die er altijd voor je is?'

Onverschillig haalde ik mijn schouders op.

'Nou, die zul je nooit vinden als je geen enkele man een kans geeft,' zei ze. 'Pete, bijvoorbeeld, is een leuke vent,' ging ze verder, hem met haar ogen zoekend in de menigte.

Toen diezelfde ogen zich ineens verwijdden, volgde ik haar blik om vervolgens te zien hoe die leuke vent een trucje met een tequila deed, waarbij hij Michelles middenrif gebruikte om het zout op te likken.

Verontschuldigend keek Angie me aan. 'Dat was hij in elk geval. Totdat Michelle hem in haar klauwen kreeg.' Er verscheen een frons op haar voorhoofd. 'Wat mankeert haar toch?'

Of hem, dacht ik, maar ik zei het niet. Ik had er helemaal geen behoefte aan om de grillen van een ander te analyseren. Voor mij was het duidelijk dat Pete en Michelle gewoon twee voorbeelden waren van de volksstammen met bindingsangst die ik kende. Getrouwd of single, het leek alsof voor sommige mensen het verlangen naar wat je niet kunt krijgen, nooit uitdooft.

Bij de herinnering aan mijn eigen verlangen naar een kind, stroomde er een warm gevoel door me heen, dat echter al snel plaatsmaakte voor een gevoel van leegheid, toen ook tot me doordrong dat dit kind er niet zou komen. In elk geval niet in de komende negen maanden.

Misschien wel nooit.

Die gedachte deed mijn verlangen herleven. Ik vroeg me af of ik ooit zou genezen van deze hunkering.

Wat wilde ik? Wat was er voor nodig om mij werkelijk gelukkig te maken?

8

A good man is hard to find. A hard man is good to find. (Mae West)

Wat ik wilde, ontdekte ik toen ik later die avond thuiskwam, mijn hoofd beneveld van de drank en mijn lichaam tintelend van opwinding, was een man. Gelukkig had ik als bemiddelde vrouw nog een telefoonnummer tot mijn beschikking. Tenslotte woonde je als vrouw niet jarenlang in Manhattan zonder aan je arsenaal op zijn minst één fijn exemplaar van de mannelijke soort toe te voegen die je net zo gemakkelijk plat kreeg als je het adresboek op je mobieltje kon oproepen.

Inderdaad, ik was niet onbekend met het fenomeen alarmnummer, hoewel het al een tijd geleden was dat ik er gebruik van had hoeven maken. Dat was in de pre-Ethan periode geweest. Te bedenken dat ik Bad Billy Caldwell had opgegeven voor Ethan Lederman de Derde. Bad Billy stond boven aan mijn telefoonlijstje voor noodgevallen. Daar stond hij al sinds we elkaar zes jaar geleden in een bar in de Lower East Side hadden ontmoet. In die tijd had ik nog kroegen afgestruind waar de muziek snoeihard stond, het interieur een bij elkaar geraapt zooitje was en de mannen er nog armoediger bijliepen. Dwaas als ik was geweest, had ik eerst geprobeerd Billy tot mijn vriendje te bombarderen. Ik had bijna mijn hart al verloren, toen ik had ontdekt dat het oppikken van vrouwen in bars in de Lower East Side een gewoonte was die Billy voor niemand wilde afleren. Zodra ik de beperkingen van een relatie met Billy eenmaal had geaccepteerd, kon ik er met volle teugen van genieten. Want om eerlijk te zijn, was seks met Billy de beste seks die ik ooit had gehad. Misschien lag het aan zijn lange, slanke, gespierde lichaam, of aan die volmaakte penis van hem – zowel qua lengte als omvang en met een zalige kleine kromming die speciaal leek ontworpen om de G-plek te stimuleren. Of misschien lag het aan dat beeldschone gezicht: blauwe ogen, donkere wimpers en een mond zo verrukkelijk...

Het was de herinnering aan die mond waardoor ik in actie kwam zodra ik alleen in mijn appartement was, waar het donker was op de schittering van de stadslichten na die door de ramen naar binnen viel.

Vlug zocht ik zijn nummer op mijn mobieltje op, waarna ik met ingehouden adem belde. Ik vroeg me af of na al die tijd ook Billy een andere fase in zijn leven had bereikt, net als Ethan, of Michael...

'Ah, Gracie,' bromde die heerlijke warme stem in de telefoon, waarop ik opgelucht ademhaalde en een tinteling door mijn lichaam voelde gaan bij de herinnering aan dat harde lichaam van hem. 'Je bent weer terug, hè?'

'Ik ben weer terug,' zei ik, beseffend dat ik hier min of meer mee toegaf dat het een fiasco was geworden. Weer een relatie op de klippen gelopen. Niet dat Billy het zo bekeek, overigens.

'Ik heb de laatste tijd veel aan je gedacht,' zei hij.

'O, ja?' Zijn woorden klonken mij, in mijn huidige hunkerende toestand, bijna als een liefdesverklaring in de oren.

'Aan die eindeloos lange benen. Die mooie ogen...'

Ik glimlachte. Liefde... Wat had ik me in mijn hoofd gehaald? Dit was beter. Want als je niet op liefde hoefde te rekenen, dan was er altijd nog het mannelijke libido dat nooit verstek liet gaan.

'Kom hierheen,' zei ik, en voordat ik het wist, had hij

opgehangen en stond hij zich naar alle waarschijnlijkheid al in zijn laarzen en leren jack te hijsen om naar de metro te rennen.

Niets is zo goed voor je zelfvertrouwen als een man om je heen te hebben die vrouwen aanbidt. Vanaf het moment waarop Billy door mijn voordeur binnenkwam, mij van top tot teen opnemend alsof hij me wilde verslinden, voelde ik me als herboren. Sterk. Mooi.

Ik was ook mooi, hield ik me voor, zodra hij mijn jurk van mijn schouders had geschoven en mijn borsten begon te kussen boven het kanten randje van mijn beha. Zijn mond bewoog naar beneden en tegelijkertijd trok hij mijn jurk omlaag, zodat zijn mond en handen vrij spel hadden over mijn buik, mijn billen, tussen mijn benen.

Ik slaakte een kreet, toen zijn tong me beroerde, waarop hij naar me opkeek vanaf de vloer waar hij geknield voor me zat, nog steeds in zijn leren jack, over zijn gezicht de schaduw van een stoppelbaard en in zijn ogen een koortsachtige schittering die ik kennelijk had veroorzaakt.

'O, Gracie, je bent zo adembenemend mooi.'

Ik grinnikte hees. Billy wist altijd precies de juiste woorden te vinden.

Zoals zijn mond en handen altijd precies de juiste plekjes wisten te vinden, herinnerde ik me, toen we eindelijk horizontaal lagen, zijn lichaam naakt en nog net zo hard en slank als ik het me herinnerde. Vanaf het moment waarop we op het bed belandden, hadden we het juiste ritme te pakken, alsof we de afgelopen zes jaar non-stop minnaars waren geweest, en niet twee mensen die met elkaar naar bed gingen als de stemming, of de wanhoop, ons daartoe dreef.

Mijn handen gleden over zijn penis, die ik stevig vastpakte en waaraan ik vervolgens zachtjes trok, precies zoals hij het lekker vond.

Hij streelde mijn borsten, trok met zijn vingers een spoor over de binnenkant van mijn dijen, bekende routes volgend met het geduld en het enthousiasme van een pionier die ze voor het eerst verkent.

Nadat hij een condoom om had gedaan, die hij altijd bij de hand scheen te hebben, begon hij aan die opwindende dans van stoten die, binnen het tijdsbestek van een paar hongerige kussen, zou culmineren in het heerlijk tintelende gevoel dat stormenderhand bezit nam van een vrouw en dat ze alleen aan den lijve kon ondervinden met een man die zo ongeremd en zo ervaren was als Billy.

Naderhand, toen we zij aan zij lagen na te hijgen, had ik een immens bevredigd gevoel, en dat kwam niet alleen door de seks. Het kwam ook doordat deze heerlijke man in mijn bed lag, zijn ogen nu gesloten. Hij en ik leken waarschijnlijk meer op elkaar dan ik me ooit had gerealiseerd. Geen van beiden kenden we barrières als het om genot ging, maar alle twee zetten we het op een lopen als het emotionele vuur ons na aan de schenen werd gelegd. Bij het geluid van zijn lichte gesnurk moest ik glimlachen; ik voelde me prettig bij de vanzelfsprekende kameraadschap die tussen ons bestond sinds de dag waarop we elkaar hadden ontmoet. Vervolgens vroeg ik me af of dit werkelijk genoeg kon zijn.

Claudia, daarentegen, had duidelijk iets meer nodig dan wat ze momenteel kreeg.

'Hebben we vandaag al iets van het Sterling Agency gehoord?' vroeg ze vanuit mijn deuropening, gehuld in een diep fuchsiarode jurk, die een tikje te sexy was voor kantoor. Nu ik er eens over nadacht, had ik Claudia vanaf de dag dat ze mij in dienst had genomen, nooit in iets anders gezien dan het haar typerende zwart.

Daar verbaasde ik me nu over. 'Hadden we deze week iets van ze moeten horen?'

Met gefronst voorhoofd liet ze een hand over de voorkant van haar jurk glijden, die zo felgekleurd was, dat mijn ogen er pijn van begonnen te doen. 'Larry zei dat hij me vandaag zou bellen...'

'O?'

Haar donkere ogen glinsterden, en ik zag haar mond vertrekken tot iets wat op een lachje leek. 'Ja, we hebben gisteravond samen iets gedronken.'

'O, ja.' Ik herinnerde me weer dat ze een afspraakje met Larry had gemaakt, in de hoop daarmee haar eigen buit te scoren, en waarmee Larry, naar ik aannam, hoopte Dubrow als klant binnen te slepen. 'Hoe was het?'

Met een klap sloeg ze de deur achter zich dicht, waarna ze met een onmiskenbare gloed in haar ogen in mijn bezoekersstoel ging zitten en vertrouwelijk vooroverboog. 'Het was fantástisch,' zei ze op het soort fluistertoontje dat suggereerde dat ze het niet over de drankjes had.

'Claudia, je bent toch niet met hem naar bed geweest, hè?' vroeg ik, plotseling doodsbenauwd dat mijn baas deze campagne zou verknallen omdat ze snakte naar iets anders dan op batterijen werkende genotsmiddelen.

'Nee, nee,' ontkende ze hoofdschuddend, 'maar dat wilde ik wel...'

Dat was tenminste iets. Zo langzamerhand was ik gaan denken dat Claudia aseksueel was, te oordelen naar het aantal afspraakjes dat ze had gehad in de paar jaar dat ik haar nu kende. Dan was één daarvan ook nog met haar ex-man geweest om een paar slepende financiële kwesties te regelen na hun scheiding.

Nu kreeg ik weer een sprankje hoop voor mijn helleveeg van een baas, die inmiddels de geweldige loungebar in SoHo beschreef waar Larry haar mee naartoe had genomen en waar hij haar diep in de ogen had gekeken en in lyrische bewoordingen had verteld hoe dolgraag hij altijd al had willen werken voor een bedrijf als Roxanne Dubrow. En, had hij eraan toegevoegd, met een vrouw als Claudia.

Terwijl ik deze nieuwe levensinstelling van haar even liet bezinken – een beetje rooskleurig, maar dat kon te maken hebben met de plotselinge introductie van kleur in haar garderobe – vroeg ik me af of ze misschien van Laurence Bennett zou krijgen wat ze wilde. Of dan in elk geval, dacht ik, toen ik de nauwelijks te beteugelen levenslust zag die ze uitstraalde, dat waaraan ze overduidelijk behoefte had...

'Ik ga naar Londen,' kondigde Lori aan toen ze na de lunch mijn kantoor binnen kwam.

'Londen?' vroeg ik, geschrokken opkijkend.

'Met Dennis,' verklaarde ze, terwijl ze een memo op mijn bureau legde.

Met een zucht van opluchting zag ik dat het A-4tje dat voor me lag, geen ontslagbrief was, maar een verzoek voor twee weken vrij rond Thanksgiving. Heel even was de gedachte door me heen geschoten dat Lori het Dennis-dilemma had opgelost door hem achterna te reizen over de grote plas.

Terwijl ze opgewekt stond te vertellen dat hij een toelatingsbrief had ontvangen en een uitnodiging om de campus te komen bekijken, verbaasde ik me over het feit dat ze ineens zo positief was, hoewel het gevaar bestond dat haar vriendje over een jaar haar vriendje niet meer was.

'We gaan ons ook op de huizenmarkt oriënteren,' hoorde ik haar zeggen, waarna ze begon te blozen. 'Ik bedoel, Dennis...'

Misschien had ik er met mijn eerste gedachte toch niet zover naast gezeten, besefte ik. Misschien ging ze in de herfst wel met hem mee. Aangezien ik echter haar baas was en niet op de hoogte was van privé-gegevens waaruit zou kunnen blijken of ze een ontslagaanvraag in petto had, tekende ik voor akkoord en luisterde intussen naar haar gebabbel over alle bezienswaardigheden die ze van plan was te bezoeken. Ik stond te popelen om haar het een of andere advies te geven, maar wat moest ik haar aanraden? Dat ze de man van wie ze hield, niet naar de andere kant van de wereld moest volgen? Misschien deed ze er wel goed aan om haar hart te volgen, peinsde ik, me bewust van het feit dat ik me tegenwoordig door mijn libido liet leiden. Zelfs mijn sessie met Shelley de vorige avond had ik volgepraat met poëtische verklaringen over de therapeutische waarde van een goed orgasme. Of ik haar had geshockeerd met dat onderwerp, of met de manier waarop ik het had misbruikt om het onderwerp Kristina te vermijden, wist ik echter niet.

Ik gaf de memo terug, een beetje droevig glimlachend bij het idee dat er ooit een dag zou aanbreken waarop Lori me niet meer vrolijk goedemorgen zou wensen. Maar wat had ik dan verwacht? Dat mijn assistente voor eeuwig mijn assistente zou blijven? Ze was nog jong. Ze moest nog van alles ontdekken. Alleen hoopte ik dat haar ontdekkingsreis niet ophield bij de dromen van haar vriendje.

'Ik stel voor dat je deze memo met een rotgang op Claudia's bureau legt. Claudia is momenteel helemaal in de wolken,' zei ik. 'Die tekent nu alles.'

'Goeie tip,' zei Lori. 'Dank je, Grace.' Vrolijk huppelde ze mijn kantoor uit om de daad bij het woord te voegen.

Ik bleek gelijk te hebben over Claudia's stemming. Ze was zelfs in zo'n juichstemming nadat Larry had gebeld om haar diezelfde avond mee uit eten te vragen, dat ze een sabbatical nog had goedgekeurd, als Lori daarom had gevraagd. Toen ze de volgende ochtend binnen kwam waaien, gekleed in een winterwitte japon (ja, ik wil het ding bestempelen als japon, compleet met ruches langs de hals), begon ik me af te vragen wat er precies was voorgevallen tussen haar en Larry. Wit paste wel bij Claudia, maar ruches?

'Lori,' hoorde ik haar zeggen. 'Heb je dat contract door een koerier naar het Sterling Agency laten brengen, zoals ik je heb gevraagd?'

Contract naar het Sterling Agency?

'Claudia!' riep ik luid.

Ze draaide zich naar me om, haar wenkbrauwen vragend opgetrokken en zo te zien een welgemeende lach op haar gezicht. 'Ja?'

'Wat hoor ik over het contract?'

'Ik stuur het naar het Sterling Agency.'

Er schoot een lichte paniekgolf door me heen. Was Claudia bezig deze campagne in gevaar te brengen omdat ze eindelijk iemand had gevonden bij wie ze haar masker van ijskonijn durfde te laten vallen? 'Maar ik dacht dat we het voorstel van het Chase Agency ook nog zouden doornemen. Volgens mij hebben zij zelfs een lagere offerte uitgebracht.'

'Het draait niet uitsluitend om de kosten, Grace. Trouwens, ik vond dat Larry's ideeën heel goed in elkaar staken.'

Hm. Wat ze goed in elkaar vond steken, was denkelijk Larry zelf. 'Je bent met hem naar bed geweest, hè?'

'Nee,' protesteerde ze onmiddellijk, en aan de spijtige blik in haar ogen te zien, sprak ze de waarheid. 'We hebben gewoon over de campagne gepraat... onder andere.' Vervolgens kwam ze mijn kantoor binnen en duwde de deur halfdicht, alsof ze me iets vertrouwelijks wilde vertellen. 'Maar ik voelde wel een... een klik met hem, Grace. Samenwerken met Larry zal een waar genot zijn.'

Allemachtig. Wat mankeerde haar in 's hemelsnaam?

Ze had op zijn minst een wip kunnen maken, vóórdat ze dat contract bij hem liet bezorgen. Want ondanks het sprankje hoop dat ik voor haar had gevoeld toen ze verslag had gedaan van haar avond in La Caravelle, verdacht ik Larry er nog steeds van dat hij hiervoor andere beweegredenen had dan een hartstochtelijk verlangen naar de tiptop verzorgde, maar oersaaie Claudia.

Ik kneep mijn ogen samen. 'Is Dianne hiervan op de hoogte?'

De overbekende nijdige blik verscheen weer in haar ogen. 'Dianne vertrouwt de keuze van een reclamebureau aan mij toe, Grace. Per slot van rekening ben ik de marketingmanager.'

Mijn blik gleed naar het bescheiden decolleté van dat flodderjurkje van haar. 'En ben je van plan om met die man te *daten*?' '*Daten*' was de nette omschrijving voor wat ik dacht dat ze met hem hoopte te gaan doen.

Alsof mijn argwaan ineens twijfels bij haarzelf had opgeroepen over wat ze precies terug hoopte te krijgen van Larry Bennett, sloeg ze haar ogen neer. 'Hij heeft wel iets laten vallen over een afspraakje voor volgend weekend.' Toen ze weer opkeek, zag ik dat de hoopvolle blik weer was teruggekeerd, hoewel die nu gepaard ging met een kwetsbaarheid die ik nog nooit bij Claudia had gezien.

'Kijk een beetje uit,' waarschuwde ik haar op zachte toon, omdat ineens tot me doordrong hoe breekbaar ze in werkelijkheid was.

'Ik ben een volwassen vrouw,' reageerde ze pissig, waarna ze zich omdraaide om een eind te maken aan dit vrouwelijke onderonsje. 'Ik weet heel goed wat ik doe!'

Ik wist ook precies wat ik aan het doen was toen ik later die avond nahijgend naast Billy lag.

'Dat is me het ribbenkastje wel,' zei hij, loom met zijn hand over mijn lichaam dwalend.

We lagen op de koele lakens, uitgeput van een uiterst inspirerende sekssessie.

Mijn blik volgde zijn hand die over mijn ribben gleed en vervolgens over de gladde bleke huid van buik. 'Mijn ribbenkast?' herhaalde ik verbaasd. Ik vroeg me af welke opzienbarende onthullingen Billy deze keer weer over mijn lichaam had ontdekt.

'Ja, inderdaad,' zei hij, mijn heupen strelend. 'Je bent een kunstwerk, Grace.'

Ik begon het te geloven. Te geloven dat ik een vrouw was die het waard was zo te worden aanbeden door een man. Tenslotte leek de liefde – of in elk geval iets wat daarop leek – in de lucht te hangen.

Claudia huppelde zowat door het kantoor elke keer wanneer de telefoon ging en Larry aan de andere kant van de lijn was, hoewel die gesprekken, voorzover ik begreep van mijn uitbundige baas, meestal gingen over het gladstrijken van de details van het contract. Zelfs de aspecten die Claudia anders altijd overliet aan onze juridische afdeling, verdienden nu ineens haar onverdeelde aandacht.

Lori was zo mogelijk nog vrolijker dan anders, misschien omdat ze naast het doorverbinden van telefoontjes, het opbergen van stukken en alle andere klussen waarmee Claudia haar opzadelde, druk op internet zat te surfen om een vlucht te boeken, hotelletjes te zoeken en nieuwe kleding te bestellen voor haar grote overzeese reis met Dennis.

Zo langzamerhand begon ik te geloven dat ik wat al te snel had geoordeeld over de mannen in onze levens. Misschien konden we in bepaald opzicht toch wel op ze rekenen. Dit idee had zo'n beslag van me genomen, dat mijn adem onwillekeurig even stokte, toen mijn telefoon op vrijdagmiddag overging en ik Ethan ineens aan de lijn bleek te hebben. Ik kon niet ontkennen dat er plotsklaps een warm gevoel door me heen stroomde bij het geluid van zijn diepe, warme en – ik moet zeggen – bezorgde stem.

Ik moet eerlijk bekennen dat ik in de loop van dat korte gesprekje, waarin hij informeerde naar mijn wel en wee, ten prooi viel aan de gedachte dat hij misschien wel meer om me gaf dan ik had verondersteld. Misschien had ik me in hem vergist.

Ik had er niet verder naast kunnen zitten.

'Zo, Grace, ik vroeg me af,' zei hij, zodra hij beleefd antwoord had gegeven op mijn vragen naar zíjn wel en wee. 'Heb je, eh.... Ik bedoel, ben je nog ongesteld geworden na dat, eh... je weet wel... incidentje?'

Ik voelde al het bloed uit mijn gezicht wegtrekken, tegelijk met dat vage warme gevoel dat Ethan bij me had opgeroepen tijdens het gezellige babbeltje dat we zojuist hadden gemaakt. 'Precies volgens schema,' loog ik, omdat ik geen zin had hem te vertellen dat ik heen en weer was geslingerd tussen angst en hoop in die twee weken dat mijn menstruatie van slag was geweest.

Het was overduidelijk dat hij nog steeds dezelfde egocentrische hufter was die hij altijd was geweest. En ik was een uilskuiken dat ik daaraan had getwijfeld.

Voordat ik hem het plezier kon doen dat hij zou weten dat hij me nog steeds razend kon maken, hing ik een smoesje op over een vergadering die ik nog moest voorbereiden en knalde de hoorn erop.

'Ze kunnen allemaal de pot op,' luidde Claudia's commentaar toen ik haar later die avond bij een cocktailtje vertelde over mijn laatste Ethan-fiasco.

We waren na het werk naar de Monkey Bar gegaan, een vrijplaats voor knappe mannen, wat natuurlijk tamelijk ironisch was gezien onze reden om martini's achterover te slaan alsof ze met ingang van de volgende dag van de kaart zouden worden geschrapt.

Luttele seconden nadat ik het gesprek met Ethan had

beëindigd, was Claudia in mijn deuropening verschenen met een gezicht dat, net als het mijne, op onweer stond. Het bleek dat Larry Bennett van het Sterling Agency zijn dineetje met Claudia voor die avond had afgezegd zonder zelfs maar te doen alsof hij een nieuwe afspraak wilde maken, omdat hij het de komende weken zogenaamd 'heel druk' zou hebben. Waarom zou hij ook tijd vrijmaken voor Claudia? Hij had immers zojuist het getekende contract van Roxanne Dubrow ontvangen, waarmee hij zich had verzekerd van een vette winst voor zijn bureau voor dit jaar – en de minachting van ten minste een van de managers van Roxanne Dubrow.

'Het zijn allemaal hufters, stuk voor stuk,' foeterde Claudia, waarna ze haar glas leegde en de barkeeper meteen gebaarde een nieuw rondje in te schenken.

In het licht van mijn eigen verse miskleun op mannengebied had ik een soort verwantschap met haar gevoeld, wat ook de reden was waarom ik op haar bevel (ze had het niet bepaald vriendelijk gevraagd) was ingegaan om na het werk iets met haar te gaan drinken. Nu ik haar verbittering over de mannelijke soort over me uitgestort kreeg, begon ik daar spijt van te krijgen.

'Weet je dat Roger me laatst belde om te vragen of ik het bankstel aan hem terug wilde verkopen dat zijn moeder ons cadeau had gegeven voor ons huwelijk? Volgens hem vond Heidi het namelijk zo mooi, en nu vroeg hij zich af of ik er misschien afstand van zou willen doen. Hoe haalt die idioot het in zijn malle kop, dat geloof je toch niet?'

Roger was Claudia's ex-man. Heidi was twee keer zo jong als Claudia en had een twee keer zo grote cupmaat.

'Dat ze het mooi vond, geloof ik graag,' mopperde Claudia. 'Weet je dat ik ze betrapt heb, terwijl ze op die bank een wip lagen te maken?'

Mijn ogen verwijdden zich. 'Misschien moet je hem

dan toch maar eens de deur uit doen, Claudia.'

Verachtelijk snuivend veegde ze het onderwerp van tafel en graaide ze voor de zesde keer in zes minuten naar het pakje sigaretten dat ze op de bar had gegooid. Dat roken inmiddels verboden was in alle bars en restaurants in New York City leek haar geen bal uit te maken. 'Een vrouw mag er in deze stad tegenwoordig geen slechte gewoontes meer op na houden.'

Nou, er was nog één slechte gewoonte die ze er wel op na kon houden, bedacht ik, nadat we nog een cocktail soldaat hadden gemaakt en de rekening hadden betaald. Als ze althans slim genoeg was om een man achter de hand te houden die niet te egoïstisch of te egocentrisch was om een vrouw op afroep te plezieren.

Enigszins teut van de cocktails wilde ik me die avond precies daaraan bezondigen.

In de taxi op weg naar huis belde ik Billy. Gelukkig was hij die avond niet alleen beschikbaar maar ook onmiddellijk te porren voor een wild avondje samen.

Ik had net genoeg tijd om mijn werkkleding te verruilen voor een zijdeachtig lavendelblauw negligeetje, voordat de zoemer overging en Malakai op de gelaten toon die ik altijd meende te horen wanneer ik mijn toevlucht nam tot mijn alarmnummer, wat hij volgens mij doorhad, Billy's komst aankondigde.

Zodra ik de deur voor Billy opengooide, kon het me geen bal meer schelen wat Malakai ervan vond. Gekleed in een versleten spijkerbroek, een lichtblauw T-shirt, dat zijn brede schouders en smalle heupen prima deed uitkomen en een zwartleren jack, dat er net zo sexy uitzag als zijn verwarde donkere haren, was Billy in één woord onweerstaanbaar.

Dus stribbelde ik niet tegen, toen hij me tegen de muur van de hal drukte en me liet voelen wat de ware reden was waarom hij degene was die ik belde wanneer het laat op de avond was en ik behoefte had aan een hitsige partner. Zijn handen gleden over mijn billen, het negligeetje omhoogtrekkend. 'Zo verrukkelijk,' mompelde hij, me stevig vastgrijpend en zijn bekken hard tegen me aan duwend. Zijn stoppeltjes schuurden over mijn huid, toen onze monden elkaar vonden.

Hongerig als altijd kusten we elkaar; onze tongen voerden een spel op dat we al zo vaak hadden gespeeld, plagerig, verleidelijk, alsof we ondanks al die jaren nog steeds geen genoeg van elkaar konden krijgen. Dat kwam waarschijnlijk omdat het op deze manier voor geen van beiden ooit te veel van het goede werd.

Ik had hem daar ter plekke in de hal kunnen nemen en hem zo weer buiten de deur kunnen zetten, als we niet zo op de tocht hadden gestaan, waardoor mijn blote voeten koud aanvoelden en ik werd afgeleid van een overigens verpletterende begroeting.

'Het bed,' fluisterde ik met mijn mond tegen de zijne, hem achter me aan sleurend naar de slaapkamer.

Zodra ik eenmaal op mijn rug lag toe te kijken hoe Billy zijn jack, spijkerbroek, T-shirt en uiteindelijk zijn boxershort uittrok, vond er een verandering in me plaats. Plotseling had ik zin om het langzaam te doen; dus in plaats van hem toe te staan dat geweldige gereedschap van hem in me te stoten, dwong ik hem met zachte hand mijn borsten te kussen. Loom keek ik toe terwijl hij de bandjes van mijn negligé naar beneden schoof en mijn tepels met zijn mond en tong begon te liefkozen.

Hij paste zich snel aan mijn wensen aan; traag bewoog zijn mond over mijn buik, waarna hij mijn heupen vastgreep en zijn hoofd tussen mijn dijen duwde...

Werkelijk, wat had een vrouw nog meer te wensen, vroeg ik me af, terwijl ik me overgaf aan zijn bedreven tong en een waarschuwingskreet slaakte toen ik op een orgasme dreigde af te stevenen.

Billy reageerde door zijn hoofd op te heffen en, zich ervan bewust dat ik hem liever in me wilde voelen tijdens het hoogtepunt, met zijn lichaam over het mijne omhoog te schuiven, een veelbetekenende blik in die prachtige blauwe ogen van hem.

Met een flauw lachje om zijn mond wreef hij met het topje tegen me aan, tartend. Dit had hij wel vaker gedaan, maar dit keer snakte ik er ineens naar hem onmiddellijk in me te voelen – en écht te voelen. Van het idee dat ik Billy zo direct zou voelen, dat hij in me zou klaarkomen, kwam ik bijna zelf klaar.

Ik rolde hem op zijn rug, waarna ik zijn penis vastpakte en mezelf op hem neer liet zakken.

Zijn ogen werden groot van verbazing, en zijn grijns werd breder. 'Ho even, schat,' zei hij, opzij leunend om zijn broek van de vloer op te rapen. 'Laat me eerst even een jasje aantrekken...'

'Nee,' zei ik tot mijn eigen verbazing, waarna ik hem weer recht onder me trok. 'Laten we het zo doen, Billy.'

'Grace –'

'Kom op,' hoorde ik mezelf smeken, gedreven door een verlangen dat ik zelf nog niet eens had doorgrond. 'Het zou zo lekker zijn, Billy.'

Daarop glimlachte hij, waarna hij me zacht op mijn mond kuste. 'Dat zou het zeker zijn, Gracie, maar het zou ook riskant zijn.'

Peinzend keek ik naar hem; zijn intens blauwe ogen omrand door donkere wimpers, zijn rechte neus en ferme kaaklijn. 'Het zou een heel mooie baby worden, denk je niet?' vroeg ik, hoewel die woorden een déjà vugevoel bij me opriepen.

Hij schoot in de lach. 'Met een paar verschrikkelijke ouders.'

'Dat weet ik zo net nog niet,' reageerde ik met gefronst voorhoofd.

'Gracie, een baby? Kom op. Je neemt me in de maling, hè?'

Misschien kwam het doordat hij me zo ongelovig

aanstaarde. Of misschien doordat ik ineens het gevoel kreeg dat ik een verloren strijd streed – voornamelijk met mezelf – maar het volgende moment hoorde ik mezelf zeggen: 'Daar had ik je mooi even tuk, of niet soms?'

'Shit, Grace,' zei hij hoofdschuddend, voordat hij opstond om het pakje condooms dat hij altijd op zak had uit zijn broekzak te halen. 'Dat had je inderdaad, ja.' Hij lachte hard. 'Een baby.' Weer schudde hij ongelovig zijn hoofd. Zodra hij het condoom om had gedaan, waarmee ook het laatste restje hoop dat nog in me leefde om zeep was geholpen, verscheen er een duivelse blik in zijn ogen. 'Nu zul je daarvoor moeten boeten.' Met een harde snelle stoot was hij binnen in me.

Toen was ik echter al verloren. Zo verloren, dat ik het gevoel had dat mijn lichaam verdoofd was.

Ik vroeg me af of ik ooit zo'n warm gevoel van iets zou krijgen als de gedachte aan dat kind – Billy's kind, mijn kind – bij me had opgeroepen.

Of ik sowieso ooit nog iets zou voelen.

De volgende ochtend werd ik alleen wakker. Dat was nog zo'n bijkomstigheid van mijn relatie met Billy, dat hij nooit bleef slapen.

Billy...

De herinnering aan ons onenigheidje van de vorige avond maakte me een beetje neerslachtig, en plotseling voelde ik me heel erg oud.

Ik gooide het laken van me af en ging rechtop zitten in al mijn naakte pracht.

Nou ja, de afgelopen nacht had ik me prachtig gevoeld. Deze ochtend, daarentegen...

Deze ochtend had ik een pijnlijk gevoel in mijn lichaam, dat, zo vreesde ik, weinig te maken had met de acrobatische oefeningen van de afgelopen nacht.

Voordat ik kon toegeven aan de neiging om de rest van de dag onder de dekens te blijven liggen, stond ik op en liep naar de badkamer. Op de automatische piloot draaide ik de douche open, zo heet als mijn lichaam maar kon verdragen. Het duurde niet lang voor ik erachter was dat niets dat verdrietige gevoel dat bezit van me had genomen, kon wegwassen.

Had dat al die tijd al in me gehuisd, wachtend om me op te slokken? Mijn verbroken relatie met Ethan. De glans die ik ooit in Michaels ogen had gezien...

Geïrriteerd schudde ik mijn hoofd, waarna ik de douchestraal weer kletterend op mijn schedel liet neerkomen, omdat een andere herinnering bij me opkwam.

Eentje aan mij en Michael, vrijend op het strand. Nou ja, niet op het strand, maar in het gastenverblijf van de Dubrow-villa in South Hampton. Niet dat we in het gastenverblijf hadden moeten logeren. Het was laat in september geweest, en de Dubrows hadden hun wekelijkse uitstapjes naar hun vakantiehuis allang weer van het programma geschrapt. Toch had Michael ervoor gekozen om in het kleine huisje te logeren, dat dichter bij zee lag, in plaats van in de villa zelf. 'Daar kunnen we de zee beter horen,' had hij gezegd, hoewel ik me nu afvroeg of hij het smetteloze familiebezit niet had willen bezoedelen met onze smakeloze affaire. En dat was het nu precies. Het was niet smakeloos geweest. Ik was verliefd geweest en had geloofd dat dat voor hem ook gold. Zozeer zelfs, dat we ook andere risico's hadden genomen door het zonder elke vorm van voorbehoedsmiddelen te doen met uitzondering van de voor-het-zingen-de-kerk-uit-methode. Het gevoel dat ik toen had gehad, kon ik me nu weer goed voor de geest halen; datzelfde dwaze verlangen dat me de vorige avond had overspoeld. Dat Michael in me zou klaarkomen, dat we misschien samen een kindje op de wereld zouden zetten.

Nu realiseerde ik me ook dat dit verlangen waardoor ik gedreven werd, de vorige dag met Billy, en ja, misschien zelfs met Ethan, destijds was ontstaan. Toen was ik er zo vervuld van geweest, dat ik, nog nagenietend van onze vrijpartij in Michaels armen, dat met zoveel woorden aan hem had toegegeven.

Hij had lief gelachen, met zijn neus langs de mijne gewreven en bezitterig met zijn hand over mijn heupen gestreeld, voordat hij had gezegd: 'Jij en ik zouden een heel mooie baby maken.'

Nu wist ik waar dat déjà vu-gevoel van de vorige avond vandaan was gekomen. Waar ik die woorden die ik had uitgesproken, eerder had gehoord. Van Michael. Ik had ze als een belofte opgevat, bedacht ik nu. Zozeer zelfs, besefte ik, dat ik er sindsdien in bepaald opzicht op had zitten wachten tot er een man in mijn leven kwam die die belofte zou vervullen.

Ik draaide de kraan dicht, stapte uit de douchecabine en bestudeerde vervolgens mijn spiegelbeeld in de beslagen passpiegel, terwijl ik dat besef goed tot me liet doordringen. Misschien was dat wat ik verkeerd had gedaan. Wachten. Wachten tot een man me gelukkig zou maken. Peinzend liet ik mijn hand over mijn buik dwalen. Misschien kon ik krijgen wat ik onmiskenbaar wilde... op mijn eigen voorwaarden.

9

Een kind dragen is de meest bevredigende ervaring die een vrouw kan meemaken. (Jayne Mansfield)

'Dus je bent van plan om in je eentje een kind te krijgen,' reageerde Shelley toen ik haar op de hoogte bracht van mijn beslissing, die steeds vastere vorm begon aan te nemen, zeker na de schokkende gebeurtenissen op kantoor van de laatste paar dagen.

Op maandag diende Claudia's assistente haar ontslag in. Kennelijk was Jeannie tot de conclusie gekomen dat een leven thuis met haar zoontje haar meer voldoening zou geven dan haar rol als Claudia's persoonlijke slaaf.

Ik kon het haar niet kwalijk nemen, zeker niet nadat ik Claudia tekeer had horen gaan over het onrecht dat haar assistente haar aandeed door op te stappen terwijl de grootste campagne die dit bedrijf in lange tijd op touw had gezet, in volle gang was – je weet wel, die campagne waarvan ik niet eens echt deel uitmaakte.

Dit besloot ik als een teken op te vatten dat ik mijn geluk misschien maar eens ergens anders moest zoeken, ver weg van Claudia's verstikkende leiding. Ergens waar ik de teleurstellingen die de mannen in mijn leven hadden veroorzaakt, van me af kon schudden. Wie had er tegenwoordig nog een man nodig met al die nieuwe bevruchtingsmethoden? Die gedachte had weer geleid tot een andere beslissing: ik zou niet voor adoptie kiezen. Naast de extra toestanden waar je ongetwijfeld mee te maken kreeg als je als alleenstaande een kind adopteerde – mijn eigen gelukkig getrouwde ouders hadden al genoeg moeite gehad om mij in het gareel te houden – wist ik zeker dat het soort moederschap waarnaar ik verlangde alleen kon worden gevormd door een bloedband.

Terwijl ik dit deel van mijn plannen aan Shelley uitlegde, kreeg ik het even heel benauwd. Wie wist er tenslotte nou wat er precies kwam kijken bij de zoektocht naar een donor? Onmiddellijk daarna sloeg die benauwdheid echter om in een hoopvolle spanning. Dit was mogelijk als ik het wilde. Op de manier die ik wilde. Dat was een prettig idee.

Die avond leek zelfs Shelley zich wat te ontspannen bij mijn gebabbel. 'Vertel eens, Grace, wat het hebben van een kind voor jou betekent.'

Eindelijk eens een gemakkelijke vraag. 'Dat betekent dat ik iemand zal hebben om van te houden.' Even aarzelde ik, zoekend naar de juiste woorden om mijn verlangen – en hoop – te beschrijven. 'Het betekent dat je iemand hebt die er altijd voor je zal zijn.' Ik zag dat Shelley haar lippen tuitte. 'Wat?' vroeg ik, plotseling bang dat ze op het punt stond dat gelukzalige zeepbelletje waarin ik me bevond door te prikken.

'Denk eens na over wat je net hebt gezegd.'

'Wat heb ik gezegd?' Nu voelde ik me in de verdediging gedrongen. En verward. Wat had ik eigenlijk gezegd? 'Dat ik iemand wil om van te houden en die er voor me is?'

'Grace, we hebben het over een kind. Iemand voor wie jij er moet zijn. Een kind voor wie jij moet zorgen en van wie jij moet houden.'

'Dat besef ik heus wel.' Dacht ze dat ik het ouderschap lichtvaardig opvatte? 'Ik ben heel goed in staat om voor een kind te zorgen.' Ik had meer dan voldoende ervaring in het moederen, dacht ik, terugdenkend aan al die jaren waarin ik Angie door moeilijke tijden heen had geholpen, en Lori af en toe ook. Wat heet, je zou zelfs die rol van praatpaal die Claudia me opdrong, een soort moederen kunnen noemen. Als ik een kind had, dan zou ik er tenminste iets voor terugkrijgen. Dan zou ik zelfs iemand hebben om de zaterdagavond mee door te brengen, bedacht ik. Want ondanks al dat moederen van mij in de loop van de jaren, was ik, als puntje bij paaltje kwam, in feite nog steeds alleen. Lori zou verdergaan met Dennis, of gewoon verdergaan. En Claudia... tja, haar zou ik graag verjagen... naar een tehuis voor onhandelbare volwassenen.

'Ik denk dat ik een goede ouder zou zijn,' zei ik uiteindelijk.

'Daar twijfel ik niet aan,' zei Shelley. 'Ik vraag me alleen af wat je verwacht van het ouderschap.'

Ondanks het feit dat het mijn schreeuwende behoefte pijnlijk duidelijk maakte, flapte ik er ineens uit: 'Ik wil iemand om van me te houden. Onvoorwaardelijk. Wat is daar in vredesnaam mis mee?'

Ik zag dat ze iets ging verzitten, wat ik onwillekeurig opvatte als een teken van ongeduld, alsof ik een kind was dat zijn zin niet kreeg. Mijn oude wrevel ten opzichte van Shelley stak de kop weer op. 'Daar heb ik toch recht op?' riep ik uit, verbaasd over de emotie die in mijn woorden doorklonk.

Haar gezichtsuitdrukking verzachtte, en ik barstte bijna in tranen uit bij de meelevende blik in haar ogen. Hoewel ik uit alle macht kwaad op haar probeerde te zijn omdat ze me niet de helpende hand bood waarnaar ik op zoek was, besefte ik dat ik op dit moment iets anders van haar wilde. Dat iets was de oprechte sympathie die ik van haar gezicht aflas. Alleen was die slechts van korte duur. Want Shelley had die ontroering net zo snel weer weggestopt achter haar professionele masker als ze de kreukel uit haar broek streek, toen ze haar benen over elkaar sloeg. Ze had zichzelf weer in de hand.

Mijn vraag negerend, zei ze: 'Je mag van een kind niet verwachten dat het je alles geeft wat je bij je moeder tekort bent gekomen. En in dit geval bedoel ik je biologische moeder.' Bij die laatste woorden klonk haar stem behoedzaam. 'Volgens mij hebben we het namelijk over haar, gezien het belang dat je lijkt te hechten aan het krijgen van een kind van jezelf.'

Ik voelde de bekende weerstand weer in me opborrelen. Nu begreep ik ook waarom ze zo blij had geleken met mijn plan een spermadonor te zoeken. Omdat het dat stomme psychologische model bevestigde dat ze zich in haar hoofd had gehaald vanaf het moment waarop ik voor het eerst bij haar was gekomen.

'Ja, het kind zal van je houden, maar een kind is geen zorgverlener,' ging ze verder. 'Uit jouw woorden maak ik op dat je op zoek bent naar een ouder, Grace, niet naar een kind. Je probeert de moeder te vervangen die je hebt verloren.'

Als er al tranen achter mijn ogen hadden geprikt, dan verdwenen die nu om razendsnel plaats te maken voor een enorme woede. Ik verafschuwde het idee dat Kristina Morova – een vrouw die me niet meer had gegeven dan de negen maanden die het had geduurd tot ik ter wereld was gekomen – zo'n invloed op mijn emotionele huishouding had. Aan Shelley had ik een nog grotere hekel omdat ze dat had gesuggereerd. 'Weet je, ik heb het hiermee gehad,' zei ik, mijn armen krampachtig over elkaar slaand. Of ik dat deed om mezelf tegen Shelley te beschermen of tegen de gevoelens die door me heen raasden, wist ik eigenlijk niet. 'Waarom moet alles wat ik denk, alles wat ik voel om... om háár draaien?' schreeuwde ik het bijna uit. 'Kan het niet gewoon zijn dat ik een baby wil, verdomme? Ik ben bijna vijfendertig!'

Uiteraard bleef Shelley volkomen onaangedaan en reageerde ze weer op dat kalme, beheerste toontje. 'Natuurlijk, een kinderwens is heel gewoon, zeker bij vrouwen van jouw leeftijd,' zei ze, 'maar je moet jezelf wel de vraag stellen waarom je ervoor kiest om in je eentje een kind te krijgen, Grace.'

Vervolgens, na een snelle blik op de klok die onheilspellend boven mijn hoofd tikte, zei ze: 'Onze tijd zit erop. Laten we volgende week op dit onderwerp terugkomen, oké?'

Ik besloot meteen de volgende ochtend op dit onderwerp terug te komen, op mijn werk. Hoewel ik inmiddels mijn beslissing om een kind te krijgen had genomen, gebaseerd op de wijsheid en, ja, ook de teleurstellingen die alleen een vrouw van vierendertig in haar bagage kon hebben, besefte ik dat ik voor de moderne methode om baby'tjes te maken afhankelijk was van de informatiebron die de leeftijdsgroep van achttien tot vierentwintig veelvuldig raadpleegde, althans volgens ons laatste doelgroeponderzoek.

Internet.

Het was verbazingwekkend wat de zoekopdracht 'spermadonor' opleverde.

Bijna zeventienduizend sites, waarvan de belangrijkste zoekmachines bevatten waarmee ik donors kon selecteren op ras, opleidingsniveau en gewenste uiterlijke kenmerken.

Ik stond versteld hoe gemakkelijk het allemaal leek. Tegelijkertijd vond ik het ook beangstigend.

Toch downloadde ik wat informatie van websites die fatsoenlijk overkwamen – hoewel dat al snel een relatief begrip werd – en propte die in mijn tas om thuis door te nemen, gerustgesteld door het idee dat ik nu ten minste... keuzemogelijkheden had. Bovendien had ik er niemand bij nodig om die te onderzoeken.

Het geluid van de telefoon deed me opschrikken. 'Grace Noonan.'

'Gracie, met je vader.'

Geschrokken stopte ik vliegensvlug het laatste stapeltje papieren in mijn tas, alsof mijn vader net mijn kantoor binnen was gekomen en me in horizontale positie met een man had betrapt. Tamelijk ironisch, inderdaad, maar mijn vader belde me nu eenmaal nooit op mijn werk. Mijn vader belde me sowieso nooit. Mijn moeder was degene die de communicatie voor hen alle twee voor haar rekening nam. Daarom leek dit telefoontje dat midden in mijn kleine speurtocht binnen kwam, nog merkwaardiger.

'Is alles in orde met mam?' vroeg ik, de eerste de beste reden aangrijpend die ik kon verzinnen voor het feit dat hij aan de andere kant van de lijn was en zij niet.

Hij grinnikte. 'Hoezo, mag een vader zijn dochter niet af en toe eens bellen?' vroeg hij.

Moed vattend uit het idee dat mijn vader misschien inderdaad gewoon voor de gezelligheid belde, glimlachte ik, hoewel ik er absoluut van overtuigd was dat hij niet zomaar belde. 'Wat is er aan de hand?'

'Oké, nu je het toch vraagt,' begon hij. 'Zoals je weet hebben je moeder en ik binnenkort een belangrijke trouwdag te vieren.'

Aha, nu begon me iets te dagen. Het cadeau. Hij had natuurlijk wat ideetjes nodig voor de grootse aankoop die hij voor mijn moeder wilde doen. Mijn glimlach werd breder. 'Laat me raden: je hebt geen idee wat je haar moet geven?'

'Nee, nee, dat is het niet. Ik heb zelfs het perfecte cadeau op het oog. Bovendien blijkt het binnenkort op de markt te komen. Herinner je je dat schilderij nog waarover je moeder en ik kibbelden toen we elkaar voor het eerst ontmoetten? Mariella In The Afternoon van Chevalier?'

Dat schilderij had ik nooit gezien, maar het verhaal had ik zo vaak gehoord, dat ik het bijna kon uittekenen.

Op de voorgrond stond een vrouw in haar tuin die voor zich uit staarde, kennelijk naar de weg, waarover een figuurtje vanuit de verte kwam aanlopen. Een figuurtje dat zo klein was, dat moeilijk te zien viel op wie de vrouw stond te wachten. Veertig jaar geleden hadden mijn vader en moeder op een opening van een galerie tegelijk naar dat schilderij staan kijken. Ze hadden zich amper aan elkaar voorgesteld, of ze hadden al staan discussiëren. De discussie was gegaan over de vraag of het een minnaar, een kind of een vriendin was, op wie de vrouw wachtte. Mijn ouders hadden allebei iets anders in de mysterieuze blik in de ogen van de vrouw en haar enigszins wereldvreemde lachje gezien. Volgens mijn moeder was het een kind. Volgens mijn vader een minnaar. De datering van het schilderij had de twee ook geen stap verder geholpen, want Chevaliers schilderijen kwamen vaak voort uit een mengeling van herinneringen en foto's, waarbij hij zich niet altijd aan de historische context van het onderwerp hield. Mariella In The Afternoon was een moderne Mona Lisa, met iets meer natuurschoon en verhaal erin, geschilderd door een in die tijd aanstormend Frans talent, en nu werd het volgens mijn vader tentoongesteld in de Wingate Galerie in SoHo.

'Wauw,' zei ik. 'Hoe ben je het op het spoor gekomen?' vroeg ik. Ik bedoel, we hadden het hier niet over een Picasso.

'Ik heb dat schilderij nooit uit het oog verloren,' antwoordde mijn vader. 'Ik wist dat als ik het geluk had dat je moeder mijn vrouw wilde worden, ik het op een dag voor haar zou kopen. Die dag is nu gekomen. Het schilderij is twintig jaar geleden naar New York gehaald door een verzamelaar, R.J. Sutherland heette hij, geloof ik. In elk geval, Sutherland is overleden, en het schilderij is door zijn erfgenamen overgebracht naar de Wingate Galerie om in consignatie te worden verkocht. Ik had gedacht dat ik zelf naar New York kon vliegen om de nodige regelingen te treffen, maar nu je moeder en ik ons op onze reis moeten voorbereiden, denk ik niet dat ik weg kan. Ik vroeg me af of jij misschien in mijn plaats...'

'Pap, ik weet niet zoveel van kunst...'

'Jawel, dat weet je wel, liefje,' zei hij, me herinnerend aan het feit dat ik naar de kunstacademie was geweest voordat ik was overgestapt naar bedrijfskunde in mijn tweede studiejaar. Toen was ik tot de ontdekking gekomen dat ik niet alleen meer oog dan aanleg voor kunst had, maar ik had ook besloten dat ik een praktischer vak moest leren als ik na mijn afstuderen een baan hoopte te krijgen.

'Trouwens,' ging mijn vader verder, 'je hoeft helemaal niets te weten, zolang je de vraagprijs maar op tafel legt.' Vervolgens noemde hij een bedrag waar mijn mond van openviel.

'Pap, dat is heel genereus van je, maar kunnen mam en jij je dat veroorloven?'

'Natuurlijk. Ik heb mijn eigen appeltje voor de dorst bewaard speciaal voor dit moment. Ik weet dat je moeder eerst een beroerte zal krijgen, maar zodra ze zich dat mooie moment herinnert dat we voor dat schilderij stonden, zal ze wel begrijpen waarom ik het heb gedaan.'

Er ging een warm gevoel door me heen bij de pure liefde die ik zijn stem hoorde doorklinken. 'Wanneer is het, pap?' vroeg ik. Ik leek wel gek dat ik zelfs maar eventjes had overwogen om dit romantische verzoek niet voor hem in te willigen. Hij gaf me de datum, tijd en het adres van de tentoonstelling op, en nadat ik had opgehangen, voelde ik zo'n diep verlangen in me opwellen, dat ik vreesde dat die gedownloade A-4tjes die ik van plan was mee naar huis te slepen, dat nooit zouden kunnen vervullen.

'Hebben jullie al een datum geprikt?' vroeg ik aan Angie, toen we die avond kleding bij Bloomingdale's stonden te passen.

We deelden een paskamer, deels omdat het te druk was om er allebei een in beslag te nemen, maar voornamelijk omdat Angie bikini's stond te passen voor haar geplande reisje naar L.A. met Justin in het Thanksgiving-weekend en zich daar nerveus over maakte. Hoewel dat voor Angie niets nieuws was, leek het die avond nog erger dan anders.

'Nee, dat hebben we níét, oké?' brieste ze, onderwijl het derde bikinibroekje aantrekkend dat ze mee had genomen naar de paskamer.

'Oei, wat zijn we lichtgeraakt,' zei ik, een jurk voor me ophoudend om de kleur te beoordelen.

'Sorry.' Angie kwam overeind om me aan te kijken. 'Maar mijn moeder zeurt daar ook maar over door vanaf het moment waarop we haar hebben verteld dat we verloofd zijn.'

Verbaasd keek ik haar aan. 'Nou, is dat niet de gebruikelijke gang van zaken? Je verlooft je, je plant een bruiloft.'

'Dat is het nu net. Sinds Justin en ik ons verloofd hebben, is die bruiloft een eigen leven gaan leiden. Mijn moeder sleurt me elk weekend door Brooklyn om zalen te bekijken. En je zou moeten zien wat ze af en toe op het programma heeft staan: tenten die een perfect decor voor Saturday Night Fever vormen. Eigenlijk zou Justin een filmcrew mee moeten nemen; dan kunnen we een remake opnemen.'

'Ik wist niet dat jullie in Brooklyn gingen trouwen.'

Ze hield het bovenstukje tegen haar borst. 'Ik wist zelf niet dat ik in Brooklyn ging trouwen, tot ik ineens in een auto gepropt zat met mijn moeder, Justin, Nonnie en Artie Matarrazzo, je weet wel, mijn Nonnies aanbidder? Hij is de chauffeur van de familie geworden, sinds hij met mijn oma omgaat, en nu zorgt mijn moeder ervoor dat hij ons rondtuft van de ene afgrijselijke trouwzaal naar de andere. En dan heeft mijn moeder nog het lef – het lef! – om tegen mij uit te varen omdat ik te kieskeurig ben! Te Kieskeurig! Zij is degene die erop staat dat ik binnen een steenworp afstand van haar huis trouw.'

'Wat zegt Justin ervan?'

'Je kent Justin. Die vindt alles goed wat ik goed vind. Ik geloof niet dat hij in de gaten heeft dat mijn moeder me langzaam maar zeker krankzinnig maakt,' zei ze, haar gezicht rood aangelopen van frustratie, waarna ze het bovenstukje vastmaakte.

'Als je niet in Brooklyn wilt trouwen, dan moet je dat tegen je moeder zeggen.'

Haar gezicht vertrok zo vreemd, dat ik even bang was dat ze in huilen zou uitbarsten. 'De waarheid is dat ik niet weet wat ik wil. Ik heb me veel te druk lopen maken over de kans dat de serie wordt beëindigd en over die film die we gaan maken.' Ze zuchtte diep. 'Misschien moet ik die hele bruiloft maar aan mijn moeder overlaten en vanaf de zijlijn toekijken. Ik bedoel, zij betaalt voor die verrekte toestand.'

'O, ja?'

Bevestigend knikte Angie. 'Ja, niet te geloven, hè? Eerst voelde ik me een beetje schuldig. Mijn moeder is nu niet bepaald rijk, maar ik heb ontdekt dat ze voor mijn bruiloft heeft gespaard sinds ik twaalf was of zo.'

Ik trok een wenkbrauw op. 'Wauw.'

'Ik weet het. Ik ben tenslotte haar enige dochter. Aan de ene kant ben ik opgelucht, maar aan de andere...' Ze trok het bovenstukje recht. 'Ik weet het niet, hoor. Ik zit niet mijn leven lang al te dromen over mijn bruiloft, maar ik wil wel graag dat de dag waarop ik met Justin trouw om óns draait. En de vogeltjesdans doen onder een discobal in Lombardi's is niet wat ik daarbij in gedachten had.'

Ik trok de jurk aan, terwijl ik daar even over nadacht. Net als Angie had ik nooit echt stilgestaan bij hoe mijn huwelijksdag zou moeten zijn. Inmiddels, realiseerde ik me, denkend aan die A-4tjes in mijn tas op de grond, had ik de grote dag mentaal al overgeslagen om me direct te richten op de... donoroplossing. Huiverend begreep ik waarom ik onmiddellijk te porren was geweest voor dit tripje naar Bloomie's, toen Angie me die middag op mijn werk had gebeld om me mee te vragen. Ik wilde niet naar huis en het besluit onder ogen zien dat zo perfect had geleken... in theorie. Al die gezichtsloze kandidaten die ik die ochtend had uitgeprint, maakten me nu neerslachtig.

'Ik ben bijna blij dat Justin en ik naar L.A. gaan met het Thanksgiving-weekend, zodat we even weg zijn uit die hele toestand. Ik heb mijn moeder verteld dat we een neef van Justin gaan opzoeken die daar woont, en dat is ook zo, maar we hopen voornamelijk een paar potentiële investeerders voor de film te ontmoeten. En een paar uurtjes strand mee te pikken,' zei ze, waarna ze zich omdraaide om haar spiegelbeeld te inspecteren in de laatste van haar verzameling bikini's.

Ze slaakte een zucht. 'Nou, deze zou enig zijn als ik een paar borsten had.' Ze keek naar mij. 'Je zou toch mogen verwachten dat er regels waren voor een eerlijke verdeling als het om borsten gaat.'

Ik rechtte mijn schouders en bekeek mijn eigen spiegelbeeld in dat jurkje, waar mijn borsten aan de bovenkant zowat uitpuilden. 'Geloof me, ik zou je er graag wat van geven als ik kon.' Dat dit jurkje niet door de beugel kon, was niet zo erg. Het was namelijk niet zo dat mijn garderobe nodig eens uitgebreid moest worden. Aan de andere kant was dat het beste moment om te gaan shoppen, redeneerde ik, waarna ik het zwarte wollen rokje pakte dat ik ook mee had genomen. Trouwens, het kon nooit kwaad om iets nieuws te hebben voor de feestdagen.

Dat herinnerde me aan het feit dat ik deze kerst verweesd zou zijn. 'Denk je dat je moeder nog een extra persoon aan de kerstdis kwijt kan?' vroeg ik.

Angie was bezig het bovenstukje weer uit te trekken. 'Natuurlijk,' antwoordde ze, met een frons in haar voorhoofd opkijkend. 'Geen New Mexico met paps en mams Noonan dit jaar?'

'Nee. Mijn ouders zijn dit jaar in Parijs met de feestdagen. Mijn vader geeft daar een lezing, en aangezien hun veertigjarig huwelijk op stapel staat, hebben ze besloten om er nog een weekje aan vast te plakken en het daar te vieren,' legde ik uit, terwijl ik het rokje over mijn heupen trok.

'Dat klinkt fantastisch,' zei Angie met een dromerige blik in haar ogen. 'Hemel, Justin en ik zouden in Parijs moeten trouwen...' De dromerige blik verdween weer. 'Nee, dat kunnen we natuurlijk niet maken. Weet je dat mijn moeder weigert in een vliegtuig te stappen? Ik bedoel, van vliegen krijg ik het ook Spaans benauwd, maar ik vertik het om me daardoor pleziertjes te laten ontzeggen.' Het bovenstukje mikte ze op de afgekeurde stapel. 'Ik denk dat ik mijn moeder niet eens zover zou kunnen krijgen om de brug naar Manhattan over te steken voor mijn bruiloft.'

'Hou op met dat getob,' maakte ik een eind aan haar gezeur over haar moeder. Ik bekeek mezelf van opzij en constateerde dat ik een zichtbaar buikje had gekregen. Al die eetbuien hadden me een kleine vetophoping opgeleverd. Een lichte zwelling die ik inmiddels had geaccepteerd. Hoewel ik daarmee absoluut niet voldeed aan de broodmagere look die dit seizoen in de mode was, had ik een soort troost geput uit mijn nieuwe figuur.

'Ik denk erover om een kind te nemen,' hoorde ik mezelf eruit flappen. Na mijn ontmoedigende sessie met Shelley was ik niet van plan geweest om het meteen al aan iemand anders te vertellen. Al helemaal niet aan Angie, die over mijn beslissing nog erger in de stress zou schieten dan ikzelf.

Ze stelde me niet teleur. 'Wát?'

'Je hebt me wel gehoord,' zei ik. Nu ik het had aangedurfd om mijn beslissing hardop uit te spreken tegenover mijn beste vriendin, kon ik hem nog eens toetsen.

Haar ogen werden groot van verbazing. 'Nee, toch – Ethan. Het condoom. Ben je daarna nog ongesteld geworden?'

Ik schudde mijn hoofd. 'Ik ben ongesteld geworden, Ange. Ik ben niet zwanger, als je dat soms bedoelt.'

'Maar hoe dan?' vroeg ze, waarna haar gezicht rood werd tot aan de wortels van haar donkere krullen. 'Ik bedoel, ik weet natuurlijk wel hoe. Wat ik eigenlijk wilde vragen is: wie?'

'Tegenwoordig heb je geen man in je leven meer nodig om een kind te krijgen, Angie,' zei ik, me intussen weer uit het rokje wurmend. 'Het is zelfs gemakkelijker om in je eentje een kind te krijgen dan je zou denken,' ging ik verder, waarna ik even op mijn onderlip beet. Ergens vond ik dat gegeven... verontrustend. 'Ik heb wat zitten surfen op internet. Vanmiddag. Heb je enig idee hoeveel klinieken er zijn die zich hiermee bezighouden? Je kunt zelfs gewoon on line een 'dosis' – zo noemen ze het – bestellen. Het gaat net zo gemakkelijk als... een beha bestellen bij Victoria's Secret.'

'Grace, besef je wel wat je zegt?'

Schouderophalend hing ik het rokje weg en griste een andere van het hangertje. 'Heel veel vrouwen doen het tegenwoordig zo. Waar denk je dat Melissa Etheridge die dotjes van kinderen vandaan heeft?'

Angie fronste haar wenkbrauwen. Kennelijk was ze niet onder de indruk van het feit dat een beroemdheid gebruik van die methode had gemaakt. 'Grace, Melissa Etheridge is een lesbienne. Zij had waarschijnlijk geen andere keus, terwijl jij –'

'Wat voor keus heb ik dan volgens jou?' Weer voelde ik die woede in me opborrelen. 'Moet ik gaan zitten wachten tot er een man opduikt die geen egocentrische eikel is? Justin even buiten beschouwing gelaten, zijn die nogal zeldzaam.' Ik zuchtte. 'Weet je, Ange, toen ik dacht dat ik zwanger was van Ethans baby, had ik het gevoel dat... dat er een langgekoesterde droom in vervulling ging, waarvan ik niet eens wist dat ik die had. Vervolgens lig ik ineens in bed met Billy en smeek hem bijna om het condoom achterwege te laten –'

'O, Grace!' Angie kreunde. 'Je gaat me toch niet vertellen dat je het weer met hém hebt aangelegd.'

Angie was geen fan van Billy. Volgens mij zag ze mijn alarmnummer als een soort oppervlakkig surrogaat voor wat ik werkelijk wilde. Daar had ze gelijk in. Want sinds dit babyvirus me in zijn greep had gekregen, taande ik niet meer naar Billy. Ik had hem zelfs op de mouw gespeld dat ik iemand had ontmoet toen hij me vorige week had gebeld, wat hij, zoals altijd, totaal geen probleem had gevonden. Ook dat had me een beetje verdrietig gemaakt. Ik bedoel maar, een vrouw wil toch dat een man een klein beetje strijd om haar levert.

'Hoe lang is dat al aan de gang?' vroeg Angie nu.

'Er is niets aan de gang,' antwoordde ik. 'Niet meer.' Misschien wel nooit meer, dacht ik, want als ik een baby op de wereld zette, zou ik waarschijnlijk wat, eh... gewoontes af moeten zweren. 'Ik heb nu een nieuw doel.'

'Maar een baby, Grace?' zei Angie. 'Ik ben gek op mijn petekind Carmella, maar ze jaagt me ook de stuipen op het lijf. Een paar weken geleden vroeg mijn broer me om op haar te passen, en ik heb zowat de hele dag achter haar aan gerend om te voorkomen dat ze de potgrond opat uit die stomme bloembakken die mijn schoonzus overal heeft neergezet. Tegen de tijd dat Sonny en Vanessa thuiskwamen, kon ik geen pap meer zeggen.'

'Ik krijg hulp –'

'Hulp?' onderbrak Angie me. 'Voorzover ik weet, komen die spermadonors geen luiers verschonen of nachtelijke voedingen geven. Heb je wel eens van het fenomeen nachtelijke voedingen gehoord, Grace?'

'Ik kan hulp inhuren,' hield ik stug vol, hoewel ik het in werkelijkheid nog niet allemaal op een rijtje had gezet. Ik had een behoorlijk salaris, maar toch, als ik dit echt wilde doorzetten, dan moest ik een budget gaan opstellen.

'Wat ik maar wil zeggen, Grace, is dat het krijgen van een kind niet niks is. Je moet je van alles ontzeggen –'

'Ik ben bereid om er dingen voor op te geven,' zei ik, me realiserend dat dit waar was. Ik had het gevoel alsof offers brengen het enige was wat ik de afgelopen jaren had gedaan. Mijn tijd had ik opgeofferd aan mannen als Michael, Ethan en Drew, die me er weinig tot niets voor terug hadden gegeven. Ik had offers gebracht voor mijn baan, en het was nu wel duidelijk dat, zolang Claudia aan het roer stond op de marketingafdeling, die offers zich niet zouden uitbetalen.

Voor één keer in mijn leven wilde ik me ergens voor inzetten wat me ook daadwerkelijk iets zou opleveren. En nu wist ik, zo zeker als ik nog nooit iets had geweten, wat dat was.

10

Het leven zou zo prachtig kunnen zijn als we maar wisten wat we ermee aan moesten. (Greta Garbo)

Beladen met bruine tassen, in alle soorten en maten, kwam ik thuis van Bloomingdale's. Ik vroeg me af wat me had bezield om zo wild te shoppen terwijl ik alleen maar mee was gegaan om Angie gezelschap te houden. Maar nadat ze eindelijk een bikini had gevonden die niet het accent op haar billen legde, haar borsten plette of haar bankrekening plunderde, was zij naar huis gegaan, en ik... door het lint. Zodra ik een broek en twee rokjes had gescoord op de tweede verdieping, had ik me genoodzaakt gevoeld om naar de schoenenafdeling te tuigen, waar ik een paar naaldhakken had ontdekt die me hadden doen smachten naar een gelegenheid waarbij ik ze kon dragen, en een paar kniehoge laarzen die 'go-go girl met stijl' leken uit te schreeuwen. Nogal ironisch, als je bedacht dat de zaterdagavond zoals ik me die binnenkort voorstelde, zou bestaan uit het blootsvoets geven van borstvoeding.

Niettemin borg ik uiterst tevreden mijn nieuwe aankopen op. Ik overwoog zelfs even om mijn kledingkasten uit te mesten om meer ruimte te maken voor mijn nieuwe outfit, totdat ik me realiseerde dat ik gewoon die printjes die ik mee naar huis had genomen, probeerde te vermijden.

Nadat ik de deur van de uitpuilende kledingkast in mijn slaapkamer dicht had geduwd en naar de woonkamer was gelopen, besefte ik dat er behalve die printjes nog iets was wat ik niet onder ogen had willen zien: de realiteit.

Had ik wel goed overdacht welke veranderingen een baby met zich mee zou brengen?

Eén blik op mijn trendy maar niet al te grote woonkamer, en het eerste vraagstuk diende zich aan. Waar moest ik een baby laten?

Ik zou moeten verhuizen, besloot ik, met een spijtige blik op de glanzende houten vloer, de flonkerende lichtjes van de stad die door de grote ramen te zien waren. Ik was dol op dit appartement...

Die gedachte schudde ik van me af. Ik woonde hier nu al zes jaar. Misschien was dat de reden waarom mijn leven tot stilstand leek te zijn gekomen. Misschien zou een verandering me goeddoen.

Op dat moment ging de telefoon over, en eventjes overwoog ik om het antwoordapparaat zijn werk te laten doen. Dat was tegenwoordig mijn standaard reactie. Iets in me – waarschijnlijk het sluimerende gevoel van eenzaamheid dat me bij thuiskomst in mijn lege appartement had overvallen – deed me echter naar de telefoon grijpen.

'Hallo?'

'Spreek ik met Grace? Grace... Noonan?' vroeg een bekende stem.

Bij dat geluid stond ik in eerste instantie als aan de grond genageld, zoals elke keer wanneer ik dat nummer in Brooklyn had gebeld dat ik onder K. Morova in het telefoonboek had gevonden. De stem van iemand die ik niet kende, maar desondanks herkende. Nou ja, meende te herkennen. Want bij het horen van die stem had ik vaak genoeg opgehangen, omdat ik had gedacht dat het de stem was van de vrouw die mij het leven had geschonken.

Nu wist ik dat dat niet zo was. Ik vermande mezelf. 'Daar spreekt u mee.'

Het bleef even stil. 'Het spijt me dat ik u stoor, Miss... Grace,' zei ze vervolgens, alsof ze die naam wilde proeven. Uit de mond van deze onbekende klonk mijn eigen naam me vreemd in de oren.

'Ik ben Katerina Morova. Ik heb u de brief gestuurd over... over mijn zus?'

Ik weet wie je bent, wilde ik haar toeschreeuwen, maar ik hield me in. Wat ik werkelijk wilde weten, was wat zij van me wilde. 'Ja?'

'Wel, ik heb u mijn nummer gegeven en besef dat u het waarschijnlijk druk heeft, maar we wilden zo graag met u praten, Sasha en ik...'

Is dat zo, dacht ik nijdig. Ik had mijn brief ruim zeven maanden geleden verstuurd en er pas een paar weken geleden eindelijk eens iets op gehoord. Ik denk dat sommigen van ons niet weten wat het is om te moeten wachten, bedacht ik, waarna ik me net een nukkig kind begon te voelen. Tenslotte had deze vrouw me niets misdaan. Dat had niemand. Niet echt. Ik zou proberen fatsoenlijk te blijven, maar ik zou het ook kort houden. Beleefd kort. 'Wat kan ik voor u doen?' vroeg ik, ineenkrimpend bij de formele toon in mijn stem.

'We vroegen ons af... Dat wil zeggen, ik vroeg me af... of u misschien zin had om naar ons huis in Brooklyn te komen voor... voor een etentje?'

Eerst kreeg ik het koud. Vervolgens heet. In de stilte die ik liet vallen, werd ik me er pijnlijk van bewust dat ik deze vrouw niet kon afpoeieren zoals ik de mannen in mijn leven afpoeierde.

Dat was denk ik ook de reden waarom ik mezelf er schoorvoetend mee in hoorde stemmen om de volgende zondagmiddag naar Brooklyn te komen. Desondanks voelde ik net zo'n opluchting als ik in Katerina Morova's stem hoorde doorklinken toen we elkaar uiteindelijk gedag zeiden.

'Gracie, dat is fantastisch,' zei Angie toen ik haar op de hoogte bracht.

Ik had haar meteen de volgende ochtend op kantoor gebeld, in een poging om het begin van de werkdag nog wat voor me uit te schuiven. Bovendien had ik er behoefte aan om iemand over Katerina's telefoontje te vertellen. Of die persoon Shelley moest zijn, daar was ik niet helemaal zeker van. Eigenlijk wist ik niet eens zeker of ik mijn therapeute sowieso nog wel wilde zien na ons laatste gesprek.

'Misschien wel,' hield ik een slag om de arm, omdat ik niet goed wist wat ik met deze situatie aan moest. Ik had het gevoel dat ik dit meer voor Katerina en Sasha deed dan voor mezelf. Deze hele toestand deed me eigenlijk niet zoveel. Een toeschouwer die hier ongewild bij betrokken raakte omdat ik niet zo gauw een uitvlucht had kunnen bedenken zonder gezichtsverlies te lijden.

'WAAR IS DIE MEID?' hoorde ik Claudia brullen vanuit de hal.

'Ik moet ophangen,' zei ik. 'Claudzilla is op oorlogspad.'

'Oké,' reageerde Angie. 'Bel me als je me nodig hebt,' smeekte ze me bijna, voordat ik de telefoon neerlegde.

'Wat is er aan de hand?' vroeg ik vanuit de deuropening toen ik Claudia over Lori's lege bureau zag hangen alsof ze haar daarmee tevoorschijn kon toveren.

'Volgens mijn informatie begint de werkdag om negen uur. Het is nu al bijna elf uur, en het lijkt erop dat onze assistente als vermist moet worden opgegeven.'

Oeps. Ik was vergeten Claudia te vertellen dat Lori de vorige dag tegen me had gezegd dat ze iets later zou zijn. Bij iets later had ik aan een uurtje of tien gedacht. 'Eh... ze moest vanochtend een nieuw paspoort halen.'

Haar ogen vernauwden tot spleetjes. 'Als dat kind denkt vakantie te kunnen nemen tijdens een van de grootste campagnes die dit bedrijf ooit heeft meegemaakt –'

'Dat verzoek heeft ze een week of twee geleden al ingediend. Jij hebt voor akkoord getekend, voorzover ik me kan herinneren.'

'Ik heb wát?'

Uitgerekend op dat moment kwam Lori het kantoor binnen zeilen, in haar hand een tas van Diesel en op haar gezicht een door en door schuldige uitdrukking.

'Wel, wel,' zei Claudia met een dreigende blik op haar. 'Kijk nu toch eens wie er besloten heeft om even langs te komen.' Ik zag dat ze inzoomde op de Dieseltas. 'Ik hoop dat onze onbeduidende marketingplannetjes je winkelschema niet doorkruisen?'

Hoewel Lori inmiddels beter had moeten weten, begon ze te ratelen. 'Ik moest een nieuw paspoort aanvragen, en op de terugweg zag ik zo'n beeldig T-shirt in de etalage van Diesel en –'

'Zo is het genoeg!' snauwde Claudia. 'We hebben momenteel belangrijker zaken aan ons hoofd dan jouw wederwaardigheden,' zei ze op minachtende toon. 'Irina komt langs!'

'Ja, en?' vroeg ik. Een paar dagen geleden had Claudia me verteld dat het supermodel van plan was ons met een bezoekje te vereren. Ze had Lori zelfs opdracht gegeven een cateraar in te schakelen die een ontbijt kon leveren dat voldeed aan de dieetwensen van ons icoontje. 'We hebben de receptie voor volgende week al georganiseerd.'

Woest schudde Claudia haar zwarte manen, wat niet bepaald flatteus overkwam. Zo langzamerhand begon ze eruit te zien als een krankzinnige kenau. 'Nee, nee, nee, NEE!' gilde ze. 'Vandaag! Irina Barbalovich komt vandaag!'

'Vandaag?' herhaalden Lori en ik tegelijkertijd.

Vervolgens legde Claudia op geforceerd kalme toon

uit dat Mimi die ochtend had gebeld. Kennelijk waren de plannen gewijzigd. Irina had besloten om volgende week naar Parijs te gaan, en dus hoopte Mimi dat wij vanmiddag 'even tijd konden vrijmaken voor ons receptietje'. Precies tijdens de lunchpauze.

'Pak die telefoon en bestel iets,' blafte Claudia Lori toe. 'Maakt niet uit wat. Nou ja, niet zomaar wat,' zei ze, omdat haar kennelijk te binnen schoot dat Irina er een biologisch-dynamische, veganistische levensstijl op na hield. 'Iets wat ze wil eten, natuurlijk. En we moeten het om één uur hebben!'

Met grote ogen knikte Lori, waarna ze, toen Claudia terug naar haar kantoor was gebeend, vliegensvlug achter haar bureau ging zitten.

Hoewel ik er moeite mee had mezelf op te peppen tot hetzelfde soort opgefokte gedoe, liep ik achter Claudia aan. Vanuit de deuropening zag ik dat ze wild in haar kast stond te rommelen, duidelijk op zoek naar een andere outfit. Een Armani-carrièrepak was kennelijk niet goed genoeg voor Irina.

'Weet Dianne het al?' vroeg ik.

'Natuurlijk!' zei ze, terwijl ze een ander zwart pak uit de kast viste, dat precies leek op het pak dat ze aan had, alleen hoorde hier een rok bij.

'Komt ze ook?' vroeg ik, me in werkelijkheid afvragend of de rest van het gevolg ook mee zou komen. Michael bijvoorbeeld, en zijn nieuwe aanstaande bruid...

'Nee, nee,' ontkende ze hoofdschuddend, terwijl ze haar oog snel over het pak liet gaan. 'Dat haalt ze nooit meer. Bovendien moet ze met haar moeder naar de een of andere specialist.'

'Haar moeder?' Waarom moest de naamgeefster van het bedrijf naar een specialist, vroeg ik me af.

'Ja. Kennelijk heeft ze ze niet meer allemaal op een rijtje.' Ze lachte bitter. 'Dat verklaart dan ook meteen deze hele belachelijke jonger-is-beter-campagne. Het zou me niets verbazen als Dianne nog steeds te rade gaat bij Mrs. Dubrow, ondanks het feit dat die vrouw aan Alzheimer lijdt.'

'Alzheimer?' herhaalde ik geschokt. Ik had geen idee dat Roxanne Dubrow ziek was. Dat verklaarde een hoop. Bijvoorbeeld waarom Dianne de laatste tijd zo weinig tijd doorbracht op het kantoor in New York.

Zwijgend hing Claudia het mantelpak aan de kastdeur, voordat ze zich met een waarschuwende blik naar me omdraaide. 'Dat is vertrouwelijk, hoor. Hoewel het me eigenlijk verbaast dat de rest van de wereld het nog niet doorheeft, als je ziet hoe dit bedrijf in recordtempo naar de knoppen gaat.' Ze schudde haar jasje van zich af en pakte een kleerhanger.

Nog steeds verstomd bij het idee, stond ik maar wat voor me uit te staren. Hemel, wat Dianne nu moest doormaken. En Michael...

'Komt Michael?' vroeg ik.

'Alsjeblieft. Die zit momenteel in Italië om een van de fabrieken daar te bezoeken. Waarschijnlijk met Courtney. Ik moet zeggen, voor de nieuwe manager van productontwikkeling is ze een leuke tournee aan het maken. Zeker gezien het feit dat ze zich eigenlijk een slag in de rondte zou moeten werken om dit nieuwe product op tijd klaar te krijgen voor de lancering van de lentelijn.'

Van dit nieuwtje was ik niet zo ondersteboven als ik had moeten zijn, misschien omdat het alleen mijn beeld van Michael als een onverschillige en egocentrische vent versterkte. Waarom zou hij zich druk maken om zijn zieke moeder als er andere familieleden waren die dat konden doen?

'Ben je van plan om daar de hele dag te blijven staan?' hoorde ik Claudia zeggen, zodat ik met een ruk weer bij mijn positieven kwam. 'Ga je klaarmaken! We hebben...' Ze keek op haar horloge en trok wit weg. '...nog minder dan twee uur!'

Misschien kwam het doordat iedereen zo liep te stressen dat ik me voornam om me niet gek te laten maken. Ik had mijn deur dichtgedaan om al dat heen en weer geren in de hal buiten te sluiten, want Claudia had voor iedereen die haar onder ogen kwam, een Irina-klusje paraat. Als iemand ernaar vroeg, dan zou ik zeggen dat ik verdiept was in de voorbereidingen voor de lentelijn voor de oudere cliëntèle van Roxanne Dubrow. Die mochten we per slot van rekening ook niet vergeten. Zij waren nog steeds, in de woorden van Dianne Dubrow, ons brood en boter – hoewel het in haar geval meer een kwestie van toastjes en kaviaar was.

Dianne... Ineens bedacht ik waarmee zij allemaal te stellen moest hebben, nu haar moeder ziek was. Ik wist niet veel van Alzheimer, behalve dan dat het een zware wissel trok op de familieleden. Gelukkig had Dianne een gezin waar ze op terug kon vallen. Haar man, Stuart. Haar twee dochters, Gabriella en Audrey, die nu allebei begin twintig moesten zijn. Zij had hen ten minste om haar te steunen.

Voordat ik goed en wel in de gaten had wat ik deed, zat ik mijn eigen moeder te bellen.

'Hallo, schat. Hoe is het?' vroeg ze vrolijk.

'Goed, goed,' antwoordde ik, terwijl mijn op handen zijnde bezoekje aan Brooklyn me te binnen schoot en ik me afvroeg of ik het haar moest vertellen. Nou ja, er was wel meer dat ik haar zou moeten vertellen, bedacht ik, met in mijn achterhoofd al die printjes van donorsites, die ik nog amper had doorgebladerd. In plaats daarvan vroeg ik echter: 'Hoe staat het met de voorbereidingen voor jullie reis?'

'Prima,' antwoordde ze. 'Je vader zit op dit moment zelfs op zolder om de koffers naar beneden te halen, zodat we kunnen beginnen met inpakken.'

Onwillekeurig moest ik lachen. Mijn ouders vertrokken pas over een maand, maar ze maakten zich gereed voor hun grote avontuur alsof ze over een paar dagen op het vliegtuig zouden stappen. Nu mijn vader op zolder zat, had ik ten minste een paar minuten om met mijn moeder alleen te praten. Alleen leek het ineens een te zware belasting om haar alles te vertellen wat in mijn leven gebeurde.

'Ik ben trouwens blij dat je belt,' zei ze, waarmee ze voorkwam dat ik nu al iets liet vallen. 'Je vader en ik vroegen ons af of je soms al een ticket had geboekt voor Thanksgiving.'

Het plannen van de jaarlijkse trektocht had ik juist voor me uitgeschoven. Bij de gedachte aan die barre reis alleen al werd ik doodmoe. 'Nee, dat heb ik nog niet,' begon ik.

'Mooi. Want we hoopten namelijk dat je woensdag al zou willen komen, zodat je ons 's morgens in de gaarkeuken kunt helpen.'

O, help. Ook dat was ik vergeten. Mijn ouders, barmhartige Samaritanen als ze waren, hadden zich als vrijwilligers aangemeld om de hongerige massa in New Mexico te eten te geven. De eerste keer dat ze me hadden verteld over hun nieuwe goede doel, had ik aangeboden om een handje te helpen als ik thuis was voor de feestdagen. Op dit moment voelde ik me echter helemaal niet zo liefdadig.

'En daarna is er een dineetje op de universiteit waar je vader lesgeeft. Dan kan je al onze nieuwe vrienden ontmoeten,' ging ze verder.

De moed zakte me in de schoenen. Niet dat ik iets had tegen de geleerde types waarmee mijn ouders zich altijd hadden omringd. Ik had me alleen altijd zo'n buitenstaander gevoeld. Eerst als opgroeiende puber die zich had verzet tegen alles wat volwassen was, en daarna zelfs nog meer toen ik me, inmiddels zelf volwassen, in het bedrijfsleven had gestort, dat mijlenver afstond van het hoogstaande intellectuele circuit dat mijn ouders en hun slag mensen bevolkten. Dit jaar had ik daar om de een of andere reden geen zin in.

'Weet je, ik zat te denken,' begon ik omzichtig. 'Aangezien jij en pap vlak na Thanksgiving naar Parijs vertrekken en ik het zo druk heb op mijn werk met die nieuwe campagne, dacht ik dat ik dit jaar misschien maar beter in New York kon blijven...' Ik vond het vreselijk om te moeten liegen, maar ik moest wat afstand bewaren.

'O, Grace, wat ga je dan doen? Je kunt niet alle feestdagen in je eentje doorbrengen.'

'Ik ben niet alle feestdagen alleen,' zei ik vlug. 'Met de kerst ga ik naar Angie.'

'Maar wat ga je met Thanksgiving dan doen?'

Tja, wat zou ik gaan doen, vroeg ik me af, want Angie zou in L.A. zitten. Maar dan nog, het leek me prettiger om in mijn eentje te zijn dan omringd door allerlei onbekenden.

Ik zag dat Claudia bij mijn deur rondhing. 'Nou, eh... Claudia en ik hadden het erover om Thanksgiving samen te vieren,' greep ik de eerste de beste smoes aan die ik kon bedenken, hoewel de gedachte iets met Claudia te moeten vieren, gezien het nieuwe gehalte aan vijandige onverschilligheid waarop ze me had getrakteerd, me absoluut niet trok. Toch hield ik vast aan wat ik als een leugentje om bestwil beschouwde. 'Ik geloof dat ze voor ons in het Four Seasons heeft gereserveerd.'

Aan de andere kant bleef het even stil. 'Oké, als dat is wat je wilt...' Ze klonk een beetje gekwetst, waarop ik me schuldig begon te voelen.

'Kom op, mam. Zo belangrijk is Thanksgiving nu ook weer niet. In Parijs vieren ze het niet eens,' zei ik, in een poging het gesprek weer op hun tripje te brengen.

Mijn moeder greep deze vrolijke wending meteen aan, hoewel ze mij ook nog probeerde op te monteren door mijn keuze een triomfantelijk tintje mee te geven.

'Waarschijnlijk is dat een goede gelegenheid voor je om... om een wat hechtere band met je baas te krijgen.'

Hoewel het waarschijnlijker was dat ik Claudia neer zou knuppelen als ik alleen met haar in een ruimte werd gezet, zei ik: 'Zo is het. En je weet hoe belangrijk dat is voor een succesvolle carrière.'

Zo ontdeed ik me van alle familieverplichtingen, althans op korte termijn. Maar dat was lang genoeg om alle beslissingen die ik over mijn leven moest nemen, eens op een rijtje te zetten. Beslissingen die ik in mijn eentje moest nemen, als ik het allemaal kristalhelder wilde hebben.

Zodra ik had opgehangen, gaf de druk van alles wat tussen mij en enige vorm van toekomstig geluk stond, me echter het gevoel dat ik heel, heel oud was.

11

Sex-appeal bestaat voor 50% uit wat je hebt en voor 50% uit wat mensen denken dat je hebt. (Sophia Loren)

De mooie Irina Barbalovich die ik kende van covers, modereportages en reclameborden was nog niets vergeleken bij de Irina Barbalovich in levenden lijve. Irina straalde. Anders kon ik het niet omschrijven.

Zeker zoals ze nu midden in de vergaderzaal stond alsof ze een baljurk droeg in plaats van een trendy trainingspak en duur uitziende sportschoenen.

Waar lag dat aan, vroeg ik me af, toen ik me aansloot bij de mensen die zo te zien het ontvangstcomité vormden en geduldig stonden te wachten tot ze zouden worden voorgesteld zodra Claudia en alle anderen die zich binnen een straal van twee meter rondom Irina bevonden, klaar waren met hun geslijm.

Het was haar huid, besefte ik, toen ik eenmaal wat dichter in de buurt kwam. Zacht, glad met een subtiele glans. Het type huid dat alle vochtinbrengende middeltjes van de wereld niet meer terug konden brengen zodra een vrouw een bepaalde leeftijd was gepasseerd.

'Dit is Grace Noonan,' zei Claudia, zodra ik recht tegenover Irina was beland en aan de maximale stralingsdosis werd blootgesteld.

Haar ogen waren onwaarschijnlijk blauw en vormden een schitterend contrast met haar perzikhuidje. Verder was haar gezicht nogal onopvallend, maar dan op de goede manier. Rechte neus, hoge jukbeenderen en een mond die weliswaar zachtroze en mooi gevormd was, maar lang niet zo vol en verleidelijk als de mond die me volledig gestift en glanzend vanuit een tijdschrift toelachte.

Niettemin viel niet te ontkennen dat ze mooi was, maar daar bleef het wat mij betrof dan ook bij.

Nu ja, niet helemaal. Ze was Roxanne Dubrows hoop in bange dagen, en aangezien ik nog steeds wel iets van de plichtsgetrouwe werknemer in me had, beschouwde ik het als mijn taak om haar een veer in haar achterste te steken.

'Heel leuk om je te ontmoeten, Irina. De dubbele pagina die je vorige maand in de Vogue had, was absoluut beeldschoon.'

Geen reactie. Tenzij je het bijna onmerkbare knikje van dat glanzende hoofd en de ietwat afwezige blik in haar ogen een reactie wilde noemen. Toen ze uiteindelijk wel haar parmantige mondje opendeed om iets te zeggen, was het tegen Mimi, die de hele tijd vriendelijk glimlachend achter haar had gestaan, maar in deze fase van de kennismakingsronde een wat wezenloze grijns begon te vertonen.

'Kijk even of ze Yum Yum Fruit Splash hebben,' zei Irina over haar schouder, met een zachte stem waarin een accent doorklonk. 'Frambozen, graag.'

Onmiddellijk delegeerde Mimi deze taak door iemand anders aan te wijzen om Irina's wens in te willigen – in dit geval Lori, die, waarschijnlijk in opdracht van Claudia, vlakbij was geposteerd om aan al Irina's verzoeken te kunnen voldoen.

Dat moest niet gek zijn om op je negentiende door iedereen op je wenken te worden bediend, bedacht ik, terwijl ik zag dat Lana, onze pr-manager, als volgende haar opwachting maakte met een knikje en een glimlach naar Irina, die met een wezenloze blik in haar mooie blauwe ogen terugstaarde.

Dat wezenloze maakte al gauw plaats voor iets anders. Want op het moment dat Lori terugkwam met zo'n flesje water met een smaakje, zag ik iets in die ogen verschijnen wat op onvervalste droefheid leek. 'Geen frambozen?' vroeg Irina aan Mimi, het etiket bekijkend.

Mimi's mond plooide zich tot een toegeeflijk lachje. 'Kennelijk hebben ze alleen maar sinaasappel en citroen, Reny, schat,' zei ze met een stem die net luid genoeg was om tot Claudia door te dringen.

Claudia verstijfde onmiddellijk, alsof ze zich er ineens van bewust werd dat ze ontstellend tekortschoot in het vervullen van Irina's wensen, en draaide zich met een kwade blik om naar Lori. Die snelde op haar beurt de zaal uit, waarschijnlijk om op jacht te gaan naar die ene delicatessenzaak die een Yum Yum-assortiment had dat breed genoeg was om er Irina's lievelingssmaakje op de kop te kunnen tikken.

Niet dat Claudia daarmee tevreden zou zijn, trouwens. Want vlak na Irina's aankomst had ze Lori bijna gekielhaald, omdat ze toen van Mimi te horen had gekregen dat Irina zichzelf net op een draconisch nieuw dieet had gezet, hoewel het iedereen een raadsel was waarom dit gratenpakhuis een dieet nodig had. Het betekende in elk geval dat ze amper een hap mocht nemen van het biologisch-dynamische, vegetarische, Aziatische feestmaal dat Lori had besteld. Blijkbaar had Irina, behalve vlees, vis en gevogelte, die ze in het kader van haar veganistische gelofte al had afgezworen, nu ook brood, suiker en alle groentesoorten die in het lichaam op dezelfde wijze werden afgebroken als brood en suiker, van haar dieet geschrapt. Kortom, alle koolhydraten.

Het werd bijna onuitstaanbaar. Toch vroeg ik me af, toen ik zag dat Irina een weergaloze indruk maakte op alle personeelsleden, of er misschien niet iets in zat. Ja, ze was jong en mooi, maar die huid...

Toen Lori even later terugkwam met een paar flesjes frambozen Yum Yum, zat Irina aan het hoofd van de tafel, geflankeerd door Claudia en Mimi, met een bord voor zich waarop Mimi's eigen assistente, Bebe, wat bij elkaar had weten te schrapen van het noedelbanket, hetgeen neerkwam op een stukje tofu en twee roosjes broccoli.

'Te zompig,' luidde Irina's commentaar, nadat ze voorzichtig met haar vork in de tofu had geprikt. Zonder de broccoli zelfs maar een blik waardig te keuren schoof ze het bord opzij. Vervolgens glimlachte ze zowaar naar Lori, die de Yum Yum intussen in een glas stond te schenken. Er viel een gespannen stilte in de zaal, toen Irina haar glas oppakte en uiterst behoedzaam van haar drankje nipte. Er trokken kleine rimpeltjes in haar neus, alsof ze onder ons toeziend oog nieuwe smaakpapillen ontdekte en zich al doende realiseerde dat frambozen misschien toch niet haar lievelingssmaakje was.

Eerlijk gezegd, werd ik er echt doodmoe van. Want ineens herinnerde ik me weer hoe het was om jong te zijn en ongedurig en altijd op zoek naar iets nieuws. Ik was blij dat ik die fase achter me had gelaten.

Tegen de tijd dat de zaterdagavond aanbrak, was ik zo mogelijk nog blijer met het aantal jaren dat ik al op aarde rondliep – en dan met name over de heilige gangpaden van Bloomingdale's. Die avond was namelijk de opening van de kunsttentoonstelling, en nu ik oog in oog stond met een garderobe die een compleet levensverhaal vertelde, begon ik me ineens te verheugen op wat ik in eerste instantie had beschouwd als mijn plicht als liefhebbende dochter. Per slot van rekening was een opening in een galerie niet zo'n slechte invulling van de zaterdagavond, en gezien de manier waarop ik mijn zaterdagavonden de laatste tijd doorbracht, was het een vijfsterrenuitje. Bovendien moest ik mijn aandacht even afleiden van de verwachtingen en de risico's die mijn gedroomde toekomst met zich meebracht. Ik besteedde héél veel aandacht aan mijn haar en make-up. Zelfs het zwarte jurkje dat de standaard outfit was voor zulk soort gelegenheden, liet ik hangen. In plaats daarvan koos ik voor een jurkje van zachtroze jersey, dat mijn schouders uitnodigend vrijliet en mijn huid een zachte glans leek te geven – overigens niet te vergelijken met die van Irina. Alsof ik verliefd was.

Nu ja, ik was ook op een liefdesmissie.

Het was een prachtige avond; een heldere hemel, en er hing sneeuw in de lucht. Een paar straten te vroeg stapte ik uit de taxi om nog even te kunnen genieten van een wandelingetje door de straten van SoHo. Heel even voelde ik me bijna teleurgesteld toen ik na een paar minuten al voor de ingang van de Wingate Galerie bleek te staan.

Dat werd nog erger toen ik binnen de in het zwart gehulde gedaantes zag die de helder verlichte ruimte bevolkten. Op de een of andere manier was ik zwaar teleurgesteld bij de aanblik van die typische New Yorkse scene. Wat had ik dan verwacht, een bal?

Met een diepe zucht gaf ik mijn jas af bij de garderobe, blij dat ik voor het zachtroze jurkje had gekozen, al was het alleen maar om me te onderscheiden van de modieuze types uit Manhattan, die met een glas wijn in de hand in groepjes bij elkaar stonden te kletsen met het soort vrolijkheid dat alleen kon voortkomen uit het luxeleventje dat succes met zich meebracht, of uit de behoefte om de schijn op te te houden van een geslaagd en stijlvol leven.

Ik liet de wijn aan me voorbijgaan en nam in plaats

daarvan een glas champagne, want ik had het gevoel dat ik iets te vieren had, hoewel ik geen idee had wat dat zou moeten zijn.

Met het glas in mijn hand slenterde ik naar het eerste schilderij aan de rechterkant en deed net alsof ik helemaal opging in het kunstwerk om de blikken te vermijden die in mijn richting werden geworpen.

Ik hoefde niet lang toneel te spelen. Bij het derde olieverfschilderij, een portret van een vrouw die achterovergeleund voor een spiegel lag, werd ik werkelijk gegrepen door de rijke kleurschakeringen en de zwoelheid die ervan uitging. Gefascineerd bekeek ik alle schilderijen, stuk voor stuk van dezelfde donkerharige rustende vrouw.

Ik herkende het inmiddels legendarische schilderij waarmee de liefde tussen mijn ouders was begonnen, zodra ik ertegenover stond, hoewel ik het nooit echt had gezien. Het gezicht van de vrouw, haar mond roze alsof ze zojuist had gesnoept van de felgekleurde bloemen die haar omringden, haar stralende ogen in de verte gericht, ver voorbij haar weelderige tuin, op het piepkleine figuurtje op de weg. Dat figuurtje was niet veel meer dan een penseelstreek, en het was dan ook onduidelijk of het een man of een vrouw, een kind of een volwassene moest voorstellen. Het kwam alleen door haar mond, die bijna iets sensueels uitstraalde, dat ik dacht dat het man moest zijn op wie ze stond te wachten.

Terwijl ik haar ogen bestudeerde, op zoek naar meer aanwijzingen, werd ik me bewust van een paar ogen die op mij gericht waren. De kracht van die blik was zo voelbaar, dat ik me onwillekeurig omdraaide.

Op het moment dat onze blikken elkaar kruisten, dwaalden de ogen ergens anders naartoe, maar niet voordat ik er een glimp van had opgevangen: een draaikolk van groen en bruin, lange wimpers, mannelijk.

Wauw.

Ik probeerde niet te staren, dwong mezelf weg te kijken van de lange slanke figuur naast me. De donkerharige droom keek zo geconcentreerd naar het schilderij voor ons, dat ik bang was dat hij er met zijn ogen een gat in zou branden. Misschien kwam het doordat hij zo hard zijn best deed om mijn aanwezigheid te negeren dat ik me gedwongen voelde het omgekeerde te doen.

'En... wat is het?' waagde ik een poging. 'Man, vrouw?'

Geschrokken keek hij me aan, waarbij ik de kracht die van die ogen uitging, opnieuw voelde. Mijn hemel, dit moest de mooiste man zijn die ik ooit had gezien. Daar kwam ik onmiddellijk een beetje van terug, toen ik zijn ietwat scheve neus en vooruitstekende kin zag, hoewel hij een schattig kuiltje in die laatste had. Nee, niet mooi, dacht ik, hem recht in de ogen kijkend zodat ik vanbinnen weer even die kriebel voelde. Hij had echter iets... iets in die ogen.

'Pardon?' zei hij op een lage, teleurstellend beleefde toon.

'Het figuurtje,' zei ik, terwijl ik probeerde te voorkomen dat mijn ogen af zouden glijden naar zijn brede borst, die gehuld was in een tweed jasje dat nogal vloekte bij zijn trui. 'Het figuurtje op het schilderij,' legde ik uit. 'Volgens mij staat ze op een man te wachten. Misschien haar minnaar,' besloot ik. Zijn gereserveerde houding vond ik een uitdaging, en plotseling kwam alles wat vrouwelijk aan me was weer tot leven.

Hij glimlachte, wat hem aantrekkelijk jongensachtig maakte. Op een toon die suggereerde dat ik een kind was dat wel een paar stichtelijke woorden kon gebruiken, reageerde hij eindelijk: 'Het kan niet anders of ze staat op een ouder te wachten. Haar vader of haar moeder. Ze is te jong om een... een minnaar te hebben.' Het klonk alsof het woord 'minnaar' hem in verlegenheid bracht.

Schattig, dacht ik, toen ik zijn blik zag wegflitsen van mijn borsten. Hij voelde zich duidelijk tot mij aangetrokken – en vond dat kennelijk niet leuk.

'Jong? Waarom denk je dat ze jong is?' vroeg ik. 'Dat kun je altijd aan de handen zien.' Ik gebaarde naar haar hand die op het tuinhek rustte. 'Zie je dat?'

Er verscheen een frons op zijn voorhoofd, alsof hij voor het eerst van zijn leven reden had om zijn eigen veronderstellingen in twijfel te trekken. 'Ja, maar dat kan gewoon aan de weergave liggen. Ze kan hoogstens een tiener zijn.'

'Heb je de laatste tijd wel eens een tiener gezien?' vroeg ik. Dat had ik namelijk wel. Hoewel Irina's huid net zo puntgaaf was, ontbrak het haar aan het raffinement van de vrouw die hier was afgebeeld. 'Kijk eens naar haar ogen. Het bestaat niet dat een vrouw die nog zo jong is zo'n soort... wijsheid heeft.' Eindelijk had ik die raadselachtige blik onder woorden gebracht, bedacht ik tevreden.

Alsof hij mijn woorden op juistheid wilde controleren, keek hij in mijn ogen, en deze keer deed hij dat tenminste niet zo terughoudend. 'Hebben wij elkaar al eerder ontmoet?' vroeg hij.

Punten voor een originele binnenkomer kreeg hij van mij niet, maar hij deed in elk geval een poging. 'Ik geloof het niet. Grace Noonan,' stelde ik mezelf voor, mijn hand uitstekend, die hij vervolgens straal negeerde. Daaraan besloot ik me maar niet aan te storen, aangezien hij me nu stond aan te staren alsof hij zijn hersens pijnigde waar hij mij eerder had gezien, ondanks mijn ontkenning.

'Toch niet Thomas Noonans dochter?' vroeg hij. 'Volgens mij had hij een foto van je in zijn kantoor. Maar daarop kan je niet ouder dan zestien zijn geweest,' zei hij, mij met samengeknepen ogen aankijkend alsof hij heel goed in de gaten had dat ik veel ouder dan zestien was en dat idee hem op de een of andere manier verontrustte.

'Ja zeker,' zei ik, in het besef dat hij waarschijnlijk een van de ex-studenten van mijn vader was. 'En jij bent?'

'Jonathan Somerfield. Je vader en ik waren collega's op Columbia University.' Ineens leek hij zich te ontspannen, alsof dat eindelijk mocht nu mijn vader als een soort wederzijds herkenningspunt tussen ons was opgedoken. 'Nou ja, hij deed de wereldgeschiedenis en ik kunstgeschiedenis, maar we hebben samen ooit eens een symposium georganiseerd dat beide vakgebieden bestreek, en sindsdien gingen we regelmatig met elkaar lunchen. Althans, totdat hij met pensioen ging en naar het westen verhuisde. De laatste keer dat hij in New York was, hebben we elkaar even gesproken, maar dat is al maanden geleden. Wat doet hij tegenwoordig?'

Ik vertelde hem over het op handen zijnde tripje naar Parijs, waarbij hij af en toe met zijn hoofd knikte, hand aan zijn kin, en met de minuut onweerstaanbaarder werd. Wat mij eigenlijk verbaasde. Normaal viel ik niet op die verkreukelde academische types, maar Jonathan Somerfield had iets wat me serieus aantrok. En aangezien ik al heel lang niet meer zo ondersteboven was geweest van een man, besloot ik mezelf voor de verandering maar eens van mijn charmantste kant te laten zien.

'Dus hebben ze besloten hun veertigjarig huwelijksfeest in Parijs te vieren,' zei ik. Ik gebaarde naar het schilderij waar we voor stonden. Op dat moment drong het pas tot me door wat een romantisch toeval het was dat ik deze fascinerende man had ontmoet bij precies hetzelfde schilderij als waarbij mijn ouders elkaar veertig jaar geleden hadden ontmoet. 'Trouwens, ik ga dit schilderij kopen voor mijn vader. Hij wil het cadeau geven aan mijn moeder, zodra ze weer thuis zijn,' legde ik hem uit.

'Dit schilderij?' vroeg hij met verbaasd opgetrokken wenkbrauwen.

'Mijn ouders hebben elkaar voor dit schilderij ontmoet. Veertig jaar geleden,' zei ik, recht in die fabelachtige ogen van hem kijkend, waarin ik – heel eventjes – iets zag opflikkeren alsof hij, net als ik, inzag wat een toeval het was dat wij elkaar hier ook hadden ontmoet.

Als ik iets in zijn ogen meende te hebben gezien, dan had ik me klaarblijkelijk vergist. Want Jonathan Somerfield knikte slechts en mompelde dat veertig jaar inderdaad een mijlpaal was die zo'n soort dankbetuiging wel waard was. Vervolgens stak hij zijn hand uit en, zonder ook maar een spier te vertrekken bij de elektrische schok die ik duidelijk voelde bij de korte handdruk die we elkaar gaven, sloeg het beleefde soort blabla uit dat hij het leuk was mij te hebben ontmoet en of ik de groeten wilde doen aan 'professor Noonan en zijn lieftallige vrouw'. Voordat ik meer dan een verbijsterd 'zal ik doen' had kunnen zeggen, was hij in de menigte verdwenen.

Ik voelde iets vervliegen en besefte dat het die hoop was die nieuw leven was ingeblazen op het moment dat ik de blik van Jonathan Somerfield op me had voelen rusten.

Sommige dingen, zoals het koesteren van romantische dromen, leert een vrouw kennelijk nooit af. Inmiddels begon ik echter vurig te wensen dat die dromen gewoon zouden verdwijnen. Misschien zou ik dan met beide benen op de grond komen te staan zodat ik mijn leven weer op kon pikken.

Die avond zag ik Jonathan Somerfield niet meer. Het leek alsof hij in rook was opgegaan, samen met al die romantische droombeelden over hem die ik me in het hoofd had gehaald. Wel maakte ik kennis met de kunstenaar, zodra ik aan de galeriehoudster kenbaar had gemaakt dat ik Mariella In The Afternoon wilde kopen.

De galeriehoudster, een spriet van een vrouw met kort donker haar en een koele glimlach, was natuurlijk opgetogen. 'Nou, je mag van geluk spreken dat je vanavond bent gekomen,' zei ze, alsof het gevaar bestond dat het schilderij waar ik mijn zinnen op had gezet, zou worden weggekaapt door een lid van de in het zwart gehulde in-crowd, die meer belangstelling leken te hebben voor hun eigen gebabbel dan voor de kunst. 'De kunstenaar is hier. Dus nu heb je de gelegenheid om kennis met hem te maken. Waar is hij toch gebleven?' zei ze, driftig om zich heen spiedend.

Dat verraste me. Eigenlijk was ik ervan uitgegaan dat Chevalier al dood was, gezien het bescheiden bedrag waarvoor het schilderij te koop was.

Het scheelde ook niet veel, dacht ik, toen de galeriehoudster, die zich voorstelde als Pamela Stone, me door de menigte had geloodst naar het kantoor achter in de galerie, waar een man voorovergebogen over een stoel stond te roken voor een donker raam.

'O!' riep Pamela uit, alsof ze er zelf ook van schrok dat hij nog bleek te leven. Ze trok haar neus op en begon met haar handen te wapperen naar de rook die van zijn sigaret opkringelde. Alsof ze bang was hem daarmee te ergeren, sloeg ze echter snel haar handen ineen. 'Marcus!' riep ze naar hem, op een toon alsof ze het tegen een klein kind had. 'Hier is iemand die ik aan je wil voorstellen.'

De man, die er oeroud uitzag, keek naar ons op met een vermoeide blik in zijn blauwe ogen. Hij was zo kaal als een biljartbal, en de huid van zijn gezicht hing in plooien naar beneden, wat zijn fletse trekken nog treuriger maakte.

Nee, hij was niet dood, maar zijn ogen hadden een lege uitdrukking die de indruk wekte dat hij dit leven al achter zich had gelaten.

Nadat Pamela ons aan elkaar had voorgesteld, babbelde ze opgewekt door over mijn belangstelling voor Mariella In The Afternoon.

Chevalier zat er volkomen roerloos bij. Het enige waaraan ik zag dat hij wel degelijk luisterde, was de nieuwsgierige blik die in zijn ogen opflitste toen Pamela vertelde dat ik van plan was het schilderij te kopen.

'Kom!' zei Pamela even later, een hand naar hem uitstrekkend. 'Zullen we er samen even naar gaan kijken?'

Zodra hij rechtop ging staan, bleek hij veel langer dan zijn gebogen gedaante had doen vermoeden. Een beetje nukkig drukte hij op Pamela's advies zijn sigaret uit.

Even later liepen we weer terug door de menigte, die voor Chevalier uiteen leek te wijken, hoewel hij hoog over de hoofden heen bleef kijken, totdat we bij het schilderij aangekomen waren.

Ik keek naar de schilder toen hij zijn ogen op Mariella In The Afternoon liet rusten. Het leek bijna of hij ervan schrok, alsof hij zich niet kon voorstellen dat hij dit kunstwerk had gecreëerd.

Dat moest Pamela ook zijn opgevallen, want die begon ineens druk te ratelen dat Mariella In The Afternoon zo representatief was voor Chevaliers vroegere periode, met dat kleurgebruik, die stemmigheid, alsof de schilder er zelf niet bij stond om uitleg te kunnen geven.

Inmiddels had ik besloten deze kans te grijpen om

een eind te maken aan het, weliswaar liefdevolle, verschil van mening dat nog steeds tussen mijn ouders bestond. Zodra Pamela even naar adem hapte tijdens haar verhandeling, wendde ik me tot Chevalier.

'Het figuurtje in de verte,' begon ik met een gebaar naar die vage gedaante op het weggetje dat kronkelend wegliep van het mooie huisje en de nog mooiere vrouw. 'Wie is dat?'

Er verscheen een frons op zijn voorhoofd, toen hij naar de plek keek die ik aanwees, alsof het figuurtje hem nu voor het eerst opviel.

'Op wie staat ze te wachten?' vroeg ik, in de hoop een antwoord uit hem los te krijgen.

Hij draaide zich naar me om, waarna hij mijn gezicht opnam alsof hij mij nu pas zag. Toen deed hij eindelijk zijn mond open. 'Wie zegt dat ze op iemand staat te wachten?'

De volgende zondagmiddag arriveerde ik een paar minuten te vroeg bij het huis waarin Kristina Morova ooit had gewoond. Een bakstenen huis, dat samen met dat van de buren twee onder één kap vormde en er op de verkleurde aluminium tochtdeur na, die wat afstak bij de verder keurig nette entree, precies zo uitzag als alle andere huizen in dit deel van Brooklyn.

Hoewel ik dat keurig aangeharkte tuintje en het schattige bloembakje dat nu leeg in de vrieskou stond, al minstens twee keer eerder had gezien op mijn nutteloze pelgrimstochten hierheen, had ik geen van beide keren zo'n huivering van pure angst door mijn lichaam voelen gaan als op het moment dat de taxi voor de deur stopte.

Ik was doodsbenauwd, en dat stond me absoluut niet aan. Er zat echter niets anders op dan me hierdoorheen te slaan, dacht ik, terwijl ik de chauffeur betaalde en uit de auto stapte. Het liefst had ik de man nog een biljet van vijftig dollar in de handen gedrukt met het verzoek om op me te wachten. Voor het geval dat.

Welk geval?

De hemel mocht het weten. Ik wist echter wel dat taxi's in Brooklyn langer op zich lieten wachten dan die in Manhattan. Als dit op een mislukking uitdraaide, dan kon het wel eens een gênante situatie worden. Een gênante situatie die alleen maar uit de hand zou lopen, als ik moest wachten op een taxi om me weg te voeren.

Kon ik nu maar meteen vertrekken...

Dat deed ik echter niet. In plaats daarvan raapte ik alle moed bij elkaar die ik nog had en trok mijn kasjmieren jas wat steviger om me heen tegen de gure wind. Daaronder droeg ik een wollen broekpak, dat geschikter was voor kantoor dan voor een zondags etentje. Toch had ik voor een pak gekozen toen ik die ochtend voor mijn kledingkast had gestaan. Omdat het een soort pantser was om me te beschermen tegen de dingen die komen gingen.

Nu voelde ik me er dwaas in.

Des te meer toen de voordeur openzwaaide en er een blozende vrouw verscheen die, net als ik, veel te opgedirkt was voor een zondagmiddag in haar donkerrode pantalon en roomwitte blouse met volants.

'Grace Noonan?' zei ze, alsof ze nog steeds moest wennen aan die naam. 'Katerina,' stelde ze zich op mijn hoofdknikje voor. 'Kom binnen. Kom binnen.'

Zodra ik het piepkleine halletje in stapte, boog ze naar me toe alsof ze me wilde omhelzen, maar bedacht zich op het laatste moment. Misschien omdat ik letterlijk achteruitdeinsde bij haar beweging. Ik geneerde me, maar dat duurde maar even. Ik had het te druk met haar gezicht af te speuren op zoek naar iets bekends, maar ik kon niets ontdekken in de scheefstaande modderbruine ogen en de grote neus waaruit bleek dat deze vrouw familie van mij was. Ze zag eruit als iemand naast wie ik al wel honderd keer had kunnen zitten in de metro. Iemand die mij nooit zou zijn opgevallen.

Hoewel ze naar me glimlachte, wist ik zeker dat ze zich ongemakkelijk voelde onder mijn starende blik. Mijn blik verplaatste zich naar haar gebit, dat hier en daar wat scheef stond en een tikje geel verkleurd was, voordat ik besefte dat dit heel onbeleefd was. 'Je hebt een heel leuk, eh... huis,' zei ik, waarna ik om me heen keek om te zien of dit ook zo was.

We stonden nog steeds in het halletje, dat iets gezelligs uitstraalde met het kleine mahoniehouten bijzettafeltje en de mooie schemerlamp.

'Dank je,' reageerde ze op een duidelijk opgeluchte toon. Vervolgens, alsof dit de uitnodiging was waarop ik had staan wachten, zei ze: 'Kom binnen. Dan schenk ik je wat te drinken in. Sasha zal zo wel thuiskomen.' Opnieuw glimlachte ze. 'Je zus,' verduidelijkte ze, haar ogen glinsterend van ontroering, wat mij deed beseffen dat ik plotseling ook het liefst in tranen wilde uitbarsten.

Ze liet me achter in een knusse woonkamer met een paar banken met dikke versleten kussens, een bekraste maar glanzende salontafel en een vitrinekast waarin allerlei snuisterijen stonden. Omdat ik een beetje de kriebels had, stond ik op en liep wat rond. Plotseling stond ik oog in oog met een foto aan de muur die van mezelf had kunnen zijn, op het ietwat gedateerde bruine wijd uitstaande kapsel na.

Met het hart in de keel bestudeerde ik de lachende ogen, waarbij ik afwezig opmerkte dat ze hazelnootbruin waren in plaats van blauwgrijs zoals de mijne, maar die smalle kin was de mijne, net als die iets schuine stand van de ogen...

'Dat is Kristina.'

Katerina's stem deed me opschrikken. Uit beleefdheid draaide ik me naar haar om.

Ze zette twee glazen thee op tafel, voordat ze weer opkeek naar de foto. 'Daar was ze pas zestien,' zei ze. 'Die foto is toen door een beroepsfotograaf genomen,' klonk haar stem nu naast me. 'Hij zei tegen Kristina dat ze het in zich had om model te kunnen worden.'

Vanuit mijn ooghoeken zag ik dat ze haar hoofd schudde.

'Ze gaf al haar spaargeld uit aan de foto's die hij van haar heeft genomen, en daarna heeft ze er nooit iets mee gedaan!' Glimlachend stak ze een hand uit om de foto even liefdevol aan te raken. 'Maar ze was zo knap. Te knap,' voegde ze er weemoedig aan toe.

Voordat ik de tijd had om hierover na te denken, hoorde ik het gerammel van sloten, gevolgd door het geluid van zware voetstappen.

'Aha, daar is Sasha,' zei Katerina, die me verwachtingsvol aankeek.

Mijn zus, dacht ik, in gedachten Katerina's woorden herhalend waarmee ze Sasha had aangeduid, hoewel het voor mij al een hele stap was om haar halfzus te noemen. Wat voor etiket ik deze onbekende vrouw ook opplakte, ik had me haar van mijn leven niet zo voorgesteld, besefte ik, toen ze in de boogvormige deuropening verscheen.

Met haar ongeveer één meter tachtig op zwarte kniehoge plateaulaarzen met ijzerbeslag, was Sasha Morova een reuzin. Niet een erg aantrekkelijke, bovendien. Haar zo te zien met de heggenschaar gesnoeide donkere haar was vuurrood geverfd – sommige stukken ervan, althans. Haar huid was bleek; er zaten kringen onder haar ogen, en ze had twee piercings in haar neus: aan haar linker neusvleugel hing een ringetje, en de rechter was versierd met een klein roze steentje. Het kon best dat haar ogen hazelnootbruin waren net als die van Kristina, maar de kleur viel moeilijk vast te stellen aangezien ze royaal zwart omlijnd waren en schuilgingen achter een lok vuurrood haar. Haar mond had nog wat goed kunnen maken – mooi rond en vol – ware het niet dat daar ook een ring aan hing.

'Sasha, je had een uur geleden thuis moeten zijn. Dat hadden we afgesproken,' sprak Katerina haar bestraffend toe.

Sasha negeerde het standje. 'Wanneer gaan we eten? Ik ben uitgehongerd,' zei ze, van het ene poortje naar de volgende lopend, dat, stelde ik me zo voor, naar de keuken leidde.

'Sasha! Doe niet zo onbeleefd. We hebben een... gast,' zei Katerina met een verontschuldigend glimlachje naar mij, dat wat geforceerd overkwam.

Alsof ze nu pas doorhad dat haar tante niet alleen was, bleef Sasha staan en bekeek me met een wantrouwige blik.

Eindelijk iemand die zich net zo voelt als ik, dacht ik, waarna ik haar gezicht eens goed opnam. Want ondanks de piercings, de lelijke make-up en de wat norse gezichtsuitdrukking, was ze familie van mij, besefte ik. De kleur ogen was anders, en de mond ook, maar de vorm van haar gezicht was hetzelfde. De neus...

Er ging een huivering door me heen, gevolgd door een golf van verdriet toen ik in haar ogen iets opving wat ik herkende. Iets wat ik nog niet helemaal kon doorgronden, maar ergens wel kon invoelen.

'Sasha, dit is je zus,' zei Katerina op zo'n besliste toon, dat het leek alsof ze hoopte dat het realiteit werd door het gewoonweg mee te delen. 'Grace.'

Hierbij maakte Sasha een snuivend geluid, waarna haar gezicht vertrok tot een lachje – of een hoonlachje, dat verschil kon ik niet zien. Dat kon ik haar ook niet kwalijk nemen. Zus? Ik had er zelf ook om gesnoven, als ik niet beter hoorde te weten.

'Sasha,' zei Katerina weer, nu op een waarschuwende toon.

Sasha draaide met haar ogen, stak een hand uit, die tevoorschijn kwam uit een hele rits met sierspijkertjes versierde leren armbanden, en zei: 'Leuk je te ontmoeten, zúsje.'

Toen ik haar een hand gaf, moest ik bijna grijnzen om de koele, leerachtig aanvoelende huid die ik zo goed kende. Plotseling wist ik waardoor ze zo vertrouwd op me overkwam, afgezien van de gelijkenis met Kristina die we gemeen hadden. Het kwam doordat ik op haar leeftijd net zoals zij was geweest. Die opstandige houding en die bravoure. Het soort zelfvertrouwen waarmee ik destijds de straat op was gegaan, ongeveer net zo gekleed als zij – minus de piercings en die mislukte haarkleuring – in een leren jack, dat totaal ongeschikt was voor het koude weer, en natuurlijk zonder handschoenen. Zelfs de nagels – zwart gelakt, uiteraard – herkende ik, toen ik een blik wierp op die afgekloven stompjes, die verrieden hoe het werkelijk was gesteld met haar zelfvertrouwen. Ik voelde me opgebeurd door deze gelijkenis, maar tegelijkertijd werd ik er ook treurig van.

Ik kon me haarfijn herinneren hoe moeilijk het was om zestien te zijn. Bijna net zo moeilijk als het was om vierendertig te zijn.

Een poosje later zaten we aan tafel, waar ik onder het genot van lauwe wijn, meelballetjes en eigenaardig gekruide vleesgerechten beleefd antwoord gaf op al Katerina's vragen over mijn leven. Ze was verbaasd dat ik een deel van mijn jeugd in Brooklyn had doorgebracht en onder de indruk van mijn succesvolle carrière bij Roxanne Dubrow. Het gesprek verliep een beetje stroef, aangezien Sasha haar mond niet opendeed, maar zodra Katerina het onderwerp op Kristina bracht, had ik het voor geen goud ter wereld willen missen.

Ik kwam te weten dat Kristina hierheen was gekomen als klein meisje, samen met haar moeder en Katerina, met de bedoeling een leven op te bouwen met hun vader, die al eerder was geëmigreerd. Het had niet lang geduurd, voordat ze tot de ontdekking waren gekomen dat hij al een leven had opgebouwd met iemand anders.

Ik kwam te weten dat Kristina actrice had willen worden. Een wens die, zo vermoedde ik, was gedwarsboomd door haar zwangerschap van mij, hoewel Katerina fijngevoelig genoeg was om dat niet te zeggen.

Ik kwam te weten dat ze dol was geweest op Jean Harlow, Rita Hayworth, Jayne Mansfield. Dat ze een tijdje hetzelfde kapsel als Marlene Dietrich had gehad en haar wenkbrauwen net zo had geëpileerd.

Ik kwam te weten dat ze opvliegerig was geweest – wat een verrassing – en dat ze als tiener een keer een jongen meer dan een uur op de stoep had laten wachten omdat hij er niet aan had gedacht bloemen voor haar mee te nemen. Ik begon me af te vragen of ik misschien erfelijk belast was met de titel Kampioen Relaties Verbreken.

Uiteindelijk vroeg ik naar mijn vader.

'Hij is gesneuveld in Vietnam,' zei Katerina een beetje weifelend. 'Toen zij... Toen zij zwanger was van jou. Ze waren van plan... van plan om te trouwen.'

Sasha, die gedurende het hele relaas over Kristina's leven haar mond had gehouden en alleen maar haar eten naar binnen had zitten schrokken, snoof misprijzend bij deze laatste opmerking. 'Ze was helemaal niet van plan met hem te trouwen; dat weet je best,' zei ze met een boze blik op haar tante. 'Ze heeft hem weggejaagd. Net zoals ze míjn vader heeft weggejaagd.'

Katerina sloeg haar ogen neer, en haar gezicht leek ineens een verdrietig trekje te krijgen. Toen ze weer naar me opkeek, glimlachte ze flauwtjes. 'De Morovavrouwen hebben nooit veel geluk in de liefde gehad. Ik heb je over mijn moeder verteld. Zij heeft geen gemakkelijk leven gehad; ze heeft in haar eentje twee dochters moeten grootbrengen. Zij was ook degene die, eh... Nou ja, mijn moeder dacht dat het te veel van Kristina zou vergen om de baby te houden omdat ze zelf nog zo jong was...'

Ze sprak zo onpersoonlijk over de baby wiens moeder te jong was om haar op te voeden, dat het even duurde voordat tot me doordrong dat ze het over mij had.

Snel praatte Katerina eroverheen. 'Mijn eigen verloofde overleed een paar weken voor ons huwelijk. Hij kreeg een ongeluk op zijn werk,' verzuchtte ze. 'Het is heel moeilijk om weer nieuwe hoop te koesteren, als je je grote liefde hebt verloren.'

'Inderdaad,' beaamde Sasha. 'Mijn moeder had met mijn vader kunnen trouwen, maar in plaats daarvan gedroeg ze zich alsof ze te goed voor hem was. Maar ze was niet te goed om met hem naar bed te gaan.'

'Sasha!'

Sasha negeerde haar volkomen en draaide zich naar mij om, mij voor het eerst rechtstreeks aansprekend. 'Hoe zit het eigenlijk met jou?' vroeg ze. 'Ben je getrouwd?'

Ontkennend schudde ik mijn hoofd.

'Heb je een vriend?'

Die vraag leek zo belachelijk puberaal, en toch ergerde ik me tot mijn eigen verbazing aan Sasha's minachtende gesnuif, toen ik weer mijn hoofd schudde.

'Ik wel,' zei ze. 'Tante Katerina mag hem niet omdat hij zwart is,' ging ze honend verder.

'Sasha!' riep Katerina opnieuw uit, haar gezichtsuitdrukking van afschuw vervuld alsof Sasha aan tafel had zitten vloeken.

'Maar volgens mij houdt tante Katerina niet van mannen, of wel, tantetje?' sarde Sasha, waarna ze met een boosaardige blik in haar ogen mij weer aankeek. 'En jij? Ben jij ook een pot?'

Het was niet zozeer Sasha's vraag die me bezighield als wel de onverbloemde woede die ik in vlagen in haar voelde opwellen. Woede die tegen mij gericht was. Opnieuw vroeg ik me af waarom ik mezelf had blootgesteld aan de beoordeling door deze mensen. Deze wildvreemden. Eigenlijk had ik inmiddels mijn buik vol van Sasha's ruzie zoekende houding.

Net als Katerina. 'Zo is het genoeg, jongedame,' zei ze. 'Jij gaat nu naar je kamer.'

Met een smalende lach griste Sasha haar leren jack van de rugleuning van de stoel, waar ze het eerder overheen had gehangen zodat ze op elk gewenst moment de benen kon nemen. 'Dat had je gedacht. Waar ik naartoe ga, gaat jou helemaal niets aan,' beet ze haar tante toe. Op weg naar buiten draaide ze zich nog even om en zei: 'Wacht vooral niet op me. Misschien kom ik vannacht niet thuis.'

'Zie je nu hoe ze is?' riep Katerina wanhopig uit, zodra Sasha was vertrokken. 'Ik kan haar in mijn eentje niet aan,' zei ze, 'maar ik heb het Kristina beloofd. Wat kan ik nu nog voor mijn zus doen? Niets!' Met een soort smekende uitdrukking op haar gezicht keek ze me aan.

Op dat moment realiseerde ik me dat Katerina op zoek was naar hulp in een kennelijk hopeloze situatie. Sasha zou precies doen waar ze zin in had. Net als ik had gedaan toen ik een puber was.

Alleen had ik altijd geweten dat ik thuis ouders had die me op andere gedachten konden brengen, die me houvast boden, als ik daar behoefte aan had. Terwijl ik Katerina's vermoeide radeloze gezicht bestudeerde, vroeg ik me af wat deze vrouw kon betekenen voor een meisje zoals Sasha, dat duidelijk behoeftes had die Katerina nooit zou kunnen begrijpen.

Vervolgens bedacht ik dat ikzelf misschien een houvast voor Sasha zou kunnen zijn. Ik zou haar kunnen helpen...

Op slag begon er een opstandig gevoel in me op te borrelen. Geen sprake van. Ik mocht dat kind niet eens. Waarom zou ik mezelf dat aandoen? Ik was deze mensen niets verschuldigd, dacht ik, wegkijkend van Katerina's smekende blik in een poging het greintje sympathie dat ik voor haar voelde, te onderdrukken.

Nee, sprak ik mezelf toe, starend naar de foto van Kristina, waarop ze me zorgeloos toelachte vanuit de woonkamer.

Ik was niemand iets verschuldigd.

12

Ze kunnen je beter van top tot teen opnemen dan je over het hoofd zien. (Mae West)

'De opdracht is volbracht,' zei ik tegen mijn vader toen hij me maandagochtend vroeg op mijn werk belde. Ik moest toegeven dat ik deze afleidingsmanoeuvre wel leuk begon te vinden, al was het alleen maar om mijn vader zomaar eens aan de telefoon te hebben. Nu pas realiseerde ik me dat de soms wat afstandelijke man die me had grootgebracht, zich misschien alleen maar zo had gedragen omdat hij eenvoudigweg niets bijzonders met zijn dochter te bespreken had gehad. Ik was blij dat we nu wel een reden hadden om elkaar te spreken. Blij dat ik iets terug kon doen...

'Mooi zo,' reageerde mijn vader op tevreden toon.

'Nu moeten we alleen het transport nog regelen,' zei ik. 'De galerie heeft aangeboden dat voor ons te doen, maar ze adviseerden om eerst een verzekering af te sluiten. En daarvoor hebben we volgens de galeriehoudster een verklaring van echtheid nodig.'

'Ja, natuurlijk,' zei mijn vader. 'Hadden ze die papieren?'

'Nou, nee. De galeriehoudster zei dat we daarvoor contact konden opnemen met de erfgenamen die nu eigenaar van het schilderij zijn. Maar ze hadden iets veel beters dan de papieren,' zei ik. 'Ze hadden de kunstenaar in eigen persoon.'

'Chevalier? Heb je Chevalier ontmoet?'

'Hm,' mompelde ik met een lach in mijn stem. Daarna vertelde ik hem over Chevaliers interpretatie van het beruchte schilderij dat de oorzaak was geweest van strijd – en liefde – tussen mijn ouders.

'Zei hij dat?' vroeg mijn vader op ongelovige toon.

'Ja. Kennelijk hadden jij en mam het allebei bij het verkeerde eind. De vrouw op het schilderij, Mariella, staat gewoon... van het uitzicht te genieten.' En wat voor uitzicht, dacht ik, terugdenkend aan dat weelderige landschap. Dat kon absoluut die glimlach op haar gezicht hebben gebracht, die slaperige maar sensuele blik in haar ogen.

'Maar het figuurtje in de verte,' sputterde mijn vader tegen, kennelijk niet van plan om zijn interpretatie zomaar uit zijn hoofd te zetten. 'Waarom heeft hij hem dan in het tafereeltje geschilderd? Daarmee heeft hij er ongetwijfeld een verhaal in willen aanbrengen.'

'Misschien was hij gewoon een voorbijganger,' opperde ik. 'Of een zij.'

'Nee,' zei mijn vader. 'Chevalier heeft je kennelijk op het verkeerde been willen zetten. Hij was altijd al een sluwe vos. Ik zou er zelfs om durven wedden dat het figuurtje in de verte Chevalier zelf is!' riep hij uit. Nu begon hij duidelijk de smaak te pakken te krijgen. 'Weet je dat Mariella – de vrouw op het schilderij, wat zeg ik, de vrouw op al zijn schilderijen uit die periode – zijn minnares was? Alhoewel het niet bekend is wanneer hun relatie begon. Waarschijnlijk omdat ze een tikje aan de jonge kant was toen ze elkaar leerden kennen. In eerste instantie was ze namelijk zijn muze. Zo luidt het officiele verhaal in elk geval.'

'Dat wist ik niet,' bekende ik. Plotseling schoot me de verdrietige blik in Chevaliers ogen te binnen toen we op het schilderij af waren gelopen.

'Ja zeker. Waarom denk je dat ik er nog steeds met je moeder over discussieer?'

Bijna schoot ik in de lach. Het was wel duidelijk waarom hij er nog steeds met mijn moeder over discussieerde. Volgens mij had mijn vader tot op de dag van vandaag plezier in het meningsverschil waarmee hun leven samen was begonnen. Aangezien mijn moeder haar standpunt nu niet kon verdedigen, besloot ik het voor haar op te nemen. 'Vertel eens, heeft die Mariella ooit kinderen gekregen?'

'Drie maar liefst!' brulde hij bijna, het spelletje meespelend. 'Maar toen was haar relatie met Chevalier al lang verleden tijd,' voegde hij eraan toe.

'Wat wil je daarmee zeggen?'

'Wat ik zeg, is dat Mariella trouwde en kinderen kreeg. Maar met iemand anders. Ik geloof dat hij een Spaanse edelman was. In elk geval is Chevalier er nooit meer bovenop gekomen.'

Nu vielen alle stukjes op hun plaats, bedacht ik, me herinnerend hoe gelaten Chevalier voor het schilderij had gestaan. Allemachtig, dat schilderij had hij meer dan veertig jaar geleden gemaakt. Was het mogelijk dat hij nu nog steeds om haar treurde? Dat zou verschrikkelijk romantisch zijn. En hartverscheurend droevig.

Zo droevig, dat ik er niet langer stil bij wilde staan. 'Ik kwam nog een oude collega van je tegen,' veranderde ik van onderwerp. Ik vroeg me af hoe oud Jonathan eigenlijk was. Hij moest rond de veertig zijn, hoewel hij er nog verdraaid goed uitzag voor iemand van veertig.

'O, ja? Wie dan?'

'Jonathan Somerfield?'

'Toch niet Dr. Johnny?' vroeg mijn vader lachend.

'Dr. Johnny?' herhaalde ik. Zeker, de nogal gereserveerde man die ik in de galerie had ontmoet was aanbiddelijk, maar hij was geen... Johnny.

'O, zo noemde ik hem altijd. Hij had net zijn doctorstitel behaald toen hij werd uitgenodigd om te spreken op een forum over het Frankrijk van na de revolutie waar ik aan meewerkte. We raakten bevriend, maar destijds was hij nog maar een snotneus. Briljant, maar nog niet helemaal droog achter de oren.' Hij grinnikte. 'Vandaar die bijnaam. Wat had hij er een hekel aan als ik hem zo noemde! Maar ik voelde me... als een soort vader voor hem, snap je? Eigenlijk was hij de zoon die ik nooit heb gehad.'

De pijnscheut die mijn vaders onnadenkende opmerking in me teweegbracht, negeerde ik. Ik had al heel lang geleden geaccepteerd dat ik mijn moeders keuze was en niet noodzakelijkerwijs die van mijn vader. Niet dat hij me niet had gewild, maar ik denk dat mijn vader al mijn moeders wensen in vervulling had laten gaan.

'Hoe is het met hem?'

'Prima, volgens mij,' antwoordde ik. Daar was geen woord van gelogen, bedacht ik. Prima, maar ook heel onbereikbaar. 'Hij vroeg naar jou. En naar mam.'

'Is dat zo? Hij was altijd al een aardige jongen,' zei mijn vader. Vervolgens begon hij de loftrompet te steken over Jonathan Somerfield, de modeldoctor: slim, ambitieus, met een forse lijst publicaties op zijn naam – wat in academische kringen hoger stond aangeschreven dan fors geschapen zijn, hoewel ik vermoedde dat dat laatste ook voor hem gold.

'Weet je,' peinsde mijn vader hardop, 'je zou hem misschien eens moeten bellen.'

'Hoezo?' vroeg ik, bang dat hij op de een of andere manier in de smiezen had dat ik me tot Jonathan aangetrokken voelde. Dat zou ik natuurlijk nooit toegeven, en al helemaal niet tegenover mijn vader.

'Nou, bijvoorbeeld omdat hij, met zijn achtergrond, uitstekend in staat is om de geldigheid vast te stellen van die verklaring van echtheid die we voor de verzekering nodig hebben.'

'Misschien wel...' mompelde ik, me intussen afvragend of mijn vader deze gelegenheid aangreep om ons te koppelen.

'Bovendien,' ging hij verder, 'was Dr. Johnny ook altijd al een liefhebber van Chevalier. Ik weet zeker dat hij de collectie met alle plezier nog een keer bekijkt, voordat de tentoonstelling naar een andere stad verhuist.' Als mijn vader bezig was aan een koppelingspoging, dan liet hij zich in elk geval niet in de kaart kijken.

Ik besloot het spelletje mee te spelen. 'Ja, de schilderijen waren inderdaad prachtig,' merkte ik op. In gedachten zag ik de landschappen bij zonsondergang en de kamers badend in zonlicht weer voor me, met de beminde Mariella steeds weer op de voorgrond. 'Ik zou ze zelf ook met alle plezier nog een keer bekijken.' Net als Jonathan Somerfield, dacht ik, maar dat zei ik uiteraard niet.

'Dat is dan geregeld,' concludeerde hij. Zodra hij zijn adresboekje had gevonden, dreunde hij een telefoonnummer op. 'Dat is zijn kantoor op Columbia University. Volgens mij werkt hij daar nog steeds. De laatste keer dat ik hem zag, stond hij op de nominatie om daar een vaste aanstelling te krijgen. Dr. Johnny,' zei hij grinnikend. 'Ongelooflijk, dat jij hem na al die tijd tegen het lijf bent gelopen. En dan ook nog op een Chevaliertentoonstelling!'

Kennelijk had mijn vader hier belang bij. Ik vond het een prettig idee dat hij voor de verandering eens interesse toonde in mijn hartszaken.

Toen ik die middag Claudia's kantoor binnen liep, ontdekte ik dat zij ook een nieuwe interesse had opgevat.

Ze zat achter haar bureau en leunde ver voorover naar de spiegel die ze voor zich had neergezet, haar vingers tegen de tere huid onder haar ogen gedrukt, die ze zachtjes... omhoogduwde.

'Pas op dat je jezelf geen pijn doet,' zei ik spottend, waarop ze uit haar vreemde houding overeind schoot.

'Kun je niet kloppen?' snauwde ze, duidelijk in verlegenheid gebracht.

'De deur stond open,' zei ik, voordat ik een stapeltje papieren van het Sterling Agency op haar bureau mikte. Ze had het niet kunnen opbrengen om het zelf af te handelen, zeker niet nu Laurence Bennett zijn contract had gekregen en er voor haar niet eens meer een telefoontje in had gezeten.

Ik stond op het punt weer te vertrekken toen mijn oog op de tekening op haar bureau viel. Hoewel, een tekening was het niet echt. Het leek meer op een fotokopie van een gezicht dat met een donkere pen was gemarkeerd rond de ogen, de kin...

'Wat is dát?' wilde ik weten.

'Niets!' antwoordde Claudia op stellige toon, waarna ze het blaadje snel onder een tijdschrift schoof.

'Je gaat me toch niet vertellen dat je over plastische chirurgie zit te denken, hè?' vroeg ik. Zo'n soort tekening had ik al eens eerder gezien, realiseerde ik me, bij een artikel in een vrouwentijdschrift waarin de gruwelen – en de geneugten – van het onder het mes gaan tot in de details werden beschreven.

'Cosmétische chirurgie,' corrigeerde ze me, alsof het niets meer voorstelde dan het kiezen van een nieuwe foundation.

'Claudia! Wat is er gebeurd met het concept van mooi ouder worden?' riep ik uit, haar al die gesprekken weer in herinnering brengend die we hadden gehad over de pluspunten die dat heerlijke vak van ons met zich meebracht in de vorm van de allernieuwste make-upkleurtjes, vochtinbrengende en lichtreflecterende crèmes die nu juist daarvoor dienden.

'Alsjeblieft,' zei ze. 'Er is niets moois aan ouder worden.' Haar oog viel op de poster van Irina, die een wand van haar kantoor bedekte. Verachtelijk snuivend keek ze mij weer aan. 'Waarom denk je dat dit bedrijf voor de hele winstverwachting heeft ingezet op dat delletje daar?' Met haar kin maakte ze een beweging naar de foto, alsof ze het niet meer kon opbrengen om er nog naar te kijken. 'Schoonheid na je dertigste is een farce,' verkondigde ze. Vervolgens stond ze op en liep naar de levensgrote Irina om dat aanstootgevend perfecte gezicht met haar ogen af te speuren alsof ze daar het een of andere geheim in kon ontdekken. 'Moet je haar zien!' zei ze. 'Die huid...'

'Claudia, daar zijn ze met de *airbrush* overheen gegaan.'

Woedend schudde ze haar hoofd. 'Misschien. Maar je hebt het zelf gezien. Op de receptie. Geen oneffenheidje te bekennen.' Haar stem was gedaald tot een dromerige fluistering, en ze streelde met een perfect gemanicuurde hand over Irina's gezicht, alsof ze een geliefde liefkoosde.

Vanachter Claudia's rug stond ik Irina's gezicht ook te bestuderen. Het enige wat ik echter zag, was de wezenloze blik in haar ogen en de iets opgeheven kin waarmee Irina Barbalovich het soort zelfvertrouwen uitstraalde dat geen enkele negentienjarige kon hebben.

Ze is nog maar een kind, dacht ik. Ineens zag ik haar verwaandheid, de zo zelfverzekerde houding die alleen maar kon voortkomen uit het feit dat ze nog nooit gekwetst of teleurgesteld was geweest. Dezelfde houding die ik bij Sasha had gezien.

Op dat moment ging de telefoon over, hoewel Claudia dat niet scheen op te merken. Of doordat ze zo in beslag werd genomen door haar adoratie voor Irina's praktisch onzichtbare poriën, of doordat ze was vergeten dat Lori inmiddels aan de andere kant van de Atlantische Oceaan zat.

'Claudia? De telefoon. Wil je dat ik –'

Met een ruk draaide ze zich om, waarna ze op de gebruikelijke dreigende toon in de hoorn blafte: 'Claudia Stewart.' Meteen daarna ontspande haar gezicht en klonk haar stem in één woord innemend, toen ze zei: 'Hé, hallo, Bebe.'

Bebe was Irina's persoonlijke assistente. Waar een negentienjarige in 's hemelsnaam een persoonlijk assistente voor nodig had, was mij een raadsel.

'Natuurlijk kom ik,' hoorde ik Claudia op dezelfde slijmerige toon zeggen, waarna ze haar wenkbrauwen fronste. 'Een auto? Ik had gedacht dat we gewoon een taxi konden nemen...' Zwijgend keek ze door het raam naar de wolken die op deze koude en sombere namiddag in de lucht hingen. 'O, oké. Nee, natuurlijk. We willen niet dat Irina kouvat. Niet nu de fotosessie voor de deur staat. Ik ga er meteen een regelen. Een uurtje of acht, is dat goed?' Haar mond vertrok tot iets waarvan ik vermoedde dat het haar opeengeklemde kaken moest verhullen. 'Perfect. Zie ik je dan.' Ze hing op.

'Waar ging dat over?'

'O, een feestje bij Moomba waar ik met Irina naartoe ga.'

'Ga je echt met haar stappen?'

'Hm,' mompelde ze, bladerend door haar Rolodex. 'Met haar en die jongen met wie ze omgaat. De fotograaf? Phillip nog wat. Het leek me een mooie gelegenheid om nieuwe mensen te ontmoeten...' Plotseling zweeg ze, alsof ze besefte dat ze een kwetsbaar punt van zichzelf had blootgegeven – dat in mijn ogen wel eens iets te maken kon hebben met het blauwtje dat ze bij Larry Bennett had gelopen. 'Hoewel ik er, nu het zover is, een beetje tegenaan begin te hikken. Het is toch niet te geloven dat die meid het lef heeft om ons te bellen om een auto voor haar te regelen?' Zodra ze het nummer had gevonden dat ze zocht, stond ze naar de telefoontoetsen te staren alsof ze die nog nooit had gebruikt. Misschien was dat ook zo. Tenslotte had ze de klusjes die beneden haar stand waren, zoals auto's huren of klanten bellen, altijd aan Jeannie – en nu aan Lori – overgelaten. Nadat ze de nummers zowat dwars door het toestel had gedrukt, keek ze me aan met een smekende uitdrukking op haar gezicht die ik nooit eerder had gezien.

'Wil je mee?' vroeg ze op een toon die deed veronderstellen dat ze me eventueel op haar knieën wilde smeken.

De radeloze trek op haar gezicht gaf haar zelfs iets jeugdigs, vond ik. Maar dat kwam misschien doordat ik Claudia nog nooit zo hypernerveus had meegemaakt. 'Eh... nee. Sorry. Ik kan jammer genoeg niet,' antwoordde ik, waarbij ik mijn wenkbrauwen fronste alsof het me vreselijk aan het hart ging dat ik niet mee kon met Irina en haar gevolg, wanneer ze de stad afschuimden op zoek naar de hipste clubs die New York City te bieden had. 'Ik heb andere plannen,' loog ik.

Ik zag haar schouders moedeloos naar beneden zakken, voordat ze haar aandacht weer op haar telefoongesprek richtte. 'Ja, ik wil graag een auto,' begon ze, waarna ze het adres opdreunde dat ik herkende als Irina's gloednieuwe loft in SoHo, gekocht terwijl de inkt op haar miljoenencontract met Roxanne Dubrow nog niet eens was opgedroogd.

Ik draaide me om naar mijn jeugdige seksegenote, omdat ik ineens begreep waar die bravoure van haar vandaan kwam. Want haar gebrek aan wijsheid en levenservaring maakte niet echt iets uit vergeleken bij wat ze wel had. Geld bijvoorbeeld. Maar bovenal...

Macht.

Ook ik voelde een soort macht toen ik Jonathan Somerfield de volgende middag belde. Misschien omdat mijn vader me de kans had geboden om mijn charmes nog een keertje op Jonathan Somerfield los te laten. Op het moment dat ik mijn naam doorgaf aan de assistent die de telefoon opnam, ging er een hoopvolle tinteling door me heen, alsof de brave doctor stond te popelen om mij een tweede keer te ontmoeten.

'Hallo, Dr. Somerfield,' kirde ik zowat in de hoorn, toen zijn donkere stem eindelijk aan de andere kant van de lijn klonk. 'Met Grace Noonan.'

Het bleef even stil, waarop de moed me onmiddellijk in de schoenen zonk. Wist hij niet meer wie ik was? Was het mogelijk dat ik niet zo'n verpletterende indruk op hem had gemaakt als hij op mij? 'Dr. Noonans dochter?'

Hij schraapte zijn keel. 'Hallo. Wat kan ik voor je doen?'

Ik slikte een zucht van teleurstelling in. Oké, ik kon me ook heel zakelijk opstellen, als hij het per se zo wilde spelen. 'In feite raadde mijn vader me aan om contact met je op te nemen,' zei ik, waarmee ik eventuele misverstanden waartoe mijn tamelijk hijgerige 'hallo' aanleiding had kunnen geven, uit de wereld hielp. 'Ik moest je de groeten van hem doen, en hij vraagt of je mij, nou ja, hem, eigenlijk,' corrigeerde ik mezelf snel, 'een plezier zou willen doen.'

'Natuurlijk,' zei hij, een stuk hartelijker nu hij inzag dat dit een zaak was tussen hem en zijn ex-collega.

Ik legde uit dat ik de Chevalier had gekocht, maar dat ik een deskundige nodig had om de verklaring van echtheid te onderzoeken voordat ik het schilderij kon verzekeren en naar mijn ouders kon laten verzenden.

'We zouden in de galerie kunnen afspreken op een avond dat je vrij bent,' stelde ik voor.

Ik hoorde dat hij zijn adem inhield, wat ik van de weeromstuit zelf ook deed. Wat mankeerde die man? Hij stond bijna te trappelen van ongeduld, totdat hij zich realiseerde dat hij door mijn vader een plezier te doen weer met mij in contact zou komen.

Alsof ik niet kon verdragen wat zijn veelbetekenende stilte zou kunnen betekenen, hoorde ik mezelf ineens in de telefoon ratelen: 'Doordeweeks is de galerie tot zes uur open. En zaterdags de hele dag, als je dan vrij bent.

Zeg maar wat jou het beste uitkomt, want ik moet een afspraak maken met de galeriehoudster.'

'Uiteraard,' zei hij ietwat schoorvoetend. Ik hoorde dat hij tussen de papieren op zijn bureau snuffelde, waarschijnlijk op zoek naar zijn agenda. Vervolgens zuchtte hij diep, alsof dit verzoek, dat vijf minuten geleden nog een heuglijk eerbetoon aan Dr. Noonan was geweest, nu als een molensteen om zijn nek hing.

Plotseling voelde ik een dringende behoefte om een smoes te verzinnen en op te hangen, totdat ik besefte dat ik me kinderachtig aanstelde. Wat verwachtte ik nu eigenlijk? De man had duidelijk geen belangstelling. Waar ik dat normaal gesproken als een uitdaging zag, werd ik er die middag... neerslachtig van.

'Even kijken, ik zou donderdag wel kunnen. Om een uur of vijf?'

'Prima,' zei ik, hoewel dat inhield dat ik vroeg weg zou moeten gaan van kantoor. Nu dit steeds minder weg had van het romantische intermezzo dat ik me had voorgesteld, wilde ik het ook zo snel mogelijk afronden. Bovendien was ik tegenwoordig niet bepaald onmisbaar op kantoor. 'Dan zie ik je donderdag om vijf uur. Prettige avond.'

Ik hing op en vroeg me af wanneer ik dat absurde verlangen naar dingen – en mannen – die ik helemaal niet zou moeten willen, eindelijk eens van me af zou schudden.

Snel belde ik de galerie om een afspraak met Pamela te maken. Zodra ik dat had geregeld, keek ik op en zag Claudia in mijn deuropening staan. Of iemand die op Claudia leek. Haar uiterlijk was nogal... verontrustend. Nog nooit had ik mijn baas in zo'n hypernerveuze stemming gezien.

Of in zo'n outfit.

Haar broek was een laag heupmodel met felgekleurde borduursels op de wijd uitlopende pijpen en zilverkleurige sierspijkers op de zakken. Het shirt schreeuwde 'hippiekind met een trustfonds' met die wijde mouwen en het nauwsluitende ultramoderne materiaal. Ik geloof dat ik zelfs een glimp van Claudia's middenrif opving, maar daar was ik niet helemaal zeker van aangezien ze non-stop met haar handen over haar buik stond te strijken.

Wacht eens even, ik had deze look eerder gezien. Op de tienerafdeling van Bloomingdale's. Het leek verdraaid veel op een Mitzy Glam, een hippe nieuwe modeontwerper voor de trendsetters onder de tieners. Omdat ik geen idee had wat ik moest zeggen, hoorde ik mezelf ineens vragen: 'Waar zat je?'

'Bloomingdale's,' antwoordde ze schouderophalend, alsof het voor haar de normaalste zaak van de wereld was om tijdens kantooruren eens even lekker te gaan winkelen.

O, jee. Het was dus een Mitzy Glam.

'Ik kan vanavond absoluut niet bij Irina aankomen in een Bob Mackie van vorig jaar,' zei ze.

Of in een setje voor veertienjarigen van dit seizoen, dacht ik. 'Ga je alweer met Irina uit?' vroeg ik, behoorlijk verbaasd.

Ze verschoot daadwerkelijk van kleur en zei: 'Nou, het was echt heel leuk gisteravond.' In haar ogen verscheen een schittering, en ze hief haar kin op. 'Volgens mij is Phillip helemaal weg van me.'

O, hemel. Het was zo klaar als een klontje dat Claudia het spoor bijster was. Niet alleen op modegebied, maar ook qua realiteitsbesef. 'Eh... Claudia, ik vind het vervelend je dit te moeten vertellen, maar het is algemeen bekend dat Phillip Landau homo is.'

'Dat weet ik ook wel,' snauwde ze met een boze blik op me. Vervolgens hief ze haar kin nog iets hoger op en verklaarde: 'Hij wil een foto van me nemen. We zitten erover te denken die aan W aan te bieden.' Voordat ik haar ervan kon beschuldigen dat ze het te hoog in haar bol had – tenslotte was Claudia géén supermodel – voegde ze er snel aan toe: 'Voor een artikel over Roxanne Dubrows nieuwe gezicht, natuurlijk.' Ze grijnsde breed. 'Met een special over mij als de heersende koningin van Roxanne Dubrows schoonheidsrevolutie.'

Achterdochtig kneep ik mijn ogen samen. 'Weet Dianne hiervan?'

Ook Claudia kneep haar ogen samen. 'Natuurlijk!' Waarna ze haar uitroep iets nuanceerde. 'Ik heb een berichtje achtergelaten bij haar assistente. Ik had het haar wel persoonlijk verteld, als Dianne niet de godganse tijd aan haar moeders bed gekluisterd zat.' Ze draaide met haar ogen, alsof de zorg voor een ziekelijke moeder een oervervelend karweitje was dat beter door anderen kon worden opgeknapt.

'Hoe is het met Mrs. Dubrow?' vroeg ik, denkend aan de vriendelijke oudere dame die ik alleen kende van de jaarlijkse kerstborrel. Toen ik bij Roxanne Dubrow was komen werken, was zij allang met pensioen geweest, maar ik was bekend met haar nalatenschap – en haar ongelooflijke schoonheid als jongere vrouw, vereeuwigd op foto's in de talloze biografieën die over haar verschenen waren.

'De vrouw ligt op sterven, Grace. Hoe denk je dat het met haar gaat?' schamperde Claudia. 'Hoe dan ook, ik weet zeker dat Dianne wel contact met me opneemt als ze er problemen mee heeft. Trouwens, het is goede publiciteit voor het bedrijf.'

Over het bedrijf maakte ik me geen zorgen toen ik die avond in een taxi op weg naar huis was, maar over Dianne wel. Haar moeder lag op sterven. Op sterven. Wat moest het vreselijk zijn om een ouder te verliezen...

Ik had een brok in mijn keel alsof ik degene was die dit grote verlies moest dragen. Pas toen de eerste tranen begonnen te stromen, drong het tot me door dat ik dit al had meegemaakt. Dat ik, enigszins althans, wist hoe Dianne zich moest voelen.

O, hemel, dacht ik, toen de emoties in volle hevigheid losbarstten.

Kristina Morova. Ze was nooit werkelijk mijn moeder geweest, maar nu besefte ik dat ik haar altijd in me had meegedragen als een schimmig persoon op wie ik nooit echt greep had gekregen. Dat zou nu ook nooit meer gebeuren.

Ze was er niet meer. Dat feit was erger dan ik me ooit had kunnen voorstellen. Weg waren mijn plannen om haar te gaan opzoeken. Geen eenzame taxiritjes meer naar de plek waar ze al die tijd had gewoond, in de hoop om oog in oog met haar te kunnen staan. Om woedend tegen haar uit te varen, of om opgelucht toenadering tot haar te zoeken.

Er was, zo realiseerde ik me nu, geen hoop meer. Er restte niets anders dan een droombeeld van haar waar ik tot op dit moment geen afstand van had willen doen.

Als klein meisje was ik vaak met mijn vinger over de holte in mijn oma's voet gegaan. 'Je oma's voeten hebben de vorm van naaldhakken aangenomen!' had ze dan steevast gezegd, grinnikend om de holte die zich had gevormd in al die jaren dat ze op hooggehakte schoenen had gelopen.

Nu moest ik glimlachen om die herinnering, terwijl ik met mijn vinger over de holte in mijn eigen voet streek en bedacht dat ik mijn voorliefde voor elegant schoeisel waarschijnlijk van mijn oma had geërfd. Die voorkeur had ik in elk geval niet van mijn adoptiefmoeder meegekregen, dacht ik, luisterend naar haar opsomming van de comfortabele platte schoenen en sportschoenen die ze inpakte voor de reis naar Parijs.

'Vind je het echt niet erg? Thanksgiving in je eentje?' vroeg ze nu, waardoor mij duidelijk werd dat achter al haar opgewonden blije gebabbel de sluimerende angst schuilging dat ze haar dochter emotionele schade berokkende door de feestdagen niet met haar door te brengen.

Het was eigenlijk mijn eigen schuld, omdat ik haar zomaar midden in de week had gebeld, uit een vaag soort onbehagen dat me had overvallen toen ik die avond bij Shelley was weggegaan.

Nadat ik Shelley gehaast had verteld over mijn bezoek aan Brooklyn en mijn besluit om daar nooit meer terug te komen, had ik de rest van de sessie proberen te vullen met een verhandeling over onroerend goed. Met name over de vraag of ik al dan niet een nieuw appartement moest kopen dat aansloot bij mijn babyplannen. Hoewel ik, me rot geschrokken van alles wat er kwam kijken bij mijn eenouderproject, voorlopig nog was blijven steken in de ideeënfase, was ik niet van plan dat aan Shelley te laten merken.

In eerste instantie had ze voor haar doen vrolijk met me mee gekletst; zo had ze zelfs onthuld dat ze haar eigen stulpje had in de West Village. Ze had echter nog steeds willen weten waarom ik zo nodig alles in mijn eentje wilde doen. In het bijzonder waarom ik weigerde over de dood van Kristina Morova te praten met mijn ouders.

'Maak je over mij geen zorgen,' drukte ik mijn moeder voor de zoveelste keer op het hart. Ik was ervan overtuigd dat ik er goed aan deed het nieuws over Kristina niet aan mijn ouders te vertellen.

Begreep Shelley dan niet dat er bepaalde dingen waren die je gewoon in je eentje moest verwerken, in plaats van de rest van de wereld ermee op te zadelen? Het hoeft geen betoog dat het weer geen productieve sessie was. Ik vond echter dat ik terecht vasthield aan mijn standpunt. Ik wist namelijk zeker dat, als ik mijn moeder vertelde dat Kristina was overleden, ze haar reis zou annuleren om mij te troosten. Voor mij was het goed genoeg te weten dat ze er voor me zou zijn als ik dat wilde. Er was geen haar op mijn hoofd die erover peinsde deze vakantie voor haar te verpesten.

Ik hoorde haar zuchten. 'We hadden je naar huis moeten laten vliegen voor Thanksgiving.'

'Mam, als ik met Thanksgiving thuis had willen zijn, dan had ik zelf wel een ticket gekocht. Zo belangrijk is het niet,' zei ik op opgewekte toon. 'Trouwens, nu kan ik wat werk inhalen, een kleine winterschoonmaak houden.'

'Dit is de beste tijd van het jaar om van de stad te genieten,' deed mijn vader een duit in het zakje. 'Zwarte Vrijdag is de dag bij uitstek om wat te gaan winkelen. En volgens mij zijn alle musea en galeries open.'

Ik moest glimlachen, omdat ik wist dat hij zich afvroeg of het me al was gelukt die verklaring te krijgen. 'Pap heeft gelijk,' zei ik. 'Toevallig ben ik van plan om morgenavond naar een tentoonstelling in SoHo te gaan.'

'Brave meid,' zei mijn vader, alsof mijn scholing in de schone kunsten op het spel stond.

'O, dat is leuk, Grace!' riep mijn moeder uit. 'Van een jonge kunstenaar?' vroeg ze.

'Eh... nee. De naam wil me niet te binnen schieten,' draaide ik eromheen. 'Een Fransman, geloof ik... uit de Romantiek,' voegde ik er op het laatste moment aan toe.

'O, ik ben dol op de romantici,' verzuchtte mijn moeder. 'Heel veel plezier.'

Plezier had ik niet bepaald toen ik de volgende avond voor de Wingate Galerie uit de taxi stapte. In plaats van de sneeuw die in de lucht leek te hangen, was er precies op het moment dat ik het kantoor uit stapte een ijskoude regenbui losgebarsten, waardoor het bijna onmogelijk was nog een taxi te krijgen. Nadat ik een stief kwartier met mijn paraplu in gevecht was geweest tegen de striemende regen, kreeg een taxichauffeur wiens dienst er al op zat, kennelijk medelijden met mijn drijfnatte persoontje en stopte voor me.

In mijn make-upspiegeltje nam ik de schade op: vochtig haar en uitgelopen mascara, die ik snel wegpoetste. Aangekomen bij de galerie, gaf ik mijn ridder in de gele auto een royale fooi.

Pamela opende de deur voor me, waarna ze me kordaat mee loodste naar het kantoor waar Jonathan Somerfield al zat te wachten.

Ik smolt zowat toen ik hem zag, vertederd door de aanblik van zijn bruine loafers en zijn gestreepte overhemd, dat ongenadig vloekte bij zijn tweed jasje. Zodra hij een ongeduldige blik op zijn horloge wierp, trok ik echter mijn pantser op, uit vrees dat mijn verlate aankomst hem niet in spanning had gehouden, maar slechts irriteerde.

Toen onze blikken elkaar ontmoetten, zag ik in zijn ogen echter geen irritatie, maar dezelfde koortsachtige schittering die ik even daarvoor bij mezelf had gevoeld.

Bijna grijnsde ik van pure tevredenheid. Schijnbaar was de brave doctor toch niet helemaal ongevoelig voor mijn charmes.

'Ik heb alle documenten klaarliggen,' zei Pamela, die zich kennelijk niet bewust was van de snel oplopende temperatuur in het kantoor.

Ik had zelfs even kunnen denken dat Jonathan Somerfield zich er niet van bewust was, te oordelen naar de manier waarop hij zich op de papieren stortte die Pamela voor hem neerlegde, ware het niet dat hij, zodra hij de hele handel had bestudeerd, me van top tot teen opnam met een blik alsof hij me het liefst ter plekke had genomen.

Intussen snaterde Pamela maar door dat Chevaliers werken in de toekomst alleen maar meer waard zouden worden.

'Ja, hij is absoluut een interessante man,' zei ik, Jonathans blik vasthoudend.

'O, dat is ook zo. Je hebt hem op de openingsavond ontmoet, is het niet?' zei Pamela, terwijl ze alle papieren in een map stopte.

'Chevalier?' vroeg Jonathan met gefronst voorhoofd. 'Heb je de schilder ontmoet?'

'Hm,' mompelde ik, vooroverleunend om de verzekeringspapieren te tekenen. Jij had hem ook kunnen ontmoeten, dacht ik, als je niet zo snel de benen had genomen.

Nadat ik mijn handtekening had gezet, keek ik Jonathan weer aan. 'Ik heb hem ook nog naar dat schilderij gevraagd. Je weet wel, op wie die vrouw stond te wachten.' Ik voelde dat mijn mondhoeken begonnen te krullen. 'Kennelijk stond ze helemaal niet te wachten,' ging ik verder, mijn ogen goed de kost gevend zoals hij net bij mij had gedaan. 'Ze stond gewoon... van het uitzicht te genieten.' Ik permitteerde me een suggestief lachje. 'En waarom ook niet? Het is per slot van rekening een fantastisch uitzicht.'

Ik zag dat zijn pupillen zich verwijdden en wist dat ik hem precies had waar ik hem hebben wilde. Een golf van opwinding trok door me heen. Ik wist ook precies wat ik met hem wilde doen...

Zelfs het weer leek zich te hebben aangepast aan de fantasieën die door mijn hoofd speelden toen Jonathan en ik een halfuurtje later de galerie verlieten. De regendruppels waren veranderd in dikke sneeuwvlokken, en ik hief impulsief mijn gezicht op om ze te verwelkomen. Met gesloten ogen genoot ik van het gevoel van die koude prikkelingen op mijn huid. Diep ademde ik in en uit. Er was niets zo heerlijk als de eerste sneeuw...

Toen ik mijn ogen weer opende, stond Jonathan me aan te staren op een manier die me als aan de grond genageld hield. In zijn ogen brandde verlangen, ja, maar ook iets anders. Iets wat ik niet kon benoemen.

'Waar moet jij heen?' informeerde hij, de natte lege straat in turend, die vreemd oplichtte in het witte goedje dat om ons heen wervelde.

'Upper West Side,' antwoordde ik, terwijl hij een hand ophief om een taxi aan te houden.

Vluchtig keek hij me aan. 'Ik ook,' zei hij, maar niet verheugd – eerder alsof het hem stoorde dat we dezelfde kant uit moesten. 'Misschien kunnen we samen een taxi nemen.'

'Misschien.'

Dr. Jonathan Somerfield bleek slechts zes blokken bij mij vandaan te wonen, in West 80th Street. Misschien kwam het door de invloed van wat begon te voelen als het lot, of een verlangen om me te wentelen in die heerlijke chemie die tussen ons ontstond toen we eenmaal samen op de achterbank van de taxi zaten, dat ik besloot maar eens een poging te wagen bij de ongrijpbare professor.

'Weet je, er is een heel leuke pub in West 79th Street waar ze een pittige grog schenken,' begon ik, visioenen koesterend van het samen vieren van de eerste sneeuwbui voor het knapperende haardvuur, dat ongetwijfeld zou branden op een avond als deze.

In het duister draaide hij zich naar me om, zijn gezicht af en toe oplichtend in de voorbij flitsende lantaarns, en ik zag duidelijk dat hij net zo graag als ik zijn ogen eens goed de kost wilde geven. Het volgende moment wierp hij echter een blik op zijn horloge.

Toen hij me weer aankeek, was in zijn ogen dezelfde ongerustheid, datzelfde iets wat ik al eerder had gezien, verschenen. 'Nou, dat klinkt leuk,' reageerde hij omzichtig, 'maar ik ben al laat voor een andere afspraak.' Hij glimlachte – een beetje neerbuigend, vond ik – en zei: 'Misschien een andere keer.'

'Misschien,' zei ik, net zo minzaam glimlachend, waarna ik me terugtrok in het schemerduister en naar de twinkelende lichtjes buiten staarde. Ik wist met de stelligheid die leeftijd – en het soort wijsheid dat je alleen kon opdoen door teleurstellingen over de jaren – met zich meebracht dat er geen volgende keer zou komen.

In elk geval kon hij niet zien hoe teleurgesteld ik was. Kon hij niet weten hoe erg ik dit vond...

13

Het gaat niet om het hebben, het gaat om het krijgen. (Elizabeth Taylor)

Hoewel ik er nu nog steeds net zo'n hekel aan had om het toe te geven als toen ik nog een opstandige puber was, bleef de oude spreuk maar door mijn hoofd spelen die zei dat je moeder altijd gelijk heeft. Op de ochtend van Thanksgiving, toen ik helemaal alleen wakker werd en een dag tegemoet ging die net zo onbestendig en deprimerend was als de bewolkte lucht die door het raam te zien was, realiseerde ik me dat ik inderdaad net zo eenzaam was als mijn moeder had gevreesd. Dat werd er bepaald niet beter op, toen ik de straat op ging om iets te eten te kopen en merkte dat er hele drommen mensen op de been waren die zich opmaakten voor de feestelijke parade die over een paar uur zou beginnen.

Toeristen, dacht ik laatdunkend. Alle echte New Yorkers hadden de stad verlaten – behalve ik. En Shelley, die ik had ontlopen door onze afspraak van de vorige avond af te zeggen, omdat ik meende nu wel een goed smoesje te hebben. Tenslotte was het een officiële feestdag. Ik vond dat ik er wel recht op had om een keertje verstek te laten gaan.

Nadat ik me een weg door de menigte had gebaand naar Zabar, gooide ik daar een boodschappenmandje vol met meer etenswaren dan een alleenstaande vrouw met beperkte vriezercapaciteit zou moeten kopen. Op mijn strooptocht kwam ik langs mooi uitgestalde verse cranberry's, wat zo'n nostalgisch gevoel bij me opriep, dat ik me zelfs naar de delicatessenafdeling spoedde om daar een kant-en-klare schotel te bestellen van plakken kalkoen, compleet met een flinke schep vulling, een treurig bedje van glibberige koolraap, champignons en cranberrysaus. Ik probeerde me niet te generen toen de caissière mijn treurige eenpersoonsmaaltijd langs de scanner haalde, maar werd op weg terug naar mijn veel te stille appartement overvallen door iets wat nog pijnlijker was dan schaamte.

Zodra ik de lege hal was doorgelopen en met de lift naar boven was gezoefd, keek ik bij binnenkomst in mijn appartement eerst naar het antwoordapparaat waar uiteraard geen berichten op stonden.

Wie zou er ook gebeld moeten hebben? Angie was met Justin in L.A. 'Je kan met ons meegaan, Grace!' had ze aangeboden, zonder erbij stil te staan dat ik me misschien te veel zou voelen, wanneer zij en Justin met die hele schare vrienden om de tafel zaten die ze in die stad hadden overgehouden aan hun jaren in de televisie- en filmwereld. Tijdens het derde telefoontje over dit onderwerp, waarbij ze had gedreigd haar eigen moeder te bellen om haar te vragen een plaatsje aan tafel voor mij te dekken, had ik mijn toevlucht gezocht tot dezelfde leugen die ik tegen mijn moeder had opgehangen. 'Claudia en ik hebben besloten om onszelf te trakteren op een diner in Four Seasons,' zei ik, waarna ik een schietgebedje deed dat Angie het onderwerp verder zou laten rusten.

'Je gaat Thanksgiving met Claudzilla doorbrengen?' vroeg ze op ongelovige toon.

'Ze valt de laatste tijd best mee.' Dat was in elk geval geen leugen. In Claudia's eigen ogen was ze zelfs helemaal hip geworden. Wat heet, mijn baas zat met Thanksgiving in Milaan op uitnodiging van haar nieuwe vriendinnetje, Irina. Ik had me erom bescheurd, als het beeld van Claudia die door de stad trippelde als een imitatietiener – een afschuwelijk rijke en naar de allerlaatste mode geklede tiener, maar evengoed een tiener – me niet zo deprimeerde.

Mijn moeder had me al gebeld om me een fijne dag te wensen en me nogmaals op het hart te drukken dat het geen gek idee van me was om samen met mijn baas een glaasje Chardonnay en een stukje gevulde kalkoen te nuttigen.

In plaats daarvan had ik het plan opgevat deze dag te gebruiken mijn carrière een zetje te geven. Ik had een historisch overzicht van de marketing van Youth Elixer mee naar huis genomen met het voornemen om al die vrije tijd die ik ineens had, te gebruiken om een manier te vinden om – met een zeer beperkt budget – dit product weer onder de aandacht te brengen.

Dus zodra ik al mijn boodschappen had opgeruimd – met uitzondering van de doos kersenbonbons waarop ik mezelf had getrakteerd – ging ik in de woonkamer zitten en bestudeerde alle verkoopbrochures, campagnestrategieën en advertenties die ik had kunnen opdiepen, vanaf de dag waarop Youth Elixer voor het eerst op de markt was verschenen in de winter van 1982.

Glimlachend bekeek ik de zwaar aangezette glamour van de eerste reclamecampagne met Daniella Swanson, een flink uit de kluiten gewassen vrouw die nog groter leek door al het bont en de juwelen die voor de advertenties om haar heen gedrapeerd waren. 'De tijd van je leven' heette het in de advertenties waarin Daniella, een voluptueuze, al wat rijpere filmster, werd opgevoerd als het nieuwe schoonheidsideaal. Daniella wás een schoonheid, maar ik wist zeker dat die mondaine maar verbazingwekkend frisse uitstraling minder van doen had met Youth Elixer dan met het kuuroord waarin ze volgens de berichten haar intrek had genomen. Destijds was ik nog maar een tiener geweest, maar ik herinnerde me dat ik had gelezen dat Daniella bronwater liet aanrukken naar haar afgelegen landgoed in Santa Monica om in te badderen en dag en nacht trainers, masseurs en diëtisten paraat had staan om te voorkomen dat ze eruit zou zien als een vrouw van achter in de dertig, wat ze volgens de geruchten was. De illusie die Roxanne Dubrow destijds had gecreëerd, was echter een schot in de roos geweest. Want vanaf het moment waarop Youth Elixer op de schappen had gelegen, was het een bestseller onder de cosmetische producten geweest. Daniella was de nieuwe godin van de dertigplussers geworden, en Youth Elixer de nectar van die doelgroep.

Uiteraard was het ideaalbeeld in de loop van de jaren bijgesteld. Daniella was vervangen door de veel jongere en de veel meer doorsnee Amerikaanse Chloe Dawson, een blauwogige blondine die vandaag de dag met het rijkgeschakeerde aanbod van exotische schoonheden kleurloos genoemd zou worden, maar die een frisse, energieke uitstraling had gehad. Het had niemand gedeerd dat ze amper een kwart eeuw oud was geweest en toch het middelpunt had gevormd van een campagne die haar jeugdige uitstraling had toegeschreven aan de wonderbaarlijke effecten van Youth Elixer. 'Schoonheid is onze inzet' hadden de advertenties gezegd. Huidverzorging was, net als alle andere zaken, een gok waarmee de allerslimsten een fortuin konden verdienen. Roxanne Dubrow was echter de lachende derde geweest, want hoewel Chloes gezicht nog geen rimpeltje had vertoond, had haar schattige snoetje wel hele hordes naar een jeugdig uiterlijk snakkende klanten naar de Roxanne Dubrow-toonbanken gelokt.

In de loop van de jaren waren de gezichten vaker veranderd; de ene keer knapper dan de andere, soms jonger, soms ouder, al naar gelang de mode van het moment, maar de boodschap van Roxanne Dubrow was altijd dezelfde gebleven: 'Wij zijn jou niet vergeten, o verwaarloosde dertigplus vrouw. Wij zijn er voor jou en we dragen oplossingen aan. Wij zijn de bron van de jeugdige schoonheid.'

Ondanks deze geruststellende boodschap – of misschien als gevolg daarvan – waren de verkoopcijfers halverwege de jaren negentig gedaald. Het scheen niet uit te maken welk nieuw gezicht deze wondercrème aanprees, of welke nieuwe campagne werd gelanceerd, de verkoopcijfers van Youth Elixer waren gestagneerd.

Niemand was erin geslaagd een manier te bedenken waardoor het tij gekeerd werd. Nadat ik de hele geschiedenis van het product had doorgenomen, zag ik nog steeds niet waardoor die daling nu eigenlijk was veroorzaakt. Geen wonder dat het bedrijf had besloten zijn heil te zoeken bij Roxy D, onze nieuwe reddende engel.

Ik pakte de fles Youth Elixer op die ik op de salontafel had gezet en bestudeerde de sensuele vormgeving, die iets weg had van een vrouwelijk zandlopervormig figuurtje, en het sierlijke lettertype dat voor de naam was gebruikt. Ik had die fles altijd een sieraad voor mijn badkamer gevonden, had hem daar de eerste keer, toen ik pas bij Roxanne Dubrow was komen werken, zelfs met enige trots neergezet. Nu viel me op dat er rond de dop een laagje stof lag. Er moest een reden voor zijn waarom deze fles stof had staan verzamelen op mijn toilettafel. Ik kon me niet herinneren wanneer ik Youth Elixer voor het laatst had gebruikt, hoewel ik tot de groep van dertigplussers behoorde voor wie het bedoeld was.

Gedachteloos draaide ik de fles open om een klein likje op de rug van mijn hand te smeren. De satijnzachte crème voelde heerlijk aan. Toen ik mijn hand naar mijn neus bracht om de geur op te snuiven, werd ik ineens overspoeld door herinneringen aan mijn oma.

Mijn óma?

Ik rook nog eens goed; de bloemengeur overstemde

bijna het vleugje muskus waarvan ik wist dat het erin zat. Geen wonder dat ik aan mijn oma moest denken. Dit spul rook net als een parfum voor oude dames.

Met een frisse blik bekeek ik de fles nog eens, waarbij me het overdadig krullerige lettertype en het opgesmukte ontwerp opviel. Ik besefte dat het geheel een gedateerde indruk maakte.

Op zoek naar een bevestiging van mijn oordeel, plunderde ik mijn toiletkastje, me verwonderend over de strakke lettertypes en de gestroomlijnde ontwerpen van de andere flesjes en potjes die daarin stonden. Ja, ik had me schuldig gemaakt aan overlopen naar de concurrentie. Roxanne Dubrow kon niet voldoen aan al mijn behoeften op huidverzorgingsgebied. Of misschien zat hem daar de kneep wel, dacht ik, terwijl ik nog wat van de crème op mijn hand smeerde en zag hoe snel die in mijn huid trok. Misschien kon het dat juist wel. Misschien had ik Youth Elixer gewoon geen kans gegeven, omdat het er niet uitzag als een product dat iemand zoals ik – single, kosmopolitisch en ja, vierendertig, maar verre van ouderwets – ooit zou proberen.

Met een tevreden grijns bedacht ik dat ik deze dag misschien toch nog nuttig had besteed.

Die tevredenheid was echter van korte duur toen ik me realiseerde wat mijn openbaring Roxanne Dubrow zou kosten. Een nieuwe verpakking – en een aanpassing van de geurmenging – betekende een klap geld. Hoe moest ik in een jaar waarin Roxanne Dubrow een groot deel van de winst investeerde in de nieuwe Roxy D-lijn, de bobo's in het bedrijf in vredesnaam enthousiast krijgen voor het idee dat Youth Elixer een facelift nodig had? In financieel opzicht hadden ze het al min of meer afgeschreven. Waarschijnlijk was de enige reden waarom ze het nog steeds in het assortiment hielden een przet. Tenslotte wilden ze de klanten die Roxanne Dubrow groot hadden gemaakt als cosmeticagigant, niet van zich vervreemden. Het probleem was alleen dat die klanten inmiddels tegen de vijftig moesten lopen.

Niettemin had ik toch wel een beetje een voldaan gevoel omdat ik, ondanks het feit dat ik Roxanne Dubrows problemen niet kon oplossen, mogelijk wel de oorzaak daarvan had blootgelegd. Bovendien was het me gelukt om de dag door te komen op een manier waarbij ik niet elke keer ineenkromp wanneer ik de geluiden van de Thanksgiving-festiviteiten van mijn buren hoorde.

Opgetogen over mijn succesjes, besloot ik een fles rode Zinfandel open te trekken, blij dat ik in elk geval wist welke wijn ik tevoorschijn moest toveren bij een kalkoenschotel. Onder het inschenken van mijn eerste glas, hoopte ik dat ik ook mijn eetlust nog tevoorschijn zou weten te toveren, aangezien ik maar liefst de halve doos kersenbonbons soldaat had gemaakt tijdens mijn brainstormsessie.

Van de wijn werd ik rozig, maar niet hongerig. Dus gaf ik toe aan mijn ontspannen bui en liet het bad vollopen. Ik was niet zo'n badliefhebber, maar te oordelen naar het aantal flesjes badzout en badolie dat ik in de loop van de jaren cadeau had gekregen, waren de meeste vrouwen dat wel. Uit het assortiment dat ik in een doos achter in mijn badkamerkast had gestopt, koos ik een flesje dat volgens het etiket jasmijn bevatte plus het geneeskrachtige aroma van kamille. Hoewel ik geen idee had waarvan ik zou moeten genezen, mikte ik het goedje in het stomende water. Zodra de geuren de badkamer begonnen te vullen, ademde ik diep in, waarna ik in bad stapte.

Zodra ik lekker lag, nam ik een flinke teug uit het glas dat ik mee had genomen. Het koele glas liet ik over mijn wang rollen tegen de plotselinge hittevlaag die me overviel op het moment dat ik me onderdompelde in het stomende water. Nadat ik het glas weer op de vloer had gezet, liet ik me dieper in het water zakken, genietend van de mengeling van geuren en het langzaam wegtrekken van een pijnlijk gevoel waarvan ik me tot dat moment niet eens bewust was geweest.

Oude botten, dacht ik, inwendig glimlachend. Zo erg was dat echter niet. Ze hielpen me herinneren hoe het voelde om te leven. Om te voelen...

Twintig minuten later begon ik iets te veel te voelen. Ik wist niet of het aan de wijn lag of aan de inmiddels verstikkende hitte, maar mijn lichaam was zo ontspannen, mijn hoofd zo leeg, dat er iets naar binnen was geslopen toen ik even niet oplette. Iets wat verdacht veel weg had van melancholie...

Nu wist ik ook weer waarom ik bijna nooit in bad zat. Daar werd ik neerslachtig van – en die dag al helemaal.

Het geluid van mijn telefoon deed me opschrikken uit mijn zwaarmoedigheid en onmiddellijk uit bad springen. Hoewel ik de hoopvolle verwachting verafschuwde die dat vrolijke geluid op deze eenzame dag bij me teweegbracht, hulde ik me snel in een dikke badjas. Een spoor van waterdruppels achterlatend, sprintte ik door de woonkamer, waar ik een snoekduik naar de telefoon maakte.

'Hallo?' zei ik een beetje al te gretig, zelfs in mijn eigen oren.

'Grace Noonan?' klonk een inmiddels bekende stem.

'Katerina,' begroette ik haar met een vlaag van... ja, wat? Opluchting? Verbazing? Wat het ook was, ik was meteen op mijn hoede.

Alsof ze de verandering van mijn stemming aanvoelde, begon ze weifelend: 'Ik, eh... bel alleen... om je een, eh... fijne dag te wensen.'

'O,' reageerde ik, waarna tot me doordrong dat ik iets vriendelijks terug hoorde te zeggen. 'Jij ook een fijne Thanksgiving.'

Ze grinnikte. 'Dank je. In mijn jeugd vierden we deze

dag nooit. Kristina is met die traditie begonnen, nadat Sasha geboren was. Mijn nichtje is per slot van rekening Amerikaans. Mijn zus wilde dat ze ook opgroeide als een Amerikaanse.'

Inwendig grijnzend zag ik het beeld voor me opdoemen van Sasha, de verpersoonlijking van de Amerikaanse punkjeugd. 'Dus Sasha en jij hebben vandaag kalkoen op het menu?' vroeg ik. Intussen stelde ik me die knusse woonkamer voor, op tafel het traditionele feestmaal en eromheen een schare familieleden van wie ik me niet echt een voorstelling kon maken, op Sasha en Katerina na, natuurlijk. Desondanks voelde ik een steek door me heen gaan bij de gedachte.

'Nou, normaal gesproken wel, ja.' Ze slaakte een zucht. 'Sasha is vandaag... ergens anders. Bij haar, eh... vriend thuis.' De manier waarop Katerina het woord 'vriend' uitspuwde, maakte duidelijk wat ze van Sasha's plannetje vond.

Nu schoot me iets anders te binnen. 'Ben je... Ben je vandaag dan... alleen?' vroeg ik. Het idee dat de schijnbaar kwetsbare vrouw die ik had ontmoet, deze dag alleen moest doorbrengen vond ik vervelend.

'O, nee, nee,' zei ze snel. 'Mijn nicht Anna – nou ja, ze is niet echt een nicht, meer een vriendin van de familie, ook uit het moederland – zorgt voor het diner. Ik sta op het punt naar haar toe te gaan. Ik wilde alleen... Ik wilde alleen jou nog even een fijne dag wensen.' Even zweeg ze. 'Ga jij bij je familie eten?'

'Eh... nee. Mijn familie woont in New Mexico. De reis is eigenlijk iets te ver voor een weekendje.'

Hierop volgde een pijnlijke stilte, en ik besefte dat Katerina nu medelijden met mij had. 'Ik, eh... Ik ga met een paar, een paar vrienden eten,' verzon ik, in de hoop de uitnodiging waarvan ik voelde dat die eraan zat te komen, te omzeilen. Want ik wist dat er maar één ding erger was dan een feestdag in je eentje doorbrengen:

hem met onbekenden doorbrengen. En Katerina en haar familieleden waren onbekenden, wat er ook voor band tussen ons bestond.

'O, dat is leuk. Een knappe meid zoals jij. Ik durf te wedden dat je heel veel vrienden hebt.'

Enigszins bedroefd glimlachte ik daarom. 'Ja, ja, ik heb het geluk dat ik vrienden heb.' Alleen niet de moed om ze echt in mijn leven toe te laten, fluisterde een inwendig stemmetje.

'Oké, dan zal ik je niet langer ophouden,' zei Katerina, alsof ze aanvoelde dat ik in gedachten al op weg was naar die plek waar anderen met open armen op me zaten te wachten.

Een paar tellen later hing ik op, vurig wensend dat er iemand was om me vast te houden – en me nooit meer los te laten...

Bij het krieken van de dag verliet ik de volgende ochtend mijn huis, in de wetenschap dat ik tegen de muren op zou vliegen als ik nog een dag in mijn eentje thuis bleef zitten.

Dus deed ik datgene wat me altijd overal bovenop hielp: ik ging winkelen.

Nee, ik ging niet op zoek naar een nieuw paar schoenen om mezelf op te vrolijken of een sexy rokje om aan de een of andere vluchtige modegril toe te geven. Kerstmis stond voor de deur. Aangezien dit de tijd van het jaar was om te geven, had ik cadeautjes nodig om te geven.

Al slenterend door Bloomingdale's, waar ik een zachte kasjmieren trui uitkoos, waarmee mijn moeder dolgelukkig zou zijn – nadat ze me eenmaal bestraffend had toegesproken over de prijs – en een donkerblauwe coltrui, die de intellectuele uitstraling van mijn vader tot zijn recht zou laten komen, begon ik uit te kijken naar de feestdagen. Het was leuk om tegen een cadeautje aan te lopen waarvan ik wist dat het perfect was voor iemand op mijn lijstje. Elke vondst vervulde me van een innige tevredenheid, omdat ik er een ander gelukkig mee zou maken.

Voor een deel begon ik ook in te zien wat mijzelf gelukkig zou maken. Inmiddels wist ik dat een leven lang alleen zijn niets voor mij was. Ik had mensen om me heen nodig.

Oké, Shelley? Alsjeblieft, ik had het toegegeven.

Tegen het einde van de middag hád ik mensen om me heen – drommen mensen. Voornamelijk doordat ik in een opwelling naar Herald Square was gelopen. Nu vroeg ik me af met welk krankzinnig idee ik daarheen was getogen, want na drie uren door mensenmassa's heen te hebben geworsteld, liep ik over een nog veel drukker trottoir en kwam vervolgens tot de ontdekking dat het bijna vijf uur was en dus de allerberoerdste tijd van de dag om zelfs maar te proberen een taxi aan te houden.

Met een zucht bedacht ik dat ik de metro zou moeten nemen. Niet dat ik dat nooit deed. Alleen was het voor mij handiger om met de bus naar mijn werk te gaan – of met de taxi, een luxe die ik mezelf regelmatig permitteerde.

De metro zat bomvol, en de rit duurde langer dan ik me herinnerde. Toen ik uitstapte bij 86th en Broadway en het inmiddels ook nog was begonnen te sneeuwen, had ik het helemaal gehad. Want dit waren niet van die onschuldige zachte dwarrelvlokken waardoor ik gewoon naar huis had kunnen lopen. Nee, dit spul was nat. Alleen een rasechte positivo zou dit sneeuw noemen. Het leek meer op regen.

Zodra mijn oog op het Cozy Café viel, dat als een lichtbaken op de hoek van 85th Street zat, besloot ik dat een spontaan hapje op zijn plaats was. Naast het feit dat ze in het Cozy Café de allerbeste *clam chowder* maakten, was het ook een welkome uitvlucht om nog niet naar mijn eenzame appartement te hoeven. Grappig, dat ik zojuist nog gek was geworden van de mensenmassa's en dat nu de gedachte dat ik het zonder ze zou moeten stellen me nog veel erger voorkwam.

Ik stapte er binnen, stond net met mijn ene vrije hand de sneeuw van mijn kraag te vegen, toen ik hem zag. Dr. Jonathan Somerfield, helemaal alleen aan een tafeltje bij het raam.

Als het mogelijk was geweest, had ik hem genegeerd, maar hij zat me aan te staren als een hert, gevangen in het licht van een paar koplampen.

'Hé, hallo,' begroette ik hem in plaats daarvan. Ik had besloten recht op hem af te koersen, dus liep ik straal langs het bordje waarop stond dat je geacht werd te wachten tot je naar een tafeltje werd gebracht.

'Hallo,' zei hij, me aankijkend alsof ik... een streling voor het oog was.

Daar verbaasde ik me over, evenals over het feit dat hij er zo onweerstaanbaar lekker uitzag, zelfs op deze wat druilerige avond. Hij had zich iets beter gekleed dan de vorige keer, in een dikke Ierse kabeltrui en een spijkerbroek die zijn karakteristieke soberheid een beetje compenseerden. Hij verbaasde me zelfs nog meer door te zeggen: 'Kom erbij zitten. Ik bedoel, als je tenminste niet met iemand hebt afgesproken...' Vluchtig keek hij naar de deur, alsof er elk moment iemand binnen kon komen om mij weg te kapen.

'Nee, hoor,' zei ik. Vervolgens, alsof ik mezelf door deze bekentenis in verlegenheid had gebracht, legde ik uit dat ik de hele dag kerstinkopen had gedaan en me op weg naar huis te binnen was geschoten hoe fantastisch de *clam chowder* hier was.

Daarop begon hij de Reuben-sandwich aan te prijzen, met de kanttekening dat deze het echter niet haalde bij de versie die je kreeg in Delia's Bistro op de hoek van 115th Street en Amsterdam.

'O, daar kom ik ook wel eens!' riep ik uit, me realiserend dat we al een tijdlang in dezelfde tentjes kwamen. Tenslotte was Columbia mijn *alma mater*; dus kende ik ook alle eetcafés in de buurt. Net toen ik op het punt stond een vurig pleidooi voor Ziggy's Bistro af te steken – een tamelijk onbekend tentje dat ik in mijn eerste studiejaar had ontdekt – drong tot hem door dat ik daar nog steeds stond te druipen, beladen met iets te veel tassen.

'Laat me je even helpen,' zei hij, waarna hij me verloste van een paar tassen, die hij keurig tussen het raam en de tafel in zette. Het volgende moment stond hij me uit mijn jas te helpen, en ik zou met gepaste beleefdheid hebben gereageerd op zijn galante gebaar als ik niet zo volkomen ondersteboven was geweest van de lichte aanraking van zijn vingers in mijn nek.

Mijn hemel, deze man deed iets met me. En wat dat ook was, ik wilde het in een potje stoppen.

In plaats daarvan ging ik uiterlijk onbewogen zitten op de stoel die hij voor me achteruitschoof, waarna ik nog steeds enigszins verbluft zag dat hij naar de kapstok bij de ingang liep om mijn jas op te hangen.

Toen hij tegenover me was gaan zitten, had ik mezelf weer volledig in de hand. Dat was maar goed ook, want uit de manier waarop doctor Jonathan Somerfield naar mijn nauwsluitende truitje keek, bleek maar weer eens dat hij niet zo immuun voor me was als hij deed voorkomen, en daar was hij kennelijk niet blij mee.

Wat voor mij weer een reden was om hem nog wat meer op stang te jagen. Dus schoof ik mijn benen zo ver onder de tafel, dat mijn knie de zijne raakte.

Ik zag dat zijn ogen zich iets verwijdden, voelde dat hij zijn been introk, voordat hij er in het wilde weg iets uitflapte.

'Zo, dus je hebt kerstinkopen gedaan, hè?' vroeg hij niet bijster geïnteresseerd. Meteen daarna pakte hij zijn mok koffie op en klokte het dampend hete brouwsel naar binnen.

'Hm,' mompelde ik, met een blik op de ober die naar ons tafeltje toe kwam. 'Voor mij een kop *clam chowder*, graag.'

Toen de ober zich tot Jonathan wendde, zei hij: 'Hetzelfde voor mij.' De Reuben-sandwich waar hij net nog zo enthousiast over was geweest, was hij kennelijk glad vergeten.

'En jij?' vroeg ik. Blijkbaar was hij de draad kwijtgeraakt, misschien doordat mijn knie de zijne weer had opgezocht en ik de druk iets had opgevoerd. Ik gedroeg me als een vamp, maar ik kon er niets aan doen; het was sterker dan ikzelf. 'Kerstinkopen? Ben je daar al mee begonnen?'

Met gefronst voorhoofd staarde hij even naar de neerdwarrelende sneeuw buiten, alsof de gedachte aan de komende feestdagen hem dwarszat. 'Nee, nee. Nog niet, althans,' antwoordde hij, mij weer aankijkend, waardoor ik een glimp opving van die emotie die me al eerder voor een raadsel had gezet, maar die ik nu herkende omdat ik het zelf onlangs bij de hand had gehad. Verdriet. Waar was deze man verdrietig om?

Hij wendde zijn blik af, alsof hij aanvoelde dat hij zich in de kaart liet kijken, en nam vervolgens een slok koffie, voordat hij zei: 'Ik heb het niet zo op de feestdagen.'

'Waarom niet?' hoorde ik mezelf vragen.

Mijn vraag leek hem nog meer in verwarring te brengen, zodat ik ineens het gevoel kreeg dat ik me moest verontschuldigen voor wat nu een ongepaste vraag leek.

Gelukkig werden we gered door de ober, die twee dampende koppen *clam chowder* voor ons neerzette.

Daar leek Jonathan weer wat van op te vrolijken. 'Nou, ik zie dat je gelijk had over de *clam chowder*. Het ziet er... heerlijk uit.' Met zijn lepel al in de aanslag, aarzelde hij even, waarna hij mij aankeek. 'Ga jij niet...'

Ik glimlachte. Wauw, een gentleman, dacht ik, terugdenkend aan die keer dat ik van het toilet was gekomen en tot de ontdekking was gekomen dat Ethan zijn bord inmiddels al bijna leeg had gegeten. Dus pakte ik ook mijn lepel op en keek toe hoe Jonathan aan de soep begon.

Weet ik waar je in Manhattan een *clam chowder* moet eten of niet, prees ik mezelf, zodra ik zag dat hij zijn ogen sloot om van de smaak te genieten.

Toen hij zijn ogen weer opende, begon hij bijna te blozen, waarschijnlijk omdat ik hém met mijn ogen zat te verslinden. 'Dit brengt je wel in de stemming,' zei ik, waarop hij tot mijn verrukking grote ogen opzette. 'Voor de kerst,' besloot ik, alsof dat de voor de hand liggende verklaring was.

Mocht mijn eerste opmerking hem hebben geschokt, mijn uitleg bracht hem alleen maar in verwarring.

'Je weet wel, het diner op kerstavond.' Pas toen realiseerde ik me dat het eten van vis en schelpdieren op kerstavond een Italiaanse traditie was die ik me in de loop der jaren eigen had gemaakt als eregast van de sympathieke DiFranco-familie. Dus legde ik die gewoonte aan Jonathan uit. 'Ik geloof dat het een religieuze betekenis heeft.'

'Misschien,' reageerde hij, 'maar ik denk dat het ook uit economische factoren kan zijn ontstaan.' Vervolgens legde hij uit dat in vroegere tijden vlees veel duurder was dan vis. Terwijl hij een samenvatting gaf van de historische en economische factoren die hadden geleid tot de scampigerechten waarvan ik zo vaak had gesmuld met de DiFranco-familie, onderdrukte ik een glimlach. Jonathan Somerfield deed me aan mijn vader denken, die ook vaak zijn toevlucht nam tot de zekerheid van wetenschappelijke feiten om zo het veel glibberiger terrein van de emoties te vermijden.

Inmiddels wist ik zeker dat dit zijn manier was om de opwinding te negeren die tussen ons oplaaide, zodra we binnen een armlengte afstand van elkaar kwamen.

Nu ik Jonathan iets beter begreep, besloot ik dat als mijn verleidingspogingen geen doel troffen, ik een omweg zou nemen om tot hem door te dringen. 'Waar heb jij je eigenlijk in gespecialiseerd?' vroeg ik.

'De Franse Romantiek. Voornamelijk Delacroix en Ingres. Met je vader heb ik een keer wat gedaan over de kunst en cultuur van na de Franse Revolutie. Zo hebben we elkaar ontmoet. Maar ik heb hem pas goed leren kennen tijdens al die keren dat we samen hebben geluncht. In zijn laatste semester op Columbia hadden we op donderdag allebei vier tussenuren, en soms gingen we dan naar het Metropolitan om een tentoonstelling te bekijken. Er loopt momenteel trouwens een prachtige tentoonstelling over het Modernisme die hij zeker zou willen zien. Jammer dat hij hier niet is...'

'Ik ben hier,' greep ik de gelegenheid met beide handen aan, nu hij de deur op een kiertje had gezet. Ik weet niet wat me bezielde. Ik was niet het type om achter een man aan te rennen. Had ik ook nooit hoeven doen, aangezien slechts weinigen van de mannelijke soort een blondine met grote borsten konden weerstaan, en helaas was dat waarschijnlijk ook precies het probleem met hen. Deze man had echter iets – misschien juist omdat hij zo gereserveerd was – wat me aantrok, me uitdaagde...

Met gefronste wenkbrauwen keek hij me aan. 'O, ik wist niet dat je geïnteresseerd was in laat negentiende-eeuwse kunst...'

Wel, zelf was ik meer een vrouw van de twintigste-eeuwse kunst, maar dat deed er op dat moment niet toe. 'Ik heb op school een beetje geliefhebberd,' zei ik, 'maar ik heb me er altijd al meer in willen verdiepen.' Vervolgens, omdat mijn werkelijke motivatie was me wat meer te verdiepen in deze man, drong ik aan: 'Dus wat zegt u ervan, Dr. Somerfield? Wilt u deze geïnteresseerde toeschouwer een persoonlijke rondleiding over de tentoonstelling geven?'

14

Mooi zijn kan nooit kwaad, maar je moet meer in huis hebben. Je moet sprankelen, je moet leuk gezelschap zijn, je moet je grijze cellen aan het werk zetten als je die hebt. (Sophia Loren)

Het was heel merkwaardig dat Jonathan eerst protesteerde dat hij niet de meest geschikte gids was voor de betreffende tentoonstelling, aangezien de schilderijen die er te zien waren eigenlijk buiten zijn vakgebied vielen, en dat hij daarna ineens toch door de knieën ging. En dan bedoel ik diep door de knieën, want hij stelde voor om meteen de volgende avond bij het museum af te spreken.

'Dan is het waarschijnlijk niet zo druk omdat iedereen dit weekend de stad uit is om Thanksgiving te vieren,' voegde hij er snel aan toe, alsof het hem ook was opgevallen dat hij in een oogwenk was omgeslagen van een onwillige gids naar iemand die stond te trappelen om mij rond te leiden.

Eventjes vroeg ik me af of hij dit feestweekend net zo eenzaam was als ik. Ik had echter niet zo'n zin om daarbij stil te blijven staan; dus nam ik zijn uitnodiging onmiddellijk aan. Die belachelijke regel dat je als single nooit moest ingaan op een uitnodiging als het nog maar zo kort dag was, lapte ik aan mijn laars. Trouwens, het was niet echt een *date*, maar meer... een uitje. Het delen van een gemeenschappelijke belangstelling.

Met die gedachte in mijn achterhoofd kleedde ik me dan ook tamelijk neutraal voor mijn afspraak met Jonathan. In plaats van een rokje koos ik voor een simpele maar slank afkledende zwarte broek en een truitje in de zachtste tint blauw, dat wel de kleur van mijn ogen accentueerde maar niet de aandacht vestigde op mijn andere 'pluspunten'. Tenslotte gingen we alleen maar naar een museum. Ik wilde de man geen angst aanjagen.

Omdat ik lang ben, let ik voor een afspraakje altijd heel goed op wat voor schoenen ik aantrek, zeker in deze stad waar kleine mannen de overhand schijnen te hebben. Alleen kon ik me niet meer herinneren hoe lang Jonathan was, omdat we onze toevallige ontmoeting in het café voornamelijk zittend hadden doorgebracht, voordat hij zo goed als rennend de tent had verlaten na het betalen van de rekening, toen ons eigenlijk niets anders had gerest dan elkaar diep in de ogen staren.

Ik dacht terug aan de avond van onze eerste ontmoeting in de galerie, hoe ik toen in zijn ogen was verdronken... Bij die herinnering kreeg ik het weer warm, maar ik schudde hem van me af om aan meer praktische zaken te denken. We hadden elkaar recht in de ogen gekeken. Welke schoenen had ik toen aan gehad?

Het eerste wat me te binnen schoot, was dat ik mijn roze jurkje had gedragen, waar ik normaal gesproken naaldhakken onder droeg.

Daarop drong het volgende besef tot me door: Jonathan Somerfield had een behoorlijk lengte, als ik hem op die schoenen recht in de ogen kon kijken.

Hm. Ik ben dol op lange mannen.

Toch besloot ik mijn ballerina's aan te trekken. Die maakten de Jackie O-look, waarvoor ik had gekozen, af. Het was maar een bezoekje aan een museum, geen knalfuif.

Onderweg in de taxi, die ik pal voor de deur had weten aan te houden, kreeg ik echter het gevoel alsof ik wel naar een feest ging. Ik had vlinders in mijn buik. Vlinders! Normaal gesproken, ben ik helemaal niet het vlindertype.

Gelukkig had ik met Jonathan in het museum afgesproken, omdat hij eerst nog een afspraak op de universiteit had, die aan de andere kant van de stad lag. Ik had duidelijk nog wat tijd nodig om mezelf voor te bereiden op dit evenement.

Tegen de tijd dat ik het museum in liep en zag dat Jonathan al op me stond te wachten bij de informatiebalie, gekleed in een spijkerbroek en een grijze coltrui, was ik er klaar voor. Ongelooflijk blij ook dat ik me niet vreselijk had opgedoft. Waar het mannen betrof, en deze man in het bijzonder, bleek mijn instinct in elk geval te kloppen.

Dus besloot ik mijn instinct maar weer te volgen en mezelf niet in zijn armen te werpen, wat mijn eerste impuls was toen ik hem in het oog kreeg. Niet eens een vriendschappelijke kus op de wang. Misschien omdat hij er zelfs in spijkerbroek zo afstandelijk uitzag. Misschien lag het aan de coltrui.

'Nou, hier zijn we dan,' zei hij, terwijl zijn ogen over mijn gezicht dwaalden alsof hij niet kon geloven dat ik er echt was.

Schattig, dacht ik, hem met een glimlach aankijkend. Hij leek zo nerveus.

'Ja, hier zijn we,' stelde ik ook enigszins nerveus vast.

Alsof hij bang was dat ik mezelf inderdaad in zijn armen zou werpen, zei hij snel: 'Ik heb al kaartjes voor ons gekocht. Zullen we dan maar?'

Dus togen we naar de eerste verdieping waar de tentoonstelling zich bevond. Omdat we die avond alles keurig volgens de regels deden, begonnen we ook bij het begin. Zodra we langs de schilderijen begonnen te slenteren, zag ik dat Jonathan weer in zijn element kwam, omgeven door een wereld die hij begreep. Omdat ik wist dat hij, net als mijn vader, zich meer op zijn gemak voelde bij rationele onderwerpen, nam ik de rol van nieuweling in de kunst gedwee op me.

Ik stelde vragen over de schilderijen, die in chronologische volgorde hingen om het prille begin van de moderne periode te laten zien met kunstenaars zoals Velasquez, wiens penseelvoering hem volgens Jonathan maakte tot een voorloper van de latere impressionisten. De tentoonstelling leek deze gedachtelijn ook te volgen, aangezien Monet en Sisley daarna te zien waren.

Staande voor al die schilderijen, hoefde ik eigenlijk alleen maar een paar onschuldige vraagjes te stellen om vervolgens te luisteren naar Jonathans verhandelingen over historische feiten die bij hadden gedragen aan de schilderkunst in de laat negentiende eeuw. Het merendeel was bekende stof voor mij, maar dat wist hij niet. Ik was hier echter niet om iets over kunst te weten te komen, hoewel het absoluut fantastisch was om al die prachtige werken bij elkaar te zien. De werkelijke reden waarom ik hier was, was om meer over Jonathan te weten te komen. Dus ik luisterde en keek en knikte op de juiste momenten.

Inderdaad, ik stak er nog wat van op ook. Over kunst. En over de aanbiddelijke Dr. Somerfield.

Dat hij de vloeiende stijl van sommige kunstenaars mooier vond dan de ingehouden penseelvoering van anderen. Dat geschiedkundige onderwerpen het heilige vuur in hem deden ontbranden, terwijl landschappen iets zwaarmoedigs in hem losmaakten. Dat hij gouden spikkeltjes in zijn ogen had en dat hij zijn wenkbrauwen heel aantrekkelijk fronste wanneer hij op een controversieel onderwerp stuitte.

Tegen de tijd dat we bij de twintigste eeuw waren aangekomen, had ik zin om hem te bespringen. Met zijn lengte, zijn knappe uiterlijk en zijn scherpe verstand was hij in één woord... onweerstaanbaar.

Een uitdaging, bovendien. Ik had hem zo lang in die verheven intellectuele sferen laten zweven, dat ik even bang was dat ik hem nooit meer op aarde kon laten landen. Misschien had ik toch een laag uitgesneden jurkje aan moeten trekken.

Toen we bij Cézannes Still Life With Fruit Basket aankwamen, liep ik over van het een of ander. Ondanks al die weelderige schilderijen waar Jonathan me langs had geloodst, vreesde ik dat dat gevoel weinig met kunst te maken had.

'Aha, hier is het,' zei hij. Peinzend bekeek hij het schilderij dat precies verbeeldde wat de titel aangaf; het begin van het einde. Weer fronste hij zijn wenkbrauwen zo verrukkelijk.

Of het nu kwam door het verlangen dat in me opwelde bij de aanblik van die onweerstaanbare gezichtsuitdrukking, of door de provocatie die zijn nogal blasfemische uitroep in mijn ogen was, ineens had ik zin om de strijd aan te gaan. Per slot van rekening was ik zelf een moderne vrouw, niet alleen qua smaak op kunstgebied, maar ook in mijn relaties met mannen.

'Het einde?' begon ik. 'Het einde van de tentoonstelling misschien, maar Cézanne was de grondlegger van de abstracte kunst die later in zwang raakte.'

'Daar heb je gelijk in, maar kijk hier nu eens naar. Zie je hoe die tafel lijkt over te hellen? Hij hechtte geen belang aan de realiteit. Ik bedoel, dat fruit hoort eigenlijk van de tafel op de vloer te rollen. De compositie deugt niet.'

Glimlachend herinnerde ik me dat een van mijn favoriete kunstgeschiedenisprofessoren had betoogd dat Cézanne een heel nieuwe compositiestijl had bedacht omdat hij eigenlijk niet goed kon schilderen. Dat was natuurlijk een hoopgevende redenering voor een dagdromende eerstejaars met beperkte artistieke talenten. Tenslotte was het niet meegevallen om mijn gebrek aan talent te accepteren, zeker niet met al die loftuitingen die mijn moeder had ontvangen voor haar muzikale talent. Of al dat eerbetoon dat mijn vader in de loop van de jaren ten deel was gevallen voor zijn wetenschappelijke publicaties. Uiteraard was ik geen Cézanne; die hoop had ik uiteindelijk dan ook laten varen, waarop ik was overgestapt naar bedrijfskunde in mijn tweede studiejaar. De mythologie van de kunst van Cézanne was destijds voor mij als jonge vrouw op zoek naar haar eigen identiteit echter een stimulans geweest.

De herinnering daaraan prikkelde me nu ook weer. Of misschien kwam het ook door de manier waarop Jonathan me aankeek; alsof hij begerig was om mijn reactie te horen.

'Dat kan wel zo zijn,' begon ik, 'maar zonder Cézanne hadden we nooit een Picasso gehad. Ik denk dat het feit dat hij de regels voor een goede compositie niet in acht nam, nu juist de inspiratiebron was voor latere kunstenaars om nieuwe wegen in te slaan.'

De frons verdween weer van zijn gezicht. 'Daar heb je een punt,' zei hij. Vervolgens, alsof hij ineens vraagtekens begon te plaatsen bij al die tamelijk knullige vragen die ik hem over de tentoonstelling had gesteld, zei hij: 'Ik heb het idee dat iemand hier niet zo onwetend is over de kunstgeschiedenis als ze doet voorkomen.'

Nonchalant haalde ik mijn schouders op, waarna ik toch maar opbiechtte: 'Ik ben begonnen aan de kunstacademie voordat ik de overstap naar bedrijfskunde heb gemaakt.' Zelfs terwijl ik dat zei, voelde ik die oude onzekerheid de kop weer opsteken. Alsof ik niet goed genoeg was om die verheven dromen na te jagen die mijn eigen ouders hadden nagejaagd. 'Ik was dol op de kunstgeschiedenislessen,' voegde ik eraan toe, alsof ik toch vooral een punt van overeenkomst tussen ons wilde aanstippen. 'Ik ben gewoon meer geschikt om budgetten te analyseren en trends te volgen dan... landschappen te schilderen.'

Er verscheen een glimlach op zijn gezicht. En wat voor een! 'Kennelijk was dat de beste keuze voor jou. Ik weet nog hoe trots je vader was toen je een belangrijke managementbaan had gekregen,' zei hij. 'Bij een farmaceutisch bedrijf, toch?'

Het mocht me dan verbazen dat ik onderwerp van gesprek was geweest tussen Jonathan en mijn vader, ik was ronduit geschokt dat Jonathan het zich nog herinnerde. 'Ja, inderdaad. Alleen werk ik daar niet meer. Nu zit ik in de cosmetica.' Me realiserend dat ik het risico liep leeghoofdig over te komen, legde ik snel uit: 'Meer creatieve mogelijkheden. En geld, natuurlijk.'

'Natuurlijk,' zei hij met een nog bredere glimlach.

Op dat moment stak ik nog iets anders op over Dr. Jonathan Somerfield. Namelijk dat hij in plaats van de hele avond zijn theorieën over de schone kunsten te spuien, veel liever mij wilde leren kennen. Volgens mij was hij zelfs opgelucht dat hij de rol van schoolmeester die ik hem had opgedrongen, naast zich neer kon leggen. Zodra we de tentoonstelling achter ons hadden gelaten, stelde hij zelfs voor om nog een cocktail te gaan drinken op de galerij.

Toen we even later hoog boven de schitterende hal van het Metropolitan zaten, vuurde hij de ene na de andere vraag op me af. Over mijn baan. Over mijn jeugd op Long Island. Hoe het was om de gerenommeerde Dr. Noonan als vader te hebben.

Om dat laatste moest ik lachen. 'Volgens mijn vader ben je zelf ook nogal gerenommeerd. Bedenk maar eens hoe jouw kinderen zich ooit zullen voelen...'

Onmiddellijk kreeg hij een gesloten uitdrukking op zijn gezicht. Toen hij mij weer aankeek, zag ik diezelfde verdrietige blik in zijn ogen die ik daar al eerder had gezien. Waar was deze man zo verdrietig over, vroeg ik me voor de tweede keer af.

Daar kwam ik die avond niet achter. Want ik ontdekte ook dat een van de redenen waarom Jonathan zo graag over mij wilde praten, was dat hij dan niet over zichzelf hoefde te praten.

Dat maakte hem alleen maar nog mysterieuzer. En een nog grotere uitdaging. 'Vertel jij nu eens wat over jezelf,' zei ik uiteindelijk.

'Ach, dat is het gebruikelijke liedje,' zei hij met een lachje. 'Opgegroeid in Connecticut, naar Yale gegaan, daarna naar New York en Columbia om mijn doctorsgraad te halen. Ik heb onderzoek gedaan aan de universiteit van Chicago, daar zelfs nog een tijdje lesgegeven. Maar toen die baan op Columbia me werd aangeboden, wilde ik toch dolgraag terug naar New York.' Hij liet zijn ogen door de prachtige galerij dwalen. 'Ik ben eraan verslaafd. Al die... pracht.' Toen zijn ogen de mijne weer vonden, zag ik aan de manier waarop hij mijn gezicht bekeek, dat hij mij daar ook toe rekende.

Niet dat dat me een stap verder bracht. Want nadat we samen een taxi naar de Upper West Side hadden genomen en ik de hele rit had zitten spinzen op een manier om hem in elk geval mee naar de voordeur te krijgen voor die afscheidskus waar mijn hele lichaam om schreeuwde, lachte hij me toe zodra de taxi voor mijn deur stopte en wenste me een prettige avond.

Dat verontrustte me echter niet. Want in de taxi had hij kennelijk zelf ook een plannetje zitten smeden. Vlak voordat we bij mijn huis waren, had hij achteloos opgemerkt dat hij kaartjes had voor een concert op dinsdagavond en al even achteloos gevraagd of ik misschien mee wilde.

Dat was voldoende om mij in een juichstemming te brengen.

'Hallo, Grace!' begroette Lori me maandagochtend op kantoor.

'Welkom terug, Lori,' zei ik glimlachend. Ik had me

niet gerealiseerd hoe erg ik haar had gemist, totdat ik een golf van pure opluchting door me heen voelde gaan bij de aanblik van Lori achter haar bureau. 'Hoe was je reis?'

'Hartstikke gaaf!' antwoordde ze op een merkwaardig zangerig toontje.

Onverminderd glimlachend, trok ik een wenkbrauw op. 'O, ja?'

'O, Grace, het was de allerleukste vakantie die ik in tijden heb gehad!'

Opeens herkende ik die vreemde stembuiging. Het had er alle schijn van dat ons meiske zich een beetje een Brits accent had aangemeten gedurende haar korte verblijf aan de andere kant van de plas.

Enthousiast vertelde ze over haar 'te gekke' reis, de bezienswaardigheden die zij en Dennis hadden bezocht, de foto's die ze had genomen. Bij de beschrijving van de foto's aangekomen, onderbrak ze haar relaas even om in de rugzak naast haar bureau te graven.

Met een brede grijns dacht ik terug aan hoe het was om jong te zijn, om je zo vrij te voelen – of was het naïef – dat je verschillende hoeden uitprobeerde en ze schaamteloos droeg, hoe belachelijk ze ook stonden.

'Hoe ging Dennis' gesprek op die school eigenlijk?' informeerde ik.

Terwijl ze het mapje foto's opensloeg om ze aan mij te laten zien, draaide ze met haar ogen, als de rasechte Amerikaanse die ze in werkelijkheid was. 'De man met wie hij heeft gesproken, was een beetje een eikel,' zei ze, 'maar het ging heel goed. Dennis vond de school leuk en heeft zelfs een van de docenten ontmoet van wie hij les hoopt te krijgen. En de campus was echt... wauw. Hier, kijk zelf maar,' ging ze verder, de foto's op haar bureau uitspreidend.

Ik boog me voorover om ze te bekijken en voelde dat ze vol spanning mijn oordeel afwachtte. Er waren een paar foto's van de campus en de standaard toeristenkiekjes van de Big Ben en de parlementsgebouwen. Dennis, die in de camera staarde in het torentje van een kasteel. Het waren goed genomen foto's, maar ze haalden het niet bij het stapeltje dat ze erna tevoorschijn haalde. Een onheilspellende lucht boven een kasseienpaadje. Een bouwsel van grijze natuursteen, dat scherp afstak tegen een weelderig groen landschap. Een close-up van een kind dat met grote ogen een duif bekijkt op Trafalgar Square.

'Vooral deze vind ik mooi,' zei ik, wijzend op de foto's van het landschap en het kasseienpaadje.

'Ja, ik ook. Ik zat erover te denken ze in mijn portfolio op te nemen,' zei ze met een trotse blik op de foto's.

'Portfolio?'

Heel even leek de glimlach op haar gezicht te bevriezen, voordat ze weer ontspande en de waarheid opbiechtte. 'Weet je, ik heb er altijd van gedroomd een fotograaf te zijn.'

Dit was nieuws voor mij. Dat kwam natuurlijk doordat de enige ambitie waarvan Lori blijk had gegeven toen ik bijna twee jaar geleden een sollicitatiegesprek met haar had gevoerd, was dat ze op een marketingafdeling in de mode-industrie wilde werken. Ik neem echter aan dat ze toen om een baantje had zitten springen.

'Nou, je hebt er duidelijk talent voor,' zei ik.

Misschien zorgden mijn bemoedigende woorden ervoor dat ze nu met het hele verhaal voor de draad kwam. 'Dank je. Kennelijk vindt de toelatingscommissie van de School voor Beeldende Kunsten dat ook.' Verlegen glimlachte ze. 'Daar ben ik aangenomen voor komende herfst...'

Nu begreep ik de werkelijke reden van haar angst om Dennis' vertrek. Ze had moeten kiezen tussen Dennis en haar dromen.

Kennelijk zat ze er nog steeds mee in haar maag. 'Ik

heb ook scholen bekeken toen ik in Londen was. Ik bedoel, het kan geen kwaad om je ergens anders in te schrijven,' voegde ze er met een onzekere blik aan toe. 'De fotovakschool in Londen heeft een uitstekend lesprogramma, maar die is vrij klein. Wat zo zijn voordelen heeft...'

'Beter dan de School voor Beeldende Kunsten?' vroeg ik.

'Nou, ze zijn vergelijkbaar,' antwoordde ze met gefronste wenkbrauwen. 'Maar de school in Londen is maar een klein stukje met de metro vanaf Dennis' campus. Dus we zouden samen een flat kunnen huren, ergens halverwege...' Haar stem stierf weg, en in haar ogen verscheen een blik die een mengeling was van hoop en... bedroefdheid. Dat verbaasde me.

'Uiteraard zou ik dan ontslag moeten nemen,' zei ze, haar ogen neerslaand alsof deze bekentenis een beetje te voorbarig was om aan haar werkgever te doen. 'En mijn familie...'

Vandaar die bedroefde blik, dacht ik. Als rasechte Long Islander was Lori net zo gehecht aan haar familie als ik altijd was geweest. Want ondanks mijn opstandige houding, had ik destijds ook een school gekozen die slechts een kort metroritje verwijderd was van mijn vader en moeder; op de een of andere manier was het gewoon ondenkbaar geweest om verder bij hen vandaan te zijn. Nu mijn eigen ouders waren verhuisd naar hun droomhuis in New Mexico, wist ik inmiddels wel dat hoe ver weg je familie ook was, ze altijd je familie bleven. Dat was een geruststellende gedachte. Bemoedigend, zelfs. Zo bemoedigend, dat ik Lori's hand in de mijne nam en er een kneepje in gaf.

'Het is ook wel moeilijk, hè? Als het leven zoveel verschillende mogelijkheden biedt,' zei ik.

Ze beet op haar onderlip en begon met een zucht de foto's terug in het mapje te stoppen. 'Deze kan ik maar beter wegstoppen voordat die lellebel binnenkomt...'

Onwillekeurig zette ik grote ogen op, en deze keer niet om haar nepaccent. Het leek alsof Lori wat harder was teruggekomen van haar tripje naar Londen, in elk geval waar het Claudia betrof.

'Die lellebel,' herhaalde ik met nadruk, 'is in Milaan. Met niemand minder dan Irina en Phillip.'

Nu was het haar beurt om mij aan te gapen. 'Serieus?'

'Hm-m. In elk geval tot woensdag. Blijkbaar gaat Phillip een portretfoto van haar maken. Voor W.'

Haar ogen puilden bijna uit hun kassen, en ik bracht haar op de hoogte van Claudia's machtsgreep, op publiciteitsvlak althans.

'Wauw,' luidde haar vet Amerikaanse commentaar. Vervolgens haalde ze haar schouders op. 'Nou, Phillip Landau is een genie met de camera,' zei ze. 'Ik weet zeker dat hij zelfs Claudia een menselijke uitstraling kan geven.' Kennelijk schoot haar toen te binnen dat Claudia wellicht niet menselijk genoeg was om haar toekomstige carrièreswitch te begrijpen, dus drukte ze me op het hart: 'Je vertelt haar toch niets, hè? Over mijn plannen om weer naar school te gaan? Want ik heb nog niet besloten of het Londen of New York wordt. Ik heb de hele winter nog om daarover na te denken.'

Wat heet, ze had haar hele leven nog voor zich.

Op hetzelfde moment besefte ik, voor het eerst in een heel lange tijd, dat dat voor mij ook gold.

Lori bleek niet de enige met een nieuwtje te zijn.

'Oké, Grace, ben je er klaar voor?' vroeg Angie, die tegenover me zat op een van de drie banken die her en der verspreid stonden in het appartement dat ze deelde met Justin.

Diezelfde Justin zat nu met een dromerige blik in zijn ogen naast haar naar de zachte rode stof te staren waarmee de bank was bekleed die ze liefdevol 'bank nummer drie' noemden.

Ik had niet tegengestribbeld toen Angie me had gesommeerd na het werk naar haar toe te komen, want ik had haar gemist dit weekend. Bovendien had ze gezegd dat zij en Justin hun kerstboom gingen optuigen, en een klein beetje feestvreugde na mijn allesbehalve vreugdevolle feestdag leek mij balsem voor de ziel.

Angie greep Justins hand, waarop hij naar haar lachte, en vervolgens keek ze mij weer aan.

'We zijn getrouwd,' kondigde ze met een stralende blik aan.

'Wát?' stootte ik volkomen perplex uit. 'Hoe zit het dan met die... die kitscherige bedoening in Brooklyn? De discobal en de kristallen kroonluchters? En niet te vergeten de ijssculptuur van een zwaan?'

Ze schoot in de lach, alsof het vooruitzicht dat ze de vogeltjesdans moest doen met al haar familieleden uit Brooklyn haar niet langer de stuipen op het lijf joeg. 'O, ik weet zeker dat we niet aan dat circus kunnen ontkomen,' zei ze, zich dichter tegen Justin aan nestelend, die zijn armen om haar heen sloeg.

Ze keek de man aan met wie ze haar leven ging delen. 'Justin en ik besloten dat we niet langer wilden wachten. Dus hebben we vanuit L.A. een uitstapje naar Vegas gemaakt. En voilà!' Teder kuste ze Justins wang, voordat ze zich weer tot mij richtte. 'Je had het moeten zien, Grace. We zijn getrouwd in een roze kapelletje. Volgens mij was het altaar van piepschuim gemaakt! Het enige wat eraan ontbrak, was een Elvis-imitator om het plaatje compleet te maken. Maar we hebben genoegen genomen met een pastoor in een wit Armani-pak,' vertelde ze giechelend. 'Nu ik erover nadenk, was het waarschijnlijk protseriger dan het in mijn moeders stoutste dromen had kunnen zijn. Maar het was van ons. Elke krankzinnige, prachtige minuut ervan.'

Heel even ging ik erin mee – die blik die ze wisselden, die woordeloos duidelijk maakte dat wat zij hadden, van hen alleen was en niet kon worden vergald door de waanzin van een DiFranco-bruiloft.

De gedachte aan die familie deed me echter onmiddellijk weer met beide benen op de grond belanden. 'Wat zei je moeder ervan?' vroeg ik, met in mijn achterhoofd haar teleurstelling – en haar enorme verontwaardiging. Angie was haar enige dochter en haar enige nog ongetrouwde kind. Ik wist zeker dat Mrs. DiFranco het plannen van Angies bruiloft als haar privilege beschouwde.

'Eh... eigenlijk hebben we het haar nog niet verteld...' antwoordde Angie, waarna ze op haar onderlip beet.

'En het mooiste is,' zei Justin, die intussen opstond, 'dat we dat ook niet hoeven te doen.'

Op het moment dat Justin in de slaapkamer verdween, keek ik Angie aan. 'Je gaat je moeder niet vertellen dat je getrouwd bent?'

Met een gelukzalige zucht keek ze naar de deur waardoor Justin zojuist was verdwenen, voordat ze opsprong om bij mij op de bank te komen zitten. 'Ik weet dat het idioot klinkt, maar ik voel me vanbinnen veel kalmer sinds we deze stap genomen hebben. Dit is voor iedereen het beste. Nu kan mijn moeder haar bruiloft organiseren, en heb ik mijn gemoedsrust –'

'Wacht eens even, spoel even terug, want ik begrijp hier niets van.'

'Oké, laat me bij het begin beginnen. We zaten in L.A. We hadden net een vergadering achter de rug met een paar investeerders, en hoewel iedereen geïnteresseerd leek, had nog niemand toezeggingen gedaan. Maar aangezien het zakelijke deel van de reis erop zat, besloten we wat rond te gaan slenteren om van de stad te genieten. We waren net op het strand aangekomen voor de broodnodige ontspanning, toen mijn moeder me belde om te vertellen dat de cateraar van de zaal die ze wilde huren niet de Italiaanse worstjes heeft die ze tijdens het borreluur wil serveren – ik geloof dat die tent koosjer is en die worstjes niet, zoiets. En daar is ze dan volkomen hysterisch over! Ze gilt dingen als –'

'Heb je ooit gehoord van een cateraar die geen Italiaanse worstjes wil leveren!' bauwde Justin Angies moeder na met zijn beste Brooklyn-accent. In zijn handen hield hij een doos waarop 'kerstversiering' stond geschreven.

Driftig knikte Angie met haar hoofd, terwijl Justin de doos op de grond zette en weer terugliep naar de slaapkamer. 'Vervolgens ratelde ze maar door dat we onmiddellijk een datum moeten prikken, omdat er volgens haar maar één andere geschikte zaal is die niet koosjer is en die groot genoeg is voor de hele familie. Tegen de tijd dat ik haar eindelijk tot bedaren had weten te brengen en had opgehangen, had ik het zelf niet meer. Plotseling begon ik me zorgen te maken – en niet alleen over worstjes. Maar over hoe Justin en ik het samen moeten rooien na de bruiloft. Over wat er met de film gaat gebeuren... met ons. Ik bedoel, niets leek zeker, en opeens flipte ik. Dus Justin en ik kregen knallende ruzie, daar op het strand. Uiteraard hebben we ons boeltje opgepakt en zijn vertrokken, want we stonden een scène te trappen. Die Californiërs maken zich volgens mij echt helemaal nérgens druk om. Dat is gewoon niet normaal. Wat zijn dat in vredesnaam voor mensen?'

Justin kwam de kamer weer in gelopen, nu met een iets grotere doos dan de vorige. 'Er is niets mis met een beetje innerlijke rust, Ange,' zei hij, voordat hij de doos naast de andere op de vloer liet ploffen.

'Ja, dat weet ik wel,' zei ze, met haar ogen draaiend naar Justins verdwijnende rug. 'In elk geval, wij gingen terug naar het hotel, en er was spanning tussen ons – en niet een leuk soort spanning. Ik had nog nooit zo'n verwijdering tussen ons gevoeld.' Bij de herinnering alleen al welden er weer tranen in haar ogen op. 'Hij was kwaad op me omdat ik mijn moeders hysterie tussen ons liet komen, en daar had hij gelijk in. Waarom liet ik me gek maken door mijn moeder?' verzuchtte ze. 'Toen we die avond gingen slapen, had ik zo'n rotgevoel. Voornamelijk omdat Justin en ik nooit zo... zo nijdig op elkaar gingen slapen. Maar toen we de volgende ochtend wakker werden, keek Justin me aan met die prachtige ogen...' Met vochtige ogen glimlachte ze. '...en ik besefte dat hij de man was van wie ik altijd zou houden, wat er ook gebeurt. En hij moet hetzelfde hebben gevoeld, want ineens trok hij me naar zich toe en zei dat hij wilde trouwen – meteen. Eerst dacht ik nog dat hij niet helemaal lekker was geworden, maar het volgende moment stond ik alles in een koffer te proppen om met hem op een vliegtuig naar Vegas te springen.' Stralend keek ze me aan. 'Hij bleek gelijk te hebben. Ik heb me nergens meer druk om gemaakt sinds we elkaar het jawoord hebben gegeven. Het was alsof er iets... over me neerdaalde. Zelfs de hele rits berichten die mijn moeder op mijn voicemail had ingesproken, kon me niet van mijn stuk brengen; kennelijk is de Italiaanse band die op de bruiloft van mijn broer Sonny heeft gespeeld, uit elkaar, en mijn moeder wist niet of ze nog iets beters zou kunnen regelen. En hoe moeten we een bruiloft vieren zonder de een of andere gedrongen kale Italiaan die Amore ten gehore brengt?'

Justin verscheen weer in de kamer, deze keer met twee dozen tegelijk. Toen Angie hem aankeek, lachte hij haar toe, voordat hij onder het fluiten van Amore weer naar de slaapkamer verdween.

Op Angies gezicht verscheen een vertederd lachje.

Voor het eerst sinds ik haar kende, zag ik dat die bezorgde blik die bij haar altijd op de loer lag, wonderlijk genoeg was verdwenen. Op dat moment wist ik zeker dat Angie in Justin een liefde had gevonden die alles zou overwinnen wat de toekomst mocht brengen.

Uit de slaapkamer kwam het geluid van een klap.

Alle twee keken we naar de deuropening, waardoor Justin verscheen met een ernstig verontruste uitdrukking op zijn gezicht. Hij sjokte naar binnen met een doos die groot genoeg was voor een breedbeeldtelevisie. Zodra hij die op de grond had gezet, trok hij een flap open waar met grote letters 'kerstversiering' op stond. 'Hemel, ik hoop niet dat ik iets gebroken heb...'

'Justin!' riep Angie uit, die zich nu leek te realiseren dat hun woonkamer eruitzag als een opslagloods met al die dozen. 'Wat ben je aan het doen? Zoveel versieringen hebben we helemaal niet nodig.'

Wat ze wel nodig hadden, was een kerstboom, dacht ik toen ik eens om me heen keek. 'Eh... waar was je van plan al die versieringen op te hangen?' vroeg ik.

Een brede grijns nam de plaats in van de bezorgde trek op Justins gezicht. 'In Bernadette, natuurlijk,' antwoordde hij met een gebaar naar de grote plant in de vensterbank.

Bernadette was de azalea die Justin en Angie onbedoeld bij elkaar had gebracht. Als onderdeel van een plannetje om de verliefde gevoelens van haar vorige vriendje wat aan te wakkeren, had Angie twaalf lange rode rozen besteld in een vergeefse poging om Kirk jaloers te maken – en had een azalea in haar maag gesplitst gekregen. Een azalea die Justin niet alleen vanaf het begin had verpot en verzorgd, maar die hij ook een naam had gegeven en waarvoor hij een paar liedjes had geschreven. Liedjes die in werkelijkheid voor Angie bedoeld waren geweest.

'Justin, Bernadette is wel groot geworden, maar niet zo groot,' zei Angie op geërgerde toon. 'Wat gaan we met al die versieringen doen?'

Justin liet zijn blik over de dozen aan zijn voeten gaan, alsof het nog niet bij hem was opgekomen dat je in een azaleaplantje nooit al die kerstversieringen kwijt kon. 'Kweenie... Ik dacht dat we ze gewoon stuk voor stuk konden bekijken en de mooiste eruit konden halen...' Vervolgens, alsof zijn oog net op een van zijn favorieten was gevallen, haalde hij uit een van de dozen iets tevoorschijn wat leek op een kerstman op ski's, zijn lange pluizige baard vergeeld van ouderdom en een van zijn skistokken foetsie. 'Hé, mijn tante Eleanor heeft me deze gegeven toen ik vijf was of zo!' riep hij blij uit. Tussen de dozen door slalommend naar Bernadette, hing hij de gehavende kerstman aan een tak op een zeer in het oog springende plek.

Toen Angie me aankeek, zag ik aan haar gezichtsuitdrukking dat ze vond dat dit duidelijk niet de mooiste kerstboom was die ze ooit had gehad.

De glimlach die ze haar echtgenoot vervolgens schonk, vertelde echter dat dit wel eens haar beste kerstdagen ooit konden worden.

15

Het wordt tijd dat de blonde glamourgirl haar nonchalante houding laat varen en zich de technieken van de traditionele verleidster eigen maakt. Wij horen gevaarlijke types te zijn. (Kim Novak)

Uiteraard voorspelde Angie mij hetzelfde toen ik haar vertelde over mijn eigen meesterzet met Jonathan. Waarschijnlijk omdat ik het sprookje van onze romance in de dop wat had opgesmukt door te beginnen bij onze eerste toevallige ontmoeting voor het schilderij van Chevalier waar mijn ouders elkaar veertig jaar geleden voor het eerst hadden ontmoet. Dat was natuurlijk een vergissing, want Angie vatte dat op als een niet mis te verstaan voorteken voor geluk in de liefde voor mij.

Ik liet me zo meevoeren door dat hartverwarmende en vage visioen van de toekomst dat Angie me had voorgehouden, dat ik tot mijn eigen verbazing maatregelen trof om me ervan te verzekeren dat er iets tussen ons zou gebeuren. Die maatregelen bestonden uit een zwart omslagjurkje en kniehoge laarzen met naaldhakken voor mijn afspraakje met Jonathan die avond. Het geheel was smaakvol, maar had precies genoeg sex-appeal om... fataal te zijn.

Hoewel het concert ergens in de buurt van de universiteit was – hij had niet gezegd waar precies – kwam hij me thuis afhalen, aangezien hij die dag geen colleges had en, zo herinnerde ik me verheugd, vlakbij woonde.

Toen hij voor de deur stond, gekleed in een donkere

broek en een wollen jas en een enigszins verwarde uitdrukking op zijn gezicht, wist ik dat hij een schot in de roos was.

'Grace, je, eh... je ziet er prachtig uit. Mooi,' zei hij, hoewel dat laatste woord er een beetje gelaten uitkwam.

Daar stond ik verder echter niet bij stil, want zijn blik vertelde me alles wat ik moest weten: hij had het zwaar.

Ik glimlachte tevreden. Het werd nog beter; toen we achter in de taxi zaten, viel de split aan de voorkant van mijn jurk open en onthulde een flink stuk been.

Zijn ogen verwijdden zich, en even was ik bang dat hij zich in zijn eigen tong zou verslikken toen hij tegen de chauffeur stamelde: '112th, eh... en Amsterdam, alstublieft.'

Zodra we even later voor een kerk stopten, verslikte ik me bijna. 'O, is het hier?' vroeg ik bij de aanblik van de kathedraal van de Heilige Johannes.

Oké, dus ik was wat uitdagend gekleed voor een kerkbezoek, maar wat kerken betrof, was deze toch wel behoorlijk sexy te noemen met zijn Gotische torenspitsen en schemerig verlichte, prachtige interieur.

Ik had me zelfs nog nooit zo sexy gevoeld in een kerk.

We zaten op het balkon, en zodra de tonen van Mozarts Esultate Jubilate van het orkest en de solist ons daarboven bereikten, werd ik overvallen door een verlangen om mezelf stevig tegen Jonathan aan te drukken.

Die zag er knap en ingetogen uit, totdat de muziek aanzwol en er een extatische uitdrukking op zijn gezicht verscheen.

Wat bij mij de vraag deed rijzen hoe hij eruit zou zien wanneer hij...

Ja, inderdaad. Ik zou eeuwig branden in het vagevuur. En ik kon amper wachten tot de vlammen zouden oplaaien.

'Vind je de muziek mooi?' vroeg Jonathan tijdens een korte pauze tussen twee stukken in.

Bevestigend knikte ik, ietsje te vurig. Of het was omdat hij zich mijn vurigheid kon indenken, of omdat hij zijn eigen versie daarvan had, in elk geval pakte hij mijn hand en liet die niet meer los. Precies op het juiste moment ook.

Want de muziek was weer begonnen, en dit keer was het een stuk dat ik onmiddellijk herkende. In mijn jeugd had ik het vaak genoeg gehoord tijdens concerten waarin mijn moeder had meegespeeld, als haar plichten als echtgenote en moeder dat hadden toegestaan. Ik herinnerde me de eerste keer dat ik haar had zien spelen, in een kerk die niet zo indrukwekkend was als deze, maar die net zo vol had gezeten. Destijds was ik vijf jaar oud geweest en had met mijn vader op een van de voorste rijen gezeten, luisterend naar het aanzwellen en wegsterven van de melodie, terwijl ik een dromerige uitdrukking op mijn moeders gezicht had zien verschijnen toen ze over haar cello had geleund.

Ik wist nog dat ik haar zo anders had gevonden. Alsof ze een onbekende voor me was. Toen de muziek een crescendo had bereikt, zoals nu ook het geval was, had ik het gevoel gehad dat mijn moeder buiten zichzelf was getreden; ze had haar ogen gesloten, alsof ze naar een plek werd gevoerd ver weg van waar ik met mijn vader had gezeten. Daarop was ik in tranen uitgebarsten en had zo luid gebruld, dat mijn vader me mee naar buiten had moeten nemen. Natuurlijk was me dat vergeven. Destijds was ik nog maar een klein kind geweest.

Terwijl ik nu...

'Gaat het?' fluisterde Jonathan in mijn oor.

Zijn vraag verbaasde me, totdat ik me realiseerde dat

de tranen – tranen! – over mijn wangen rolden. Ik moest krankzinnig zijn geworden.

Omdat ik het zelf ook niet begreep – en het waarschijnlijk niet had verteld, als dat wel het geval was geweest – knikte ik kort en nam de tissue aan die Jonathan uit zijn jaszak tevoorschijn haalde – wat lief! – om het belastende bewijs van mijn emotionele bui van mijn wangen te vegen.

Zodra het stuk ten einde was, hielp ik meteen eventuele misvattingen uit de wereld die Jonathan zou kunnen hebben over mijn reactie op de muziek. Ik verzekerde hem dat het gewoon nostalgie was, hoewel ik diep vanbinnen wist dat er meer aan de hand was. 'Mijn moeder speelde dat Elgar-concerto vaak toen ik nog een kind was.'

'Het is een prachtig stuk,' zei hij met een onderzoekende blik op mij.

Waar was hij naar op zoek, vroeg ik me af, terwijl ik in die warme hazelnootbruine diepten blikte. Wat wilde hij weten? Plotseling had ik het gevoel dat ik hem die avond alles zou vertellen wat hij wilde weten. Als hij daarom vroeg.

Dat deed hij echter niet. Wat ook prima was. In plaats daarvan liepen we na het concert een paar blokken gehuld in een vriendschappelijk stilzwijgen, alsof we allebei van de avond genoten.

Ik genoot er in elk geval wel van. Want op het moment dat Jonathan bleef staan, draaide ik me naar hem om in de hoop dat hij net zulke romantische gevoelens koesterde als ik. Tenslotte stonden we voor een boom waarin witte kerstlichtjes twinkelden onder een hemel die oplichtte van de sneeuw die op komst was.

Hij deed echter alleen een stap naar de stoeprand en hief zijn hand op om een taxi aan te houden.

Ik huiverde, een beetje verslagen.

'Heb je het koud, Grace?' vroeg hij.

Nee, niet koud. Dat niet. Toch speelde ik even met de gedachte om van de gelegenheid gebruik te maken door onder die zwarte jas te duiken voor een beetje lichaamswarmte. Helaas stopte er precies op dat moment een taxi voor ons, en ik zwichtte voor Jonathans attente poging om me naar binnen te dirigeren.

Toen de taxi voor mijn huis stopte, omhelsde hij me zoals een broer zijn zus omhelst. Om mijn teleurstelling te verbergen, schoot ik snel de taxi uit met een gemompeld 'goeienavond'.

'Een omhelzing is goed! Dat is vooruitgang!' zei Angie toen ik mezelf had verlaagd tot die slechte vrouwelijke gewoonte om de man te analyseren.

Ik had haar de volgende ochtend zelfs meteen gebeld om deze laatste ontwikkeling te bespreken. Of stilstand. Ik kon er niets aan doen, want Dr. Jonathan Somerfield maakte me danig van streek.

'Hij denkt waarschijnlijk dat ik een... een hopeloos geval ben.' Vervolgens legde ik uit – hoewel ik me zorgen maakte over mijn eigen uitleg – dat ik zo emotioneel was geworden.

Het bleef een tijdje stil aan de andere kant, wat mij nog meer verontrustte. 'Heb je je ouders de laatste tijd nog gesproken?' vroeg Angie uiteindelijk.

Nu begon ze al net als Shelley te klinken. 'De laatste tijd niet, nee.' Ik had wel willen bellen, maar de laatste keer dat we elkaar hadden gesproken, hadden ze het zo druk gehad met inpakken en plannen maken, dat ik hun vrolijke stemming niet had willen bederven met mijn malaise. En nu... nu wilde ik het kleine beetje geluk dat ik had gevonden, beschermen door er niet te veel gewicht aan te geven. Want één opmerking over mijn uitjes met de voormalige protégé van mijn vader, en mijn romantische moeder zou er de liefdesaffaire van maken die het duidelijk niet was.

'Ik denk dat ik... ongesteld moet worden,' zei ik, voor mezelf beredenerend dat mijn lichamelijke cyclus me wellicht zo'n kwetsbaar gevoel gaf.

Niet dat dat gevoel daarmee verdween. In de loop van de dag leek het er alleen maar erger op te worden. Zozeer zelfs dat ik, toen ik geduldig zat te luisteren naar Lori die enthousiast vertelde dat ze de laatste hand aan haar portfolio legde voordat ze hem naar de fotovakschool in Londen stuurde, alleen maar kon denken aan de vraag of Jonathan nog zou bellen voor een nieuw afspraakje.

Tegen de tijd dat ik die avond bij Shelley arriveerde, was ik zo gespannen als een veer.

Haar houding maakte het er niet beter op.

'Ik wil het over vorige week hebben,' begon ze.

'Vorige week?' herhaalde ik, knipperend met mijn ogen. Dat leek een eeuwigheid geleden. Er was intussen weer zoveel gebeurd. En niet gebeurd. 'Vorige week hebben we elkaar niet gesproken.'

'Inderdaad. Daar wil ik het over hebben. Jouw redenen om de sessie af te zeggen.'

'Het was een feestdag, weet je nog? Thanksgiving?' Ik greep het eerste het beste excuus aan dat in me opkwam voor mijn onbekommerd ingesproken afzegging op haar voicemail.

'O,' reageerde ze, me onderzoekend opnemend. 'Ben je de stad uit geweest? Om je ouders op te zoeken?'

'Nee, nee. Dat was te veel gedoe met hun vertrek naar Parijs zo vlak voor de deur. Trouwens, in New Mexico ben je niet zo één, twee, drie. Weet je dat er vanuit New York geen rechtstreekse vlucht heen gaat? Het is een hele dag reizen, en dat vond ik iets te veel van het goede voor een lang weekend...'

'Dus je bent thuis gebleven?'

'Ja, als je dat per se wilt weten,' antwoordde ik, gefrustreerd over de richting waarin ze dit gesprek stuurde. 'Een stukje kalkoen gegeten.' Dat het meeste daarvan in de vuilnisbak was beland, vermeldde ik maar niet. 'Een glaasje wijn erbij. Wat werk ingehaald. Weet je, ik geloof dat ik de verklaring heb gevonden voor het kelderen van de verkoopcijfers van Youth Elixer. Je weet wel, de campagne waar ik aan werk.' Omdat ik stond te popelen om het onderwerp – dat wil zeggen, de man – ter sprake te brengen waar al mijn gedachten om draaiden, ging ik verder: 'Hoe dan ook, ik was blij dat ik thuis was gebleven. Want op vrijdag heb ik –'

'Dus je had woensdagavond kunnen komen maar besloot dat maar niet te doen?' vroeg ze, zich als een pitbull vastbijtend in dat onderwerp.

Ongeduldig ademde ik uit. Dit hele therapiegedoe was volslagen nutteloos. Kwam ik hier niet om een beetje gemoedsrust te vinden? Nu was ik van streek om iets wat tijdens mijn laatste afspraakje met Jonathan was gebeurd. Daar wilde ik dus over praten. Aangezien ik moest betalen voor deze sessie, zou ik op zijn minst het recht moeten hebben om me druk te maken over een man wanneer ik dat wilde. 'Als dit een kwestie van geld is, dan betaal ik je wel voor die gemiste sessie,' zei ik uiteindelijk.

'Is dat wat je denkt? Dat het mij om het geld gaat?'

'Nou, je bent ergens behoorlijk pissig over. Luister, ik wil je die rotcenten wel betalen...' Even deed ik er het zwijgen toe, waarna ik er op een iets rustigere toon aan toevoegde: 'Ik bedoel, als dat is wat je wilt.'

'Ik probeer te begrijpen waarom je zo kwaad bent.'

'Ik ben niet kwaad!' schreeuwde ik, waarna ik me volkomen belachelijk voelde onder haar starende blik. 'Het spijt me als je helemaal vanuit Brooklyn voor nop hierheen bent gekomen. Je mag me de taxikosten ook in rekening brengen –'

'Brooklyn? Grace, ik woon niet in Brooklyn. Ik heb je laatst nog verteld dat ik in het centrum woon.'

'Brooklyn, het centrum. Wat is het verschil –'

'Er is een heel groot verschil tussen Brooklyn en het centrum van Manhattan.'

Alsof ik dat niet wist. 'Sorry als ik je... beledigd heb,' zei ik op nogal sarcastische toon. 'In onroerend goedopzicht.'

Ze staarde me aan.

'Niet dat er iets mis is met Brooklyn,' wauwelde ik. 'Ik bedoel, ik heb er zelf ook een tijdje gewoond. Klaarblijkelijk ben ik daar ook geboren.'

Nu trok ze haar wenkbrauwen op. 'En waarom denk je dat je Brooklyn zei terwijl je wel weet dat ik in de Village woon?'

Ik had geen idee waar ze heen wilde, maar het was duidelijk dat ze de een of andere psychologische kronkel meende te hebben ontdekt. Dus staarde ik terug, probeerde ik haar gedachtegang te begrijpen om haar de flauwekul te kunnen opspelden waarnaar ze op zoek was, zodat we dat maar gehad hadden. Een tel later ging me een lichtje op.

'O, ik snap het al. Kristina Morova.' Het kwam altijd weer op haar neer. 'Dus jij denkt dat die Brooklynverspreking een verwijzing naar haar was.'

'Ik denk helemaal niets. Ik vraag het jou.'

'Als je het zo nodig wilt weten, ik ben ook niet naar Brooklyn gegaan. Katerina heeft me wel gebeld, maar ik heb haar gezegd dat ik al plannen had.' Ik zuchtte diep. 'Ik had vorige week gewoon geen zin om mensen te zien, oké? En ik wilde er ook niet over praten. Mag dat af en toe misschien? Dat ik niet kom? Zitten we hier niet om mij gelukkig te maken in plaats van jou?'

'Probeerde je mij ongelukkig te maken?'

'Dit is waanzin. Oké, ja. Ik probeerde je op stang te jagen. Uit de een of andere perverse behoefte aan wraak op Kristina. Oké? Kunnen we nu dan weer verdergaan?'

'Interessant.'

Interessant? Viel wel mee. 'Kunnen we van onderwerp veranderen?'

'Ik wil je eerst iets vragen.'

Ik zette me schrap.

'Als ik Kristina Morova was, wat zou je dan tegen me willen zeggen?'

Het vinnige antwoord dat op het puntje van mijn tong lag, slikte ik in, waarna ik ineens met mijn mond vol tanden bleek te zitten. Want de waarheid was dat ik geen woorden kon vinden voor haar, deze vrouw die mij het leven had geschonken. Ze was slechts een schim, een onbekende...

'Weet je,' begon ik, terwijl ik een brok in mijn keel kreeg, 'het enige wat ik je vanavond wilde vertellen, was dat ik... dat ik iemand heb ontmoet. Iemand die ik heel erg leuk vind...' Plotseling leek het alsof mijn keel werd dichtgesnoerd, en kreeg ik het heel warm. Misschien was het toch PMS.

Het volgende moment welde er een snik in me op, zo oncontroleerbaar, dat ik hem niet kon tegenhouden. Ik schaamde me dood. Nog erger dan de vorige avond toen ik had zitten huilen om een stom muziekstuk.

Zodra de tranen begonnen te stromen, begroef ik mijn gezicht in mijn handen alsof ik mijn huilbui voor Shelley kon verbergen. Er viel echter niets meer te verbergen. Ik was in tranen. En bang. Maar waarvoor?

Voor het verlangen naar dingen, besefte ik. Dingen die onbereikbaar leken.

Bij die gedachte diende zich een nieuwe lading waterlanders aan, die ik gewoon liet stromen. Wat kon ik anders doen? Het was een complete stortbui.

Zodra het over was – want uiteindelijk gíng het over – voelde ik me zo'n ongelooflijke malloot, dat ik had zitten grienen onder de ogen van deze vrouw, deze wildvreemde...

Dus vermande ik mezelf, maar toen zag ik een meelevende blik in Shelleys ogen waardoor ik nog meer wilde huilen.

Alsof ze dat aanvoelde, pakte ze de doos tissues van haar bureau en hield die mij voor.

Dat gebaar alleen was al genoeg om de nieuwe stortvloed tegen te houden, zo belachelijk dankbaar was ik voor het feit dat ze begreep dat ik het moeilijk had. Ik hoopte alleen dat ze me niet zou vragen om het uit te leggen, want dat kon ik niet. Net zomin als ik het de vorige avond aan Jonathan had kunnen uitleggen.

'Zo, vertel eens over die man die je hebt ontmoet,' zei Shelley.

Dat verbaasde me hogelijk. Eindelijk gingen we eens praten over iets waarover ik het wilde hebben. Dus vertelde ik haar hoe we elkaar hadden ontmoet, over onze dag in het museum en het concert van de vorige avond.

'Daarbij heb ik ook al zitten huilen,' bekende ik. 'Het lijkt wel alsof het in mijn bovenkamer niet helemaal lekker spoort.' Natuurlijk was Shelley gespecialiseerd in bovenkamers. Waarschijnlijk vond ze me bijna rijp voor een inrichting.

'Nu zit ik hier als een... een dwaze smoorverliefde bakvis,' ging ik verder. 'Het enige wat door mijn hoofd speelt is: zal hij me bellen, vindt hij me leuk? Dat is toch belachelijk?'

'Ja, inderdaad,' beaamde ze.

Verbluft keek ik haar even aan, waarna me zowaar een lachje ontschoot. 'Nou, hartstikke bedankt.'

Shelley glimlachte ook, en dat was nog verbazingwekkender. Ik had haar nog nooit zien lachen. Het voelde als een soort... beloning.

Vervolgens gaf ze me het eerste echte advies dat ik in deze idiote sessies had gekregen. Het klonk heel erg als het klinkklare eenvoudige advies dat een vriendin zou geven. Of een moeder.

'Volgens mij moet je hem zelf gewoon bellen.'

Ja, het was een eenvoudig advies, maar om de een of andere reden verdraaid moeilijk om op te volgen. Normaal gesproken, had ik meer lef dan de meeste mannen. Toch gedroeg ik me nu als een angstig klein meisje. De volgende ochtend op mijn werk pakte ik de telefoon wel een keer of zes op, al die tijd een manier bedenkend waarop ik de ongrijpbare Dr. Somerfield heel cool en nonchalant een nieuw afspraakje kon ontfutselen – zonder dat het overkwam alsof ik te hard mijn best deed. Bij mijn laatste poging bedacht ik dat ik net kon doen alsof ik hem per ongeluk had gebeld om hem vervolgens aan de praat te houden totdat ik een gunstig moment had gevonden om hem mee uit te vragen.

Treurig, hè?

Nog treuriger was de aanblik van Claudia, die twee uur te laat binnen kwam draven en kennelijk een jetlag had overgehouden aan haar vlucht vanuit Milaan. Of iets in die geest.

Ik had kunnen zweren dat ze weer zichzelf was, omdat ze haar jeugdige outfitjes weer leek te hebben verruild voor haar eigen sobere maar chique garderobe. Dat was echter het enige herkenningsteken van de oude Claudia dat we te zien kregen. Er werden geen snerpende orders vanachter haar bureau geblaft, niet doorlopend onmogelijke eisen gesteld. Haar deur bleef de hele dag gesloten, en als ze wel tevoorschijn kwam, was het om stilletjes naar het toilet te sluipen of om een onbenullig opdrachtje in Lori's postbakje te leggen, voordat ze zich weer in haar kantoor opsloot.

'Denk je dat ze ziek is?' fluisterde Lori tegen me.

Ik hoopte dat het inderdaad zoiets tijdelijks als een

griepje was. Want hoewel ik een bloedhekel had aan Claudia's dictatoriale managementstijl, kon ik dit ook niet aanzien. Ze leek zo mak als een lammetje, en dat was eigenlijk nog erger dan haar tirannieke houding.

'Gaat het wel goed?' vroeg ik haar toen ik 's middags haar kantoor was binnen gedrongen om een rapport te bespreken dat ik had opgesteld.

Ze keek op van het rapport, dat ze al was begonnen door te bladeren. Haar ogen stonden vermoeid, en ze zuchtte diep. 'Ik ben oud, Grace.'

Bijna schoot ik in de lach. Tenslotte was dat toe te geven de eerste stap. In de wetenschap dat Claudia hier waarschijnlijk de humor niet van in zou zien, gaf ik haar de standaardreactie. 'Je bent zo oud als je je voelt, Claudia.'

Een vernietigende blik was mijn deel. 'Nou, ik voel me vandaag een jaar of negentig. Mijn hele lichaam doet pijn van die toeristenklassevlucht van Milaan naar Newark. Het is toch niet te geloven dat ze maar twee stoelen in de eerste klas hadden op de vlucht terug? Drie keer raden wie die kregen. Ik werd in de toeristenklasse gestopt met Irina's assistente, Bebe. Kun je nagaan. Ik heb pijn in mijn hoofd, en volgens mij heb ik vanochtend in de taxi op weg hierheen mijn eerste opvlieger gehad. Ik ben de taxichauffeur bijna aangevlogen omdat hij de verwarming te hoog had gezet. Maar toen ik hier voor de deur werd afgezet, besefte ik dat ik nog steeds stond te zweten – en het is hier rond het vriespunt!'

Ik besloot het gesprek te brengen op wat volgens mij de ware reden van Claudia's pestbui was. 'Wat is er in Milaan gebeurd?'

Ze huiverde. 'Wat is er niet gebeurd? Zodra we uit het vliegtuig waren gestapt, liep Bebe het een of andere maffe virus op. Dus wie denk je dat alle restaurants van tevoren moest bellen om te controleren of ze aan

Irina's dieetvoorschriften konden voldoen? Dan waren er nog al die nachtelijke fuiven waar ik van Irina zo nodig mee naartoe moest, hoewel ik geen idee heb waarom. De helft van de tijd stond ze op de dansvloer allerlei poses aan te nemen voor Phillip, en de rest van de tijd zat ze met haar mobiel aan haar oor om aan wie het maar horen wilde te vertellen hoe grandioos ze het had. Ik was zo opgelucht toen ze voorstelde een paar dagen naar het merengebied te gaan, maar toen we daar aankwamen, hoorde ik de gastvrouw aan Irina vragen...' Ze kneep haar ogen stijf dicht, alsof de herinnering haar nog steeds door de ziel sneed. '...of haar... móéder die avond samen met haar zou dineren in de eetzaal.' Nijdig keek ze me aan. 'Vind jij dat ik eruitzie als iemands móéder?'

Met die dreigende uitdrukking op haar gezicht, zag Claudia er verre van moederlijk uit. De realiteit was echter dat Claudia oud genoeg was om Irina's moeder te kunnen zijn. Niet dat ik zo dom was om haar op dat specifieke biologische gegeven te wijzen. Een verandering van onderwerp leek me hier op zijn plaats. 'Hoe ging de fotosessie eigenlijk?'

Haar gezichtsuitdrukking veranderde op slag, en in haar ogen verscheen een hoopvolle blik. 'O, de fotosessie. Die ging fantastisch. Die Phillip...' verzuchtte ze. 'Hij is een genie. Hij wist me zo op mijn gemak te stellen, me zo vrouwelijk te laten voelen. Jammer dat hij homo is. Ik weet zeker dat hij een vrouw heel gelukkig kan maken.'

'Nou, kennelijk maakt hij heel veel vrouwen gelukkig, te oordelen naar het aantal prachtige portretten dat hij heeft gemaakt,' zei ik glimlachend.

'Dat is waar,' zei ze dromerig. Nu zag ze er zelf bijna gelukkig uit – en meteen een stuk aantrekkelijker ook. In feite was ze een beeldschone vrouw, maar haar spitse neus, aristocratische trekken en haar donkere ogen kregen vaak iets hards door haar venijnige temperament. Een temperament dat volgens mij voortkwam uit haar eeuwige strijd om te krijgen wat haar geld of haar macht haar niet konden geven – en uit het cynisme dat het gevolg was van het mislukken daarvan.

Ik zag dat die cynische blik ook nu weer in haar ogen verscheen. 'En wat heb jij intussen beleefd?'

Nonchalant haalde ik mijn schouders op, bang dat ze op de een of andere manier aan me kon zien dat ik in emotioneel opzicht nogal wat voor mijn kiezen had gehad en me daarom zou bespotten. 'Niet veel.' Daarna praatte ik haar bij over wat er op kantoor was gebeurd tijdens haar afwezigheid. Volgens mij luisterde ze niet eens. Het kon haar geloof ik ook niets schelen.

'Ik wilde eigenlijk na de lunch naar huis gaan om te slapen,' zei ze toen mijn verslag erop zat. 'Alleen heb ik zo een telefonische vergadering met Dianne, en je weet dat we die niet kunnen verschuiven. Het is het enige uur vandaag waarop ze niet aan haar moeders bed gekluisterd zit om haar gepureerde groenten te voeren,' besloot ze rillend.

Dat beeld verontrustte me. 'Dus Mrs. Dubrow is nog niets beter?'

Claudia haalde haar schouders op. 'Ik weet alleen dat ze dit jaar niet naar het kerstfeest komt.'

'Dianne?' vroeg ik, geschokt dat onze president-directeur er misschien niet bij zou zijn op het jaarlijkse feest dat het bedrijf gaf in het Waldorf-Astoria in de week voor kerst.

'Nee, nee. Zij komt natuurlijk wel, en hoogstwaarschijnlijk gehuld in een Escada die speciaal voor haar is ontworpen,' zei Claudia op bittere toon, alsof ze Dianne nog steeds haar rijkdom en luxeleventje kwalijk nam, hoezeer die vrouw momenteel ook op de proef werd gesteld. 'Maar haar moeder komt blijkbaar niet.'

Dat maakte mij duidelijk hoe ziek Roxanne Dubrow

moest zijn. Ondanks het feit dat ze al meer dan tien jaar gepensioneerd was, had ze het kerstfeest van het bedrijf nog nooit overgeslagen.

Het leek het einde van een tijdperk voor Roxanne Dubrow, nu de naamgeefster begon af te takelen.

Het deed mij beseffen hoe kort het leven eigenlijk was, en ik kon me niet onttrekken aan het feit dat ik te lang op te veel dingen had zitten wachten. Tenslotte had ik er meer dan dertig jaar over gedaan om antwoord te krijgen op de vragen over mijn biologische moeder die me het grootste deel van mijn leven hadden achtervolgd. Om er vervolgens achter te komen dat ik te laat was.

Het was deze gedachte, meer dan iets anders, die me de moed gaf om Jonathan te bellen. Terwijl ik het nummer intoetste, stelde ik een plan op. Ik wist dat de man naar me verlangde; dat had ik vaak genoeg ik zijn ogen gelezen. Plotseling wilde – nee, móést – ik een bevestiging hebben van wat ik duidelijk in zijn blik zag, wanneer hij zichzelf toestond om zijn ogen eens goed de kost te geven.

Toen ik zat te wachten tot de studente die de telefoon had opgenomen, Jonathan had geroepen, begon ik mijn plan te smeden. Ik zou voor hem koken. Bij mij thuis. Vrijdagavond.

Hij zou geen schijn van kans hebben.

'Grace,' zei hij op een toon alsof hij verbaasd was iets van mij te horen.

'Hoe is het?' vroeg ik.

'Goed, goed,' antwoordde hij. 'Met jou ook alles, eh... oké?' vroeg hij, alsof hij de reden van mijn telefoontje probeerde te achterhalen.

Misschien had hij geen flauw idee hoe graag ik hem wilde. Dus besloot ik hem een kleine hint te geven. 'Ja, hoor. Ik vroeg me af of je misschien zin had om vrijdagavond een hapje met me te eten.' Oké, een overduidelijke hint. 'Bij mij thuis.'

Mijn uitnodiging werd met stilzwijgen begroet, en plotseling wilde ik hem weer intrekken. Misschien was ik te ver gegaan. Of misschien was ik te ver heen, bedacht ik, bij de herinnering aan de slapeloze nacht waarin ik had gefantaseerd over hoe Jonathan eruit zou zien als ik hem eenmaal uit die coltrui en broek had gekregen.

'Eigenlijk heb ik vrijdag al een afspraak,' begon hij.

Als vanzelf liet ik mijn schouders hangen. Hier gingen we dan. Het grote afpoeieren was begonnen.

Mismoedig luisterde ik naar hem terwijl hij uitlegde dat de universiteit een receptie had georganiseerd voor een weldoener van zijn faculteit en dat hij als een van de professoren werd geacht daarbij aanwezig te zijn. 'Om je de waarheid te zeggen, zou ik liever met jou gaan eten,' zei hij. 'Dit soort gelegenheden is niet echt iets voor mij...'

Even zweeg hij, natuurlijk om mij de tijd te geven om uit te vogelen hoeveel troost ik uit deze laatste opmerking kon putten. Vervolgens voegde hij er tot mijn verbijstering en verrukking aan toe: 'Misschien zou je... zou je met me mee kunnen gaan? Als je dat wilt, althans.'

Als ik dat wilde? Haaallllooo! Omdat ik echter niet al te gretig over wilde komen, zeker niet nadat ik hem mezelf bijna op een presenteerblaadje had aangeboden, zei ik op de allercoolste toon die ik kon opbrengen: 'Misschien is het wel leuk om mijn *alma mater* weer eens te bezoeken.'

Angie was natuurlijk in alle staten en leek al klaar te staan om de uitnodigingen voor mijn bruiloft te printen, ondanks mijn uitleg dat Jonathans uitnodiging feitelijk een reactie was op die van mij. Het was niet bij hem opgekomen om mij uit te nodigen, totdat ik hem had gebeld.

'Nou en?' gilde ze me bijna toe. 'Je bent die avond toch bij hem? Denk je eens in hoe romantisch het zal zijn! Jij en hij, samen dansend...'

Ik glimlachte. Ja, het zou romantisch kunnen zijn.

Als ik dat wilde...

16

Iedere vrouw kan er op haar best uitzien als ze goed in haar vel zit. Het is geen kwestie van kleding of make-up. Het zit hem in haar uitstraling. (Sophia Loren)

In romantiek geloven was één ding. Je erop kleden, zo ontdekte ik, was van een heel andere orde.

Met name omdat de enige informatie die ik uit Jonathan had weten los te krijgen, was dat we geacht werden in avondkleding te verschijnen en dat iedereen van zijn faculteit er zou zijn.

Dat flardje informatie had me een beetje van mijn stuk gebracht. Niet alleen omdat ik dit jaar geen nieuwe avondjurk had gekocht. Ik kon met een gerust hart iets van vorig seizoen dragen bij deze mensen, die waarschijnlijk niet al te veel van de laatste mode wisten. Tenslotte kende ik dit soort mensen; de vriendenkring van mijn ouders bestond uit academici.

Het enige wat ik nodig had, was een beetje zelfvertrouwen. Plus, natuurlijk, een oogverblindende jurk.

Gelukkig had ik daar een kast vol van. Helaas leek geen enkele echt... geschikt.

Geloof me, ik heb ze allemaal aan gehad. Althans, alle exemplaren die bij dit jaargetijde pasten. Eerst probeerde ik de goudkleurige omslagjurk van Cavalli, die ik op de kop had getikt in de uitverkoop en die mijn rondingen accentueerde en mijn haarkleur verlevendigde. Het beschaafde decolleté veranderde echter in een schandalige insinuatie op het moment dat ik naar voren boog.

Daarna trok ik mijn nauwsluitende zwarte Donna Karan aan, het toppunt van raffinement – totdat ik ging zitten om mijn schoenen aan te trekken en me realiseerde dat het split aan de voorkant iets té gewaagd was. Eén keer mijn benen over elkaar slaan, en ik liep het risico dat er een gebouw naar mijn kruis werd vernoemd.

Wanneer was het chiquere deel van mijn garderobe zo schaamteloos uitdagend geworden, vroeg ik me af, turend naar mijn spiegelbeeld in de zwarte kokerjurk, waarin iets meer borst omhoog werd geduwd dan anders.

Ineens besefte ik dat mijn jurken niet strakker waren geworden, maar dat mijn rondingen iets... ronder waren geworden sinds de laatste keer dat ik in dit deel van mijn kledingkast had rondgeneusd. 'Voluptueus' was de elegante omschrijving. Toen ik me omdraaide en zag hoe de jurk om mijn iets molliger geworden achterste spande, moest ik echter toegeven dat ik een paar pondjes was aangekomen sinds de laatste officiële gelegenheid. Wel meer dan een paar, zag ik toen ik een soepel vallende zilvergrijze halterjurk aantrok en tot de ontdekking kwam dat mijn licht gewelfde buikje een meer dan lichte invloed op de naden had.

Hoewel het grootste deel van mijn dagelijkse kleding inmiddels was afgestemd op mijn iets rondere vormen, had ik geen tijd gehad om hetzelfde te doen voor het geraffineerde deel van mijn garderobe. En raffinement was precies wat ik die avond nodig had, wist ik.

Bij de gedachte aan het gedistingeerde gezelschap dat op dat feest zou rondlopen, begon ik me ongemakkelijk te voelen. Ik had zulke mannen en vrouwen al eerder meegemaakt tijdens de dineetjes die mijn ouders hadden georganiseerd en de gelegenheden waar ze me mee naartoe hadden gesleept voordat ik oud genoeg was geweest om te weigeren. Ineens schoot me een herinnering aan een van die feesten te binnen; een fondsenwerving voor de kunstacademie die ik op mijn veertiende gedwongen werd bij te wonen. Ik herinnerde me de uitgestreken gezichten van de vrouwen en de uitpuilende ogen van de mannen, toen ik in een op het oog onschuldig wit jurkje was binnengekomen, hoewel niets wat ik had gedragen sinds ik me het jaar daarvoor had ontwikkeld tot cup C nog echt onschuldig had gestaan.

'Van wie heeft ze díé?' had ik een normaal gesproken nogal gereserveerde collega van mijn vader horen fluisteren tegen een al even puriteinse professor.

'Niet van haar moeder,' zo had het antwoord geluid, waarop mijn ogen mijn moeder in de menigte hadden gezocht. Die had er, als altijd, frêle, lieftallig en onberispelijk uitgezien in een keurige cocktailjurk.

'Waar ben je vandaan gekomen?' had mijn moeder keer op keer gefluisterd wanneer ze me 's avonds had ingestopt of me had omhelsd. Haar vraag werd ingegeven door de verwondering van een vrouw die al haar dromen in vervulling had zien gaan op het moment dat ik in haar leven was gekomen. Dat had ze me vaak genoeg gezegd.

Toch voelde ik me pijnlijk getroffen door die herinnering, nu ik op het punt stond het wereldje van mijn ouders weer te betreden. Ik realiseerde me dat iets in mij zich daar nooit echt deel van had gevoeld.

Het geluid van de telefoon deed me opschrikken. Met een ruk griste ik de hoorn van de haak, in de hoop dat iets – wat dan ook – me van dit nare gevoel zou bevrijden.

'Het is voorbij, Grace,' begon Angie zonder verdere plichtplegingen.

'Voorbij?' herhaalde ik verward. Het volgende moment sloeg de angst toe. Dat kon niet waar zijn. Justin en zij waren een eenheid. Zielsverwanten – voorzover ik daar tegenwoordig nog in durfde te geloven. Had hun overhaaste huwelijk geleid tot een nog snellere schipbreuk?

'De serie,' legde ze op nuchtere toon uit. 'Mijn agent heeft net gebeld. De zender heeft besloten er geen tweede seizoen aan vast te plakken.'

Mijn opluchting was zo groot, dat ik gedwongen werd onder ogen te zien hoe belangrijk het voor mij was dat Justin en Angie slaagden waar dat iedereen die ik kende – op mijn ouders na – niet scheen te lukken. Ik moest kunnen geloven dat de liefde bestond, althans voor sommige mensen. Daarvan werd ik steeds zekerder toen ik naar Angie luisterde die me uitgebreid verslag deed van het einde van de serie die zo'n impuls aan haar carrière had gegeven. Ze leek zo kalm. Alsof ze helemaal geen behoefte meer had aan de gebruikelijke geruststellingen.

'Dus dit betekent dat je nu al je energie in de film kunt steken,' zo probeerde ik haar desondanks te troosten, uit gewoonte waarschijnlijk.

'Ja,' zei ze. Daarna: 'Hé, ik belde alleen maar om je vanavond veel plezier te wensen.'

'Plezier?' herhaalde ik, met een blik op mezelf in de spiegel waardoor ik bijna ineenkromp van schaamte, zo onfatsoenlijk strak sloot die jurk om me heen.

'Ja,' reageerde ze verward. 'Vanavond heb je toch die knalfuif met de weledelgestrenge Dr. Somerfield?'

'Ja, ja,' zei ik, wanhopig om me heen kijkend naar de chaos die ik met de afgekeurde kledingkeuzes in mijn slaapkamer had veroorzaakt. 'Maar ik heb niets om aan te trekken!'

Angie grinnikte. 'Hou toch op, Grace. Jij hebt meer kleren in de kast hangen dan ze op de kledingafdeling van Bloomingdale's hebben. Dat is ook meteen jouw probleem. Je hebt te véél om aan te trekken.'

'Niet echt,' zei ik. 'Niets past meer. Ik ben een paar pondjes aangekomen.'

'Wat maakt dat nu uit?' vroeg Angie. 'Je weet dat het niet om de jurk gaat, Grace. Het gaat om de vrouw in de jurk.'

Ik slaakte een zucht. 'In dit geval zou er wel eens iets te veel vrouw in de jurk kunnen zitten.'

'Nou, in jouw geval is dat misschien niet zo gek. Je hebt die mannen nooit genoeg van jezelf gegeven.'

Ik wist wat ze bedoelde. Wist ook dat mijn angst daaruit voortkwam. Ik stond mezelf toe om Jonathans wereldje te betreden, om me kwetsbaar op te stellen, terwijl ik had gezworen me nooit meer te laten kwetsen.

Nadat ik had opgehangen, nam ik een besluit.

Chanel. Niets anders was goed genoeg. Gelukkig had ik nog een feestelijk pakje overgehouden aan mijn Drew-periode. Speurend in mijn kast, herinnerde ik me die periode met afschuw. Twinsetjes en parelkettingen. Wie had ik proberen te zijn?

Drews vrouw, bedacht ik beschaamd. Of in elk geval iemand bij wie niet 'lustobject' op haar voorhoofd stond geschreven, wanneer ik aan zijn krijtstreeparm de straat op stapte. Misschien was dat mijn makke geweest; dat ik had geprobeerd mezelf te modelleren tot iets wat ik nooit zou worden, alleen maar om te behagen.

Hemel, had ik dat werkelijk gedaan? Huiverend probeerde ik de herinnering van me af te schudden. Intussen liet ik mijn blik gaan over de planken waar mijn schoenen keurig in dozen stonden opgestapeld, tot ik een paar ontdekte van een ontwerpster die bekendstond om haar elegante en toch draagbare modellen.

Met iets wat grensde aan woede rukte ik het zacht grijze Chanel-pakje uit de kast. Al die huizen in Westport waar Drew me mee naartoe had gesleept, een droombeeld schetsend van ons leven samen als een uitermate succesvol koppel, met een Mercedes op de oprijlaan en 2,5 dotjes van kinderen...

Ik trok het rokje aan en werd vervuld van afschuw toen ik merkte dat ik het niet eens over mijn heupen kon krijgen. Hoe lang was dat geleden? Een jaar?

Dit kon ik niet aan, en niet alleen omdat het niet paste. Het was een beeldschoon pakje, ja, en het zou me ooit perfect van pas komen... wanneer ik voorzitter van de oudercommissie was. Die avond bleef het echter in de kast hangen. Die avond moest ik mezelf zijn.

Mezelf met een paar extra pondjes.

O, hemel, wat moest ik in vredesnaam aan?

Ineens viel mijn oog erop: een zachte goudbruine Ralph Lauren met een hartvormige halslijn en een iets uitlopende rok waarin mijn nieuwe molligheid wel eens smaakvol sensueel zou kunnen uitkomen.

Ik liet de jurk over mijn hoofd glijden en voelde tot mijn opluchting dat de rok over mijn heupen paste. Na slechts een heel kleine worsteling kreeg ik de rits dicht. Toen ik mezelf in de spiegel bekeek, stokte mijn adem.

Ik zag eruit als een... prinses.

Een prinses met een decolleté, zag ik, waarna ik het bovenlijfje zo schikte, dat er iets minder te zien was.

Wauw. Waar had ik deze verstopt? Het volgende moment herinnerde ik me dat ik deze jurk had gekocht voor een bruiloft waar ik met Ethan naartoe zou gaan – een bruiloft waar ik nooit heen ben geweest.

De elegante japon bestuderend, besefte ik dat ik die avond meer dan een paar bewonderende blikken zou oogsten. Niet op een foute manier; de jurk was smaakvol, elegant. Door de kleur zou ik echter opvallen, en ik wist niet zo zeker of ik wilde dat iedereen me opmerkte. Alleen één man...

De gedachte aan die man – het plaatje dat mijn hersenen schetsten van zijn ogen op het moment dat hij me uitgebreid opnam – sterkten me in mijn besluit.

Als ik een prins aan de haak wilde slaan, dan moest ik eruitzien als een prinses.

Toen de bel een uur later ging, legde ik net de laatste hand aan mijn lippenstift, in een tot zoenen uitnodigende tint rood met een klein beetje glans om het feestelijk af te maken. Plotsklaps voelde ik me gespannen.

Verdorie, wat was er met me aan de hand? Je zou haast denken dat ik nog nooit een afspraakje had gehad.

Vervolgens dacht ik terug aan de laatste twee afspraakjes met Jonathan, en die weifeling in zijn stem voordat hij me voor dit feest had uitgenodigd.

Daar zat hem de kneep. Ik wist dat hij naar me verlangde, maar het was me volslagen onduidelijk of hij me in zijn leven wilde toelaten.

Die gedachte schudde ik snel van me af, waarna ik een laatste blik in de passpiegel wierp. De vrouw die ik daarin zag, gaf me weer moed.

Ze was prachtig.

Jonathan zag er onvoorstelbaar goed uit, zag ik toen ik de deur openzwaaide en hij daar stond te wachten in een zwarte smoking en een ietwat onzekere glimlach om zijn mond.

Er viel iets te zeggen voor avondkleding. Want hoewel ik deze man er goed vond uitzien in zijn schoolmeesterachtige tweedpakken en coltruien, in zwart-wit was hij helemaal het einde.

Dat gevoel was wederzijds, zag ik. Goedkeurend namen zijn ogen me op, voordat ze op mijn gezicht bleven rusten met een blik die vervuld leek van... pijn.

'Kan ik je een cocktail aanbieden voordat we gaan?' vroeg ik uit een plotselinge behoefte om hem te troosten met alles wat ik tot mijn beschikking had. En ik had een bar vol troost.

Hij schraapte zijn keel en keek behoedzaam naar binnen in mijn woonkamer alsof hij bang was dat als hij die lichte romantische ruimte verder in liep, hij erdoor zou worden opgeslokt. 'Nee, nee. We kunnen beter, eh... Eigenlijk moeten we gaan.'

Inwendig glimlachte ik, verrukt over de verpletterende indruk die ik duidelijk op hem had gemaakt. 'Laat me even mijn jas pakken.'

Ik trok mijn elegantste jas uit de kast, waarna ik achter een nog steeds wat verwarde Dr. Jonathan Somerfield het huis uit liep.

Zodra we de relatieve veiligheid van de straat hadden bereikt, leek hij zichzelf weer in de hand te hebben. Op het trottoir, dat vochtig glinsterde in het licht van de straatlantaarns, draaide hij zich naar me om. 'Je ziet er prachtig uit, Grace.'

Daar was het weer: dat spijtige toontje in zijn stem.

'Je ziet er zelf ook niet gek uit,' zei ik met een glimlach, terwijl ik inhaakte in zijn uitgestoken arm.

We liepen naar de hoek van de straat om een taxi aan te houden. Ons stilzwijgen versterkte de intimiteit die ineens tussen ons leek te zijn ontstaan. Zo met de stadslichtjes en het verkeer om ons heen, leek het volkomen veilig om ons daarin te koesteren.

Het stilzwijgen duurde voort, zelfs toen we in een taxi over de avenue reden. Normaliter had ik wel wat gezegd, maar ineens had ik er geen behoefte aan om te praten. In plaats daarvan kreeg ik een soort sereen gevoel over me, zo naast Jonathan. Misschien kwam het door het besef dat we afgesloten waren van de wereld die daarbuiten wenkte met al zijn verlokkingen en teleurstellingen. Wat het ook was, hier naast hem zittend voelde ik me in bepaald opzicht... veilig.

Dat gevoel was echter maar van korte duur. Zodra we die statige en bekende campus op reden, kwamen al mijn angsten weer boven. Krankzinnig! Dit was mijn *alma mater*, hield ik me voor, terugdenkend aan de eerste keer dat ik hier als student was geweest. Destijds was ik vervuld geweest van al die hoop en, besefte ik nu, onzekerheden van een jonge vrouw die het voorrecht had gehad van een Ivy League-opleiding. Niet alleen vanwege haar goede cijfers, maar ook omdat haar vader een fantastisch pakket arbeidsvoorwaarden had, waaronder een volledige universitaire opleiding voor alle naaste familieleden. Misschien was dat het. Misschien kwam het doordat ik geloofde dat ik een kruiwagen had gehad, dat wat ik had bereikt meer te danken was aan de talenten van mijn ouders dan aan die van mezelf. Plotseling voelde ik me hier helemaal niet meer op mijn plek, hoewel deze campus ooit mijn thuis was geweest.

Het leek nu allesbehalve huiselijk, dacht ik, toen we naar het gebouw liepen waarin het feest plaatsvond.

Gelukkig was ik met een man met een zachtaardig karakter. Het gaf me een prettig gevoel dat hij zijn hand op mijn rug legde, toen hij me de trap op loodste en vervolgens mijn jas van me aannam om bij de garderobe af te geven, voordat hij me naar de mooie zaal leidde waar de receptie werd gegeven. Toch voelde ik me nog niet helemaal op mijn gemak, daar aan de zijkant van die enorme drukbevolkte ruimte.

Jonathan moest mijn onbehagen hebben aangevoeld, want plotseling voelde ik zijn geruststellende hand weer op mijn rug.

'Gaat het?' vroeg hij.

In zijn ogen zag ik hetzelfde soort ongemak dat ik ook voelde. Ik begreep het niet, maar het stelde me op een vreemde manier gerust. Ik was in elk geval niet de enige.

'Jon!' klonk een diepe bariton achter ons. Een hand sloeg Jonathan op zijn schouder, en een paar tellen later stond er een olijke man met een dubbele kin voor ons. Hij moest ergens achter in de zestig zijn, schatte ik. 'Blij dat je hebt besloten om je eindelijk onder de levenden te begeven!' schalde hij, terwijl hij Jonathans schouder even stevig vastgreep. Intussen gleed zijn blik naar mij.

'Professor Danforth, hoe is het met u?' reageerde Jonathan op hartelijke toon.

Hierop barstte de oudere man in een bulderende lach uit. 'Jon, Jon, alsjeblieft!' Zich tot mij wendend, zei professor Danforth: ‘Weet je dat deze jongeman en ik al – hoe lang inmiddels, Jon, bijna tien jaar? – collega’s zijn, en hij zich er nog stééds niet toe kan zetten mij Ignatius te noemen?’

Daar moest ik om glimlachen, omdat ik me afvroeg of iemand zo’n naam kon uitspreken zonder erover te struikelen.

‘Professor Danforth,’ begon Jonathan. ‘Ik bedoel, Ignatius, zat in het comité dat mijn proefschrift beoordeelde.’

‘Jon was een van de grootste uitblinkers op onze faculteit,’ verklaarde Ignatius. ‘En nog steeds.’ Stralend keek hij Jonathan aan. ‘De universiteit mag zich gelukkig prijzen dat ze jou hebben weten te strikken na je doctoraat.’ Hij wendde zich weer tot mij, waarbij zijn trotse blik omsloeg in een licht geïrriteerde. ‘Ga je me de hele avond in het ongewisse laten over deze lieftallige dame, Jon?’ sprak hij op bestraffende toon.

‘O, sorry,’ mompelde Jonathan beschaamd. Even aarzelde hij, waarna hij eenvoudigweg zei: ‘Dit is Grace Noonan.’ Alsof hij het gevoel had dat hij mijn aanwezigheid moest verklaren, voegde hij eraan toe: ‘Dr. Noonans dochter. Je weet wel, Dr. Noonan van de geschiedenisfaculteit?’

Dit bracht een reactie teweeg die ik al een keer of duizend had gezien. Ignatius Danforth kreeg ogen als schoteltjes, alsof hij even moest verwerken dat deze lange blondine het product was van een Ierse vader, die ongeveer tot aan mijn kin reikte, en een al even petieterige moeder. Zoals gewoonlijk maakte de verbazing echter al snel plaats voor de hartelijkheid die de naam van Dr. Thomas Noonan altijd opriep.

‘Wel, wel, wel! Hoe is het met hem? Volgens mijn collega’s op de geschiedenisfaculteit is het niet hetzelfde zonder hem.’

Uiteraard bracht ik hem op de hoogte, voorzover een

ex-collega geïnteresseerd was in zijn reilen en zeilen, althans. Het forum in Parijs. De lezing die mijn vader daar zou geven.

'Echt waar?' zei Ignatius, die zijn borstelige wenkbrauwen goedkeurend optrok. 'Die oude schavuit. Weet nog steeds de leukste klussen binnen te slepen!' Hij grijnsde vrolijk, voordat hij beleefd naar mijn moeder informeerde, waardoor ik me realiseerde dat hij waarschijnlijk een van de gevierde professoren was die de dineetjes van mijn ouders vroeger hadden bijgewoond, hoewel ik me hem niet kon herinneren.

We babbelden nog een paar minuutjes, voordat Ignatius ons 'jongelui' nog een heel plezierige avond wenste.

Ik glimlachte bij de gedachte aan hoe jong ik zou lijken als ik in de academische wereld werkte, waar de supersterren veel ouder waren dan Roxanne Dubrows eigen negentienjarige superster; dat scheelde gemiddeld wel een jaartje of dertig.

Met uitzondering dan van Dr. Jonathan Somerfield, die, zo ontdekte ik op onze rondgang door de menigte, zelf ook een soort sterrenstatus had. Want er gebeurde iets vreemds toen hij me aan de ene na de andere collega voorstelde, met name bij diegenen die hem het best leken te kennen. Zodra ze ons samen eens goed hadden opgenomen – en uitgingen van een intiemere relatie tussen ons dan er op dat moment bestond – begon de geachte collega in kwestie Dr. Jonathan Somerfield op te hemelen.

'Wist je dat deze jongen met de conservator heeft samengewerkt aan de Ingres-tentoonstelling van vorig jaar in het Metropolitan?'

Of: 'Wist je dat Jonathan de Gunderman-prijs heeft gewonnen voor zijn onderzoek naar Delacroix?'

Schijnbaar stond mijn Dr. Somerfield – ja, sommigen duidden hem aan als 'jouw jongeman' – in behoorlijk hoog aanzien op zijn vakgebied.

Dat maakte hem in mijn ogen nog aantrekkelijker. Onwillekeurig begon ik heimelijke blikken te werpen op zijn intelligente ogen – die hij regelmatig verlegen neersloeg, want als deze jongen iets was, was het bescheiden – zijn brede schouders en ja, die grote handen. Zo langzamerhand begon ik te geloven dat er niets was wat hij niet kon.

Wat volgens mij precies was wat zijn collega's voor ogen hadden. Het leek alsof ze mij wilden aanpraten dat Dr. Jonathan Somerfield een modelman was.

Aan de ene kant amuseerde het me dat iedereen zo zijn best deed om mij ervan te overtuigen hoe voortreffelijk Jonathan was. Aan de andere kant had ik daar zo mijn vraagtekens bij. Waarom dachten ze dat deze man er moeite mee had om vrouwen te krijgen? Ik wilde hem het liefst bespringen, al vanaf het allereerste moment dat ik hem had gezien.

Het antwoord kreeg ik na het diner toen ik me uit de voeten maakte bij een gesprek over transcendentalisme en de Duitse Romantiek, dat ver boven mijn pet ging, met het excuus dat ik even mijn neus ging poederen. Net toen ik in een van de toiletten mijn jurk stond glad te strijken, ving ik het staartje van een gesprek op, waardoor ik even stilletjes bleef staan.

'Jonathan Somerfield? Nou, inderdaad, ik was ook verbaasd hem te zien,' klonk een vrouwenstem van zo dichtbij, dat ik vermoedde dat ze bij de wastafel pal voor mijn toilet stond. 'En met een vrouw nog wel!'

Mijn hand bleef boven het slot hangen. Wat bedoelde ze daar in vredesnaam mee?

'Het werd ook wel tijd dat hij de deur weer eens uit kwam,' zei een tweede stem. 'Het is minstens drie jaar geleden sinds –'

'Ja, dat weet ik, maar het was ook zo vreselijk tragisch.'

'Dat is waar. Ik moet er niet aan denken mijn man te verliezen – zelfs op mijn leeftijd. Hij kan hoogstens vijfendertig zijn geweest toen zijn vrouw overleed. En zo plotseling!'

Was ik in eerste instantie bevangen geweest door pure nieuwsgierigheid, nu werd ik overweldigd door een emotie die me als aan de grond genageld hield. Mijn hemel, Jonathan was getrouwd geweest. Ooit.

Opeens begreep ik die ondefinieerbare treurigheid die ik al een paar keer in zijn ogen had gezien, maar al te goed. Dat was het soort verdriet dat ik had moeten herkennen. Verdriet over het verlies van iemand.

'Nou, ik ben in elk geval blij om hem hier vanavond te zien,' zei de eerste stem op besliste toon. 'Hij is nog jong. Hij heeft zijn hele leven nog voor zich. Hij kon zichzelf niet voor eeuwig blijven afzonderen...'

Lang nadat de twee brengers van het slechte nieuws waren vertrokken, voelde ik de behoefte om mezelf af te zonderen. Hoewel ik werd overspoeld door allerlei emoties die ik op dat moment niet kon thuisbrengen, wist ik mezelf echter te vermannen en ging op zoek naar Jonathan.

Tot mijn opluchting was hij in gesprek met een professor die ik al eerder had ontmoet en stond hij vrolijk te grinniken om iets wat zijn collega zei.

'Grace,' begroette Jonathan me, terwijl hij een hand op mijn rug legde in een gebaar dat nu zowel lief als aarzelend leek. Alsof ik heel breekbaar was – of hij.

Ik hield echter dapper stand, vriendelijk glimlachend naar elk nieuw gezicht, totdat ik vreesde dat mijn hele hoofd in een kramp zou schieten. Net toen ik me afvroeg hoe lang ik deze façade van de charmante *date* nog op moest houden, nu er allerlei vragen over zijn verleden door mijn hoofd spookten, zei Jonathan tegen me: 'Zullen we maar eens gaan?'

Ik had hem kunnen zoenen. Dat had ik ook gedaan, als ik niet ineens zo'n aarzeling bij mezelf had geconstateerd. Alsof ik me daarmee op heilige grond begaf en daar de moed niet voor had.

Waar was ik zo bang voor, vroeg ik me af toen ik Jonathan nakeek, die onze jassen ging ophalen.

Het antwoord daarop kreeg ik zodra hij weer terugkwam en mij aankeek met dezelfde mengeling van droefheid en verlangen in zijn ogen als daarvoor.

Ik was bang dat de kloof die elke keer wanneer hij terugdeinsde tussen ons ontstond, ons allebei zou verzwelgen.

'Zullen we een stukje lopen?' vroeg ik, zodra we buiten in de koele avondlucht stonden. Het vooruitzicht om naast hem in de beslotenheid van een taxi te zitten, benauwde me op dat moment een beetje.

'Ja, hoor,' antwoordde hij met een onderzoekende blik op me. Ik zag dat hij achteromkeek naar het gebouw dat we net hadden verlaten en kreeg heel even het gevoel dat hij het liefst terug wilde naar de veilige drukte van die openbare plek. Het volgende moment gaf hij me echter een arm – zo behoedzaam, té behoedzaam – om me naar de uitgang van de campus te leiden.

Zwijgend liepen we een eindje, en ik ademde de koele lucht diep in, biddend dat ik niet zou beginnen te rillen bij deze winterse temperatuur, waardoor Jonathan, galant als hij was, het op een drafje over de campus zou zetten om een taxi aan te houden.

Uiteindelijk begon hij te praten.

Ik hield mijn adem in omdat ik dacht dat hij me nu alles ging vertellen. Tot mijn niet geringe opluchting beschreef hij in plaats daarvan de architectuurgeschiedenis van de gebouwen waar we langsliepen. Daar was die neiging weer om zijn toevlucht te nemen tot rationele zaken. Per slot van rekening was het gemakkelijker om daarmee om te gaan dan met gevoelens.

Voorlopig vond ik het wel best zo. Want hoewel ik heel graag wilde dat hij me over zijn verleden zou vertellen, zag ik daar ook als een berg tegenop. Soezerig geworden bij het geluid van zijn kalme bariton, begon ik zelfs te geloven dat we ons gewoon konden blijven verliezen in de roes van het moment zonder al dat verdriet dat eraan vooraf was gegaan ooit te hoeven aanroeren.

Vlak nadat we de campus af waren gelopen, kwamen we langs een bouwplaats, waar hij bleef staan om de nieuwe funderingen die net waren gelegd, te bestuderen. 'Weet je, op deze plek stond vroeger een prachtig klein kapelletje,' zei hij. 'Herinner je je dat nog?'

Bevestigend knikte ik. 'Ja, inderdaad,' mompelde ik, terwijl ik mijn best deed om me los te rukken uit mijn eigen mijmeringen.

'Het was echt heel mooi, maar ik neem aan dat de projectontwikkelaars meer brood in dit stukje grond zien als er nieuwe appartementencomplexen op staan.' Er verscheen een frons op zijn voorhoofd. 'Zo is het altijd al geweest in deze stad. Het oude wordt neergehaald om er iets nieuws voor in de plaats te bouwen.' Hij zuchtte. 'Maar ja, niet al het goede duurt voor eeuwig...'

Zijn woorden sneden me door de ziel, waarop ik iets opstandigs in me voelde opborrelen. 'Waarom heb je me niet over je... vrouw verteld?'

Hij trok zijn arm los en keek me recht aan. Zijn gezichtsuitdrukking weerspiegelde een mengeling van verwarring en pijn. 'Grace, het spijt me, ik –'

'Nee, laat maar,' onderbrak ik hem omdat ik dat onderwerp eigenlijk niet wilde aansnijden. 'Je hoeft het me niet te vertellen. Ik had er niet over moeten beginnen...'

'Ik wilde het je wel vertellen,' zei hij met een oprechte blik in zijn ogen. 'Ik dacht alleen... Weet je, ik voel me zo prettig als ik bij jou ben. Dat wilde ik gewoon niet bederven.' Hij lachte vreugdeloos. 'Misschien hoopte ik wel dat door er niet over te praten, het gewoon zou verdwijnen.' Hij fronste zijn wenkbrauwen. 'Ik weet het... dom, hè?'

'Nee.' Die neiging om alle pijnlijke ervaringen diep weg te stoppen, begreep ik maar al te goed. Maakte ik mezelf daar ook niet schuldig aan?

Vervolgens, omdat ik de gedachte dat hij dit verdriet in zijn eentje droeg, niet kon verdragen, zei ik: 'Vertel me eens over haar.'

Hij nam mijn arm weer in de zijne, waarna we de avenue af liepen, weg van de campus. 'Ze heette Caroline,' begon hij aarzelend. 'We ontmoetten elkaar op Yale en raakten bevriend. In het tweede studiejaar gingen we met elkaar uit, en ik geloof dat het vanaf het begin vanzelfsprekend was dat we bij elkaar zouden blijven. Gezien onze gemeenschappelijke interesses was dat ook wel logisch. Zij deed ook kunstgeschiedenis, alleen hield zij er na haar baccalaureaat mee op. Toen ik naar Columbia ging om voor mijn doctorsgraad te studeren, leek het volkomen normaal dat zij meeging. Dus nam zij een baantje in een kunstbibliotheek.'

Even zweeg hij, waarop ik een vluchtige blik op zijn profiel wierp en zag dat hij zijn wenkbrauwen diep fronste.

'Dat was niet haar droombaan of zo. Ik geloof dat Caroline het allerliefst... moeder wilde zijn.' Hij zuchtte diep. 'Natuurlijk was ik destijds volop aan het studeren, dus besloten we te wachten. Zodra mijn colleges erop zaten, zijn we getrouwd, en we waren van plan om op een gegeven moment terug te verhuizen naar Connecticut. Caroline was nooit zo gek op deze stad als ik.' Verdrietig glimlachte hij, alsof die herinnering hem pijn deed.

Ik schonk hem een blik die hem aanmoedigde om door te gaan.

'Caroline wilde meteen aan een gezinnetje beginnen, maar ik niet... Ik voelde me er nog niet helemaal klaar voor. Ik wilde mijn proefschrift afmaken, een vaste baan hebben. Dat vond Caroline geen probleem. Daarna volgde mijn postdoctoraat en vertrokken we naar Chicago. Toen die baan op Columbia zich aandiende, verhuisden we weer terug. We hadden afgesproken dat we de eerste paar jaar in de stad zouden blijven om voor een huis te sparen. Caroline leek er genoegen mee te nemen om met een gezinnetje te wachten, totdat we onze zaakjes helemaal voor elkaar hadden. Op een ochtend werd ze wakker en wilde opstaan om naar haar werk te gaan, maar ze kon amper haar bed uitkomen. Ze zei dat ze... misselijk was, waardoor ik dacht dat ze migraine had. Daar had ze namelijk vaak last van. Dus stond ik op om haar een glas water en haar pillen te brengen, en toen ik terugkwam, was ze buiten bewustzijn.'

Nu staarde hij recht voor zich uit, alsof die hele gruwelijke scène zich weer voor hem afspeelde. 'Ik belde het alarmnummer, maar tegen de tijd dat we in het ziekenhuis arriveerden, was ze in coma geraakt. De artsen zeiden dat ze een hersenbloeding had gehad. Binnen vier dagen was ze... overleden.' Zwijgend draaide hij zich naar me om. 'Kennelijk had ze een aneurysma, daar was ze mee geboren. Het had al die tijd in haar hoofd gezeten, als een tijdbom.'

'Jonathan,' zei ik, in zijn verbijsterde gezicht starend, alsof hij het nog steeds niet kon bevatten. 'Het spijt me zo.'

'Mij ook,' zei hij op bedroefde toon, waarbij hij terugkeek op een manier die zei dat het niet alleen het verleden was dat hem parten speelde. Alsof dat verdriet hem in bepaald opzicht voor het leven had getekend.

Het was het soort verdriet dat ik tot op zekere hoogte kon invoelen, en voordat ik mezelf kon tegenhouden, trok ik hem tegen me aan, alsof ik het allemaal weg kon poetsen met dit ene gebaar. Ik voelde dat hij zijn armen om me heen sloeg en snoof zijn geur diep op, genietend van het gevoel van zijn lichaam tegen het mijne, alsof dit de laatste keer zou zijn. Want zelfs terwijl ik me dicht tegen zijn gespierde lichaam aan drukte, voelde ik dat hij zich langzaam verwijderde. Vanbinnen legde ik me er al bij neer, alsof ik wist dat er onvermijdelijk een dag zou komen waarop ik hem zou moeten laten gaan.

Dus, omdat ik van nature nu eenmaal zo ben, liet ik hem gaan. Ik leunde achteruit om hem in zijn gezicht te kunnen aankijken, bang voor wat ik daarin zou zien.

Wat ik daarin zag, kwam als een schok.

Verlangen, amper in toom gehouden door zijn knappe gelaatstrekken. Plus een hoopvolle blik in zijn ogen, waaraan ik geen enkele weerstand kon bieden.

Ik drukte mijn mond op de zijne – of misschien bewoog hij het eerst, dat weet ik niet – maar plotseling klemden we ons aan elkaar vast alsof we geen van beiden ooit nog los zouden laten.

Dat deden we uiteindelijk natuurlijk wel, zeker toen de wind begon aan te wakkeren en ons eraan herinnerde dat we in de vrieskou op Amsterdam Avenue stonden.

'Laten we naar huis gaan,' zei hij, waarna hij een stap opzij deed naar de stoeprand om een taxi aan te houden.

Naar huis, dacht ik, heel even fantaserend dat er zo'n plek bestond. Voor ons allebei.

Naar huis bleek naar mijn appartement te zijn. Waarschijnlijk omdat Jonathan vastbesloten was zich als een gentleman te blijven gedragen door mij thuis af te zetten. Dus toen de taxi voor mijn huis stopte, beval ik meer dan dat ik het vroeg: 'Kom mee naar boven.'

Voor de tweede keer die avond zag ik geen enkel teken van weerstand.

Zelfs Malakai leek blij met mijn keuze; ongetwijfeld

zat hij al een nieuwe naam voor mijn mannelijke gezel te bedenken.

In de lift naar boven, waar ik op luttele centimeters afstand in Jonathans ogen staarde, besloot ik dat Malakais bijnaam voor Jonathan 'jouw vriend met de lichtbruine ogen' zou moeten zijn. Hij had zulke prachtige ogen...

Op dat moment boog hij zich voorover om me heel zacht en heel lief te kussen. Een kus die zo teder was, dat ik hunkerde naar meer. Ik droeg mezelf echter op het kalm aan te doen. Dus leidde ik hem even later mijn appartement binnen en keek zwijgend toe, terwijl zijn blik door mijn witte zitkamer dwaalde, voordat hij op mij bleef rusten.

Ik zag zijn weifeling. 'Grace, ik –'

Met een kus legde ik hem het zwijgen op. Vervolgens vroeg ik hem: 'Cocktail?'

Zijn opluchting was zonneklaar. 'Dat zou heerlijk zijn,' antwoordde hij glimlachend.

In de keuken rommelde ik door de geïmproviseerde bar op zoek naar de Schotse whisky, blij dat ik de single malt die hij de hele avond had gedronken, in voorraad had. Toen ik met twee glazen terugkeerde in de zitkamer, stond hij met zijn rug naar me toe het glinsterde landschap buiten te bewonderen. 'Weet je dat je de rivier hiervandaan kunt zien, als je tussen die twee gebouwen door kijkt?' vroeg hij, zich naar me omdraaiend. 'Het is een schitterend uitzicht,' voegde hij eraan toe, terwijl zijn blik over mijn gezicht dwaalde.

Glimlachend liep ik naar hem toe om hem zijn drankje te overhandigen, maar hij pakte beide glazen uit mijn handen. Nadat hij die op het tafeltje onder het raam had gezet, trok hij mij in zijn armen.

Deze kus was zo mogelijk nog tederder dan de vorige, en ik voelde tranen in mijn ogen opwellen. Daarover verbaasde ik me, maar slechts heel eventjes, voordat ik zijn hand pakte en hem naar de slaapkamer leidde.

Mijn slaapkamer had ik nooit als verleidelijk beschouwd, tot op het moment waarop ik voor het smeedijzeren ledikant stond en het me ineens opviel dat elk beschikbaar richeltje en randje volstond met kaarsen. Even maakte ik me zorgen dat Jonathan me misschien als de een of andere seksgodin zou zien met al die romantische tierelantijnen overal, maar hij bleek zijn ogen – en zijn handen – niet van me af te kunnen houden.

Ik ook niet van hem, trouwens. In een mum van tijd lag mijn prinsessenjurk verfrommeld om mijn voeten en was Jonathan nog slechts gehuld in een openstaand overhemd en een losgeknoopte broek. Hij deed een stap achteruit om mij eens uitgebreid te bekijken.

'Zo mooi,' zei hij. Voor de verandering klonk er iets verwachtingsvols in zijn stem door.

We vielen op het bed. Het leek alsof we elkaar al heel lang kenden, zo natuurlijk bewogen we op elkaars ritme.

Toen we uiteindelijk al onze kleren uit hadden getrokken en ik zijn gespierde, atletische lichaam zag, wilde ik hem nog beter leren kennen.

Hij knielde op het voeteneind van het bed, waarna hij me naar beneden trok waar zijn mond op me wachtte en aan iets begon wat ik verering zou hebben genoemd, als ik in zulk soort dingen had geloofd.

Er begon iets van vertrouwen in me op te bloeien – en nog iets anders. Allemachtig, deze man was getalenteerd. Even later slaakte ik een kreet van genot, mijn handen naar hem uitstrekkend.

In een oogwenk lag hij weer naast me. Hij kuste mijn wangen, mijn voorhoofd en uiteindelijk mijn mond, voordat hij boven op me rolde, popelend om bij me binnen te dringen, op één kleinigheidje na.

'Ik heb niets,' zei hij, 'om... om jou te beschermen.'

Wat schattig, dacht ik, hem aankijkend. Het was net iets voor hem om er zo over te denken – dat hij mij moest beschermen. Op mijn onderlip bijtend, doorliep ik in gedachten mijn medicijnkastje. Nop. Ethans voorraadje had ik samen met alle andere persoonlijke eigendommen die hij in mijn appartement had laten liggen, een paar dagen na onze breuk al weggegooid. En Billy had er een neem-je-eigen-condoom-mee-beleid op na gehouden.

Langzaam liet ik me langs Jonathans lichaam naar beneden glijden, zijn borst kussend, zijn buik, steeds lager, totdat hij me tegenhield.

'Laat me...' Even aarzelde hij. 'Ik wil je gewoon vasthouden,' zei hij, waarna hij me langs zijn lichaam weer omhoogtrok, totdat we dicht tegen elkaar aan lagen, onze gezichten vlak bij elkaar.

Daar maakte ik me even zorgen om... Ik bedoel, een vrouw wil een man graag laten genieten, zeker een man die zo'n genot weet te schenken. Maar door de manier waarop hij me aankeek – alsof ik het geschenk was – ontspande ik me weer. Datzelfde deed hij, besefte ik, toen ik even later de spanning uit zijn lichaam voelde verdwijnen en zijn ogen dichtvielen.

Zo sliepen we, ineengestrengeld, totdat ik alleen in het donker wakker werd. Nou ja, niet echt alleen.

Jonathan was er nog steeds; een schimmige figuur in het duister, hoewel het duidelijk was wat hij aan het doen was. Zijn broek en overhemd aantrekken en zich gereedmaken om te vertrekken.

'Hé!' riep ik zachtjes uit.

Geschrokken draaide hij zich om, waarna hij op het bed ging zitten op de plek waar hij een paar minuten daarvoor nog had gelegen.

'Waar gaat dat heen?' vroeg ik, in een poging om luchthartiger over te komen dan ik me voelde. Het betekende iets, dit vertrek. En het was niets goeds. Een man liep niet weg van het soort intimiteit dat we die nacht hadden gedeeld, tenzij hij dat niet zo voelde.

'Ik heb vandaag een ontbijtafspraak op de universiteit.'

Met mijn ogen knipperend, tuurde ik naar de wekker op het nachtkastje. 'Om vier uur 's ochtends?'

'Ik moet nog langs mijn eigen huis, me omkleden...'

Hoewel hij volgens mij onmogelijk zoveel tijd aan zijn garderobe kon besteden als hij er nu voor uittrok, protesteerde ik niet. Als hij weg wilde gaan, dan kon ik hem niet tegenhouden.

'Ik bel je nog wel,' zei hij, voordat hij een kus op mijn voorhoofd drukte.

Bespaar je de moeite, blafte ik hem in gedachten toe, maar ik hield mijn kaken stijf op elkaar. Dat verdiende hij niet; dat wist ik ook wel. Hij was in alle opzichten een perfecte gentleman gebleven.

Dat was ook de reden waarom ik een schietgebedje deed dat hij niet in zo'n typische man zou veranderen.

17

Een gentleman is niets meer dan een casanova met geduld. (Lana Turner)

'Het betekent helemaal niets,' protesteerde Angie.

Ik had alleen met mijn twijfels over Jonathan liggen worstelen, met wijdopen ogen en woelend in het bed waar ik sinds zijn vertrek niet uit had kunnen komen, ondanks het feit dat ik amper nog een oog dicht had gedaan. Toen Angie me vlak na elven had gebeld om te vragen hoe mijn afspraakje was verlopen, had ik de strijd opgegeven. Ik had haar van a tot z op de hoogte gebracht; van het chique diner en de verbijsterende ontdekking in de toiletten tot Jonathans treurige verhaal in de vrieskou vlak buiten de campus.

Dat Jonathan weduwnaar was, maakte hem in Angies ogen alleen maar nog romantischer; ze begon een hele lijst op te dreunen van rollen die Mel Gibson had gespeeld, in een merkwaardige poging om Jonathans terughoudendheid uit te leggen als het gedrag van een man die op de knieën was gedwongen door de liefde – en het verlies daarvan.

Niet dat ik me daardoor ook maar een haar beter ging voelen. En hoewel ik een bloedhekel had aan het soort analyses waarmee Angie en ik intussen volop bezig waren, had ik ineens wanhopig behoefte aan antwoorden.

'Ik weet het niet, Ange. Er klopt iets niet. Mijn ervaring is dat de enige mannen die niet bleven slapen, degenen zijn die ik eruit zette. En Billy, natuurlijk.'

'Jonathan Somerfield is Billy niet!'

In elk geval had ik altijd op een telefoontje van Billy kunnen rekenen, dacht ik, tot aan het moment waarop ik de stekker weer uit onze relatie had getrokken. Jonathan, daarentegen...

'Als hij zo'n fantastische vent is, waarom heeft hij me dan nog niet gebeld?'

'Is het niet pas een paar uurtjes geleden dat je hem hebt gezien?'

'Luister, Ange, het is al bijna twaalf uur, en wanneer een man en een vrouw zo intiem met elkaar zijn geweest als Jonathan en ik vannacht, dan vind ik een simpel telefoontje niet meer dan normaal...'

'Ik dacht dat je zei dat jullie geen seks hadden gehad?'

Was mijn beste vriendin echt zo onnozel op mannengebied? Of was ze al verslingerd aan het idee dat Dr. Jonathan Somerfield de prins op het witte paard was? 'Wat hij met mij deed, is in mijn ogen in bepaald opzicht zelfs nog intiemer.' Bij die opmerking schoot me tegelijkertijd te binnen dat hij mij niet had toegestaan zoiets intiems met hem te doen. 'Het rare was,' voegde ik eraan toe, 'dat hij mij niet hetzelfde voor hem liet doen.'

'Wauw, hij is inderdaad een droomprins,' zei Angie.

Ik vond het merkwaardig dat een man – zeker eentje die zo opgewonden was geweest als Jonathan de afgelopen nacht – zo'n aanbod afsloeg. Niets prins op het witte paard. Volgens mij had ik in bed gelegen met een martelaar.

Er klonk een piepje ten teken dat er nog een gesprek binnenkwam, waarop er een vlaag van opwinding door me heen flitste. 'Ik heb nog een gesprek...'

'Neem dat maar gauw aan!' schreeuwde Angie bijna, er kennelijk van overtuigd dat ze wist wie er aan de andere kant van de lijn was. 'Bel me vanavond!' beval ze, voordat ik haar wegdrukte.

'Hallo,' zei ik op de zwoelste toon die ik kon opbrengen.

'Heb je het al gezien?' klonk een snerpende en overbekende stem.

Claudia. Wat een afknapper. Het volgende moment werd mijn nieuwsgierigheid echter gewekt. Claudia belde me nooit thuis, behalve als er sprake was van een crisis. Waar ze dan meestal zelf de hand in had gehad.

'Wat moet ik hebben gezien?' vroeg ik.

'Het blad W. Het nieuwe nummer is uit. Om de een of andere reden hebben we het op kantoor nog niet ontvangen; dus heb ik het vanochtend in een kiosk gekocht. Ik kon niet wachten om het artikel over Roxanne Dubrow te zien, hoewel ik me afvraag waarom. Het is een ramp!'

O, o. Kennelijk kwam Roxanne Dubrow er niet zo best vanaf – of Claudia zelf. 'Ik heb het nog niet gezien.'

'Niet?' gilde ze, alsof het feit dat ik niet naar buiten was gerend om de W te kopen heiligschennis was. Het bleef even stil, waarna haar iets anders te binnen schoot. 'Het staat waarschijnlijk al op internet. O, natúúrlijk staat het op internet. Ik weet zeker dat het inmiddels overal bekend is, verdomme! De hele wereld kan het zien! O, goeie genade.'

Er klonk een kreun, die half dierlijk en helemaal Claudia was. Bij dat mismoedige geluid snelde ik naar de laptop die op mijn bureau stond. Razendsnel startte ik de boel op en logde in op internet, intussen luisterend naar Claudia's tirade over het vreselijke onrecht dat haar was aangedaan.

Tegen de tijd dat ik op de site was aangeland en het artikel had gevonden, moest ik haar bijna gelijk geven.

OP JACHT NAAR DE JEUGD, luidde de kop. 'Betekenen de verleidingspogingen van cosmeticagigant Roxanne Dubrow om een jongere doelgroep te lokken dat het feest voorbij is voor de oudere klant?'

De foto eronder, waarop Claudia te zien was, haar hoofd achterover gegooid en haar lichaam in een merkwaardige kronkel in een poging om niet onder te doen voor Irina op de dansvloer, leek te suggereren dat het feest in volle gang was. Alleen was Claudia's gezicht een beetje... verwrongen, alsof het bijbenen van Irina's tempo een bijna bovenmenselijke inspanning van haar vergde. Bovendien leek door de manier waarop ze haar hoofd achterover had gegooid, haar hals een wirwar van aderen.

'Zijn dit de foto's die Phillip van je heeft genomen?' vroeg ik.

'Natuurlijk niet!' snauwde Claudia. 'Denk je dat ik die jongen zelfs maar in de buurt van W had laten komen met zo'n foto?' Ze gromde bijna van woede. 'Nee, we waren op de een of andere afterparty van een prijsuitreiking voor modeontwerpers in Milaan. Een van de paparazzi moet deze... deze karikatuur hebben geschoten!'

'Zo erg is het niet,' loog ik, want het was voor ons allebei zonneklaar dat het wel heel erg was. 'Je benen staan er goed op.' Het feit dat een vrouw van in de veertig zoveel been liet zien in het veel te jeugdige turkooisblauwe minirokje dat ze droeg, was uiteraard weer een heel andere kwestie.

Mijn blik dwaalde over de pagina en viel op een andere foto, die duidelijk een paar jaar eerder was genomen, waarop een elegante glimlachende Dianne prinses Diana een hand gaf. Dianne zag er natuurlijk weer geweldig uit en jaren jonger dan Claudia, hoewel ze destijds niet veel ouder kon zijn geweest dan Claudia nu was.

'Hadden ze geen recentere foto van Dianne?' vroeg ik.

'O, vast wel. Maar ik weet zeker dat ze zich even heeft weten los te rukken van haar wake aan haar moeders ziekbed om een telefoontje te plegen en ervoor te zorgen dat ze die niet zouden gebruiken. Ze laat natuurlijk niet wereldkundig maken dat ze ouder is dan ik!'

Dat klonk niet als de Dianne die ik kende, maar ik was niet van plan om in discussie te gaan met Claudia, die momenteel ontroostbaar was.

'Ik kan het wel schudden!' zei ze. 'Ik heb iedereen die ik ken over de fotosessie verteld. Ze zijn waarschijnlijk allemaal naar de kiosk gerend om het blad te kopen, en nu lachen ze me allemaal uit. Zeker Roger en dat nieuwe delletje van hem.'

'Heb je het je ex-man ook verteld?'

'Nou, niet precies,' zei ze, 'maar ik heb ervoor gezorgd dat Arianna Wainwright het wist. En zij is bevriend met Gloria Gibson, die bij het bedrijf van Roger werkt... Ooo!' kermde ze. 'Roger en Heidi zullen de hele weg naar het Puck-gebouw dubbel liggen van het lachen!'

'Het Puck-gebouw?'

'Ja, ja,' zei ze geïrriteerd. 'Daar gaan ze trouwen.'

'Gaat hij met haar trouwen?'

'Ja,' antwoordde ze zachtjes, gevolgd door een geluid dat verdacht veel op een snik leek.

'Claudia, zit je –'

'Niets aan de hand!' kapte ze me op ferme toon af. 'Het is alleen dat ik altijd...' Ze slaakte een zucht. 'Ik heb altijd aan Heidi gedacht als aan die andere vrouw in Rogers leven. En nu... nu wordt zij zijn vrouw. En ik word alleen maar oud.'

'Je bent niet oud, Claudia.'

'Nou, achtenveertig is niet bepaald jong!' krijste ze.

Ik hoorde dat ze haar adem inhield, net als ikzelf. Achtenveertig? Was Claudia achtenveertig? Dat was onmogelijk. Toen ik bij Roxanne Dubrow in dienst kwam, was ze nog maar negenendertig geweest.

Wel, wel.

Beseffend dat ze zich had versproken, blafte Claudia me toe: 'Dat is vertrouwelijke informatie,' alsof ze net een bedrijfsgeheim had prijsgegeven.

Nu ik haar echte leeftijd kende, moest ik toegeven dat ik onder de indruk was. Claudia zag er verdraaid goed uit voor iemand die tegen de vijftig liep. Desondanks had ik met haar te doen. 'Achtenveertig is tegenwoordig hetzelfde als achtendertig vroeger was,' zei ik bij wijze van troost.

Mijn woorden boden geen soelaas. 'Oud, jong, wat maakt het uit?' jammerde ze. 'Ik ben en blijf alleen!'

Zo langzamerhand begon ik te denken dat alleen zijn ook mijn lotsbestemming was, zeker nadat ik me een hele dag had lopen afvragen of ik ooit nog iets van Jonathan zou horen. Ik vond het afschuwelijk dat ik zo'n bevestiging nodig had. Zo was ik niet. Dus ging ik eropuit om mezelf terug te vinden. In SoHo – en dan met name bij Jimmy Choo, waar ik een paar schoenen kocht die precies sexy genoeg waren om me eraan te herinneren dat ik er mocht zijn. Ik hoefde me nergens druk om te maken. Toen ik weer naar huis ging, omdat ik hoopte een berichtje te hebben ontvangen – dat eigenlijk verwachtte – ging er een huivering van angst door me heen. Tenslotte was de cruciale ochtend erna allang voorbij en was het inmiddels al vroeg in de avond. Het was absoluut uitgesloten dat ík hém nu nog kon bellen zonder mijn zelfrespect te verliezen, hoe graag ik ook wilde horen dat wat er tussen ons was gebeurd, meer was dan alleen maar seks. Het beangstigde me hoeveel meer ik ervan wilde maken.

In mijn appartement waren de bewijzen van ons romantisch samenzijn nog te zien. Onze drankjes stonden nog steeds onaangeroerd op het tafeltje onder het raam. Mijn schoenen voerden hun eigen paringsritueel uit op de vloer van mijn slaapkamer. Mijn jurk lag nog steeds verkreukeld op een hoopje waar ik er de vorige avond uit was gestapt.

Ik huiverde bij de herinnering aan de manier waarop Jonathans ogen me hadden verslonden, en mijn mondhoeken krulden tot een tevreden lachje. Totdat ik me realiseerde dat ik die blik vaker in de ogen van een man had gezien. Verlangen, puur en simpel. Het hoefde niet per se meer te betekenen.

Ik raapte de jurk op, die ik achteloos in de zak voor de stomerij propte onder in mijn kast, waarna ik mijn schoenen terugzette op de plank erboven en mijn pasgekochte exemplaren ernaast zette, op het enige lege plekje dat nog over was. Toen ik vervolgens het bed ging opmaken, vroeg ik me af waarom ik die moeite eigenlijk nam; over een paar uurtjes kroop ik er toch weer in.

Aan de andere kant moest ik toch iets van een decorum bewaren. Al was het maar voor mezelf.

Met die gedachte in mijn achterhoofd verruilde ik mijn kleren voor een zijden loungebroek en een kort negligeetje. Ik voelde de spanning uit mijn lichaam wegtrekken, zodra ik me had bevrijd van die knellende beha.

Ja, bedacht ik, er ging niets boven alleen thuis zijn. Niemand aan wie je verantwoording hoefde af te leggen. Niemand die je hoefde te bedienen. Niemand om mee te eten, besefte ik, toen ik naar de keuken liep.

Zie je wat er gebeurde als je een man in je leven toeliet? Zodra hij was verdwenen, kreeg je sterk het gevoel dat er iets ontbrak. Iets waaraan je voor die tijd echt niet zo heel erg behoefte had gehad.

Een avondmaaltje van kersenbonbons was geoorloofd, besloot ik, waarop ik de doos pakte waaraan ik op Thanksgiving al begonnen was. Met een glaasje rode wijn, bedacht ik, tevreden dat ik voor mijn chocolaatjes in elk geval de perfecte match had gevonden.

Ik zat net op de bank van het eerste hapje van mijn bonbon te genieten, toen de telefoon ging.

Ik stopte de rest van de bonbon in mijn mond, nam

een slokje wijn en overwoog om het antwoordapparaat te laten opnemen, totdat ik in een opwelling die ik niet wilde analyseren, de telefoon opnam. Ik ging ervan uit dat het Angie was, die nieuwsgierig was naar de sappige details van het telefoontje dat ik in haar beleving had gekregen van Dr. Jonathan Somerfield...

Tot mijn stomme verbazing bleek de man in hoogsteigen persoon aan de andere kant van de lijn te zijn.

'Grace?' Zijn stem klonk nogal ver weg.

'O, hallo,' reageerde ik, moeite doend om de verbazing niet in mijn stem te laten doorklinken.

'Hoe is het met je?' vroeg hij. Op de achtergrond hoorde ik auto's toeteren.

'Prima,' antwoordde ik. 'Waar ben je?'

Hij aarzelde. 'Beneden.'

Het was alsof de kersenbonbon in mijn keel bleef steken. Dat was echter nog niets vergeleken bij de golf van opwinding die door mijn aderen stroomde. 'Nou, wat doe je daar beneden? Kom naar boven.'

Zodra ik had opgehangen, sprong ik van de bank om naar de badkamer te rennen. Eén blik in de spiegel werd me gegund, voordat de zoemer van de intercom overging. Dus rende ik weer terug en drukte de spreektoets in zonder Malakai de kans te geven mijn gast aan te kondigen. 'Stuur hem naar boven.'

Ik likte eventuele sporen van de bonbon van mijn lippen, die ik bij mijn vluchtige inspectie in de spiegel had gemist, woelde even snel met mijn handen door mijn haar en zwaaide de deur open.

Op zijn dooie gemak kwam Jonathan door de gang aan gekuierd. Merkwaardig genoeg wist hij er weer onweerstaanbaar uit te zien in een visgraatcolbert dat onrustbarend vloekte bij de strepen op zijn trui.

In zijn ene hand hield hij een boeket zachtroze rozen.

Zodra hij voor me stond, liet hij zijn blik over me heen dwalen met die inmiddels bekende mengeling van verwarring en verlangen in zijn ogen. 'Ik was in de buurt, zag deze en –'

Midden in zijn halfslachtige uitleg legde ik hem het zwijgen op door hem te kussen met de zelfverzekerdheid van een vrouw die precies wist waarom hij was gekomen.

'Mmm,' mompelde hij, zijn hoofd even terugtrekkend. 'Is dat... chocolade?'

'Een armzalig surrogaat voor wat ik eigenlijk wilde,' zei ik, hem diep in de ogen kijkend.

De ingehouden spanning viel zichtbaar van hem af, waarop ik me realiseerde dat hij kennelijk nerveus was geweest over zijn onaangekondigde bezoek. 'Ik heb de hele dag aan je lopen denken,' gaf hij toe, waarna hij me weer dicht tegen zich aan trok.

Eindelijk, dacht ik, terwijl ik hem linea recta meenam naar de slaapkamer, een man die durft te zeggen wat hij wil.

Waardoor ik me niet gehinderd voelde om hem precies te laten zien wat ík wilde.

Gelukkig had Jonathan die avond niet alleen rozen meegenomen. Want die bobbel die ik voelde toen hij me de eerste keer omhelsde, bleek een doosje condooms te zijn. Een megaverpakking.

Zodra we waren begonnen die voorraad erdoorheen te jagen, ontdekte ik dat Jonathan Somerfield niet alleen een attente en warmhartige man was, maar ook een tedere en toegewijde minnaar.

Heel toegewijd. Het liep al tegen tweeën toen we uiteindelijk volkomen uitgeput in de kussens vielen. Althans, dat gold voor mij. Want net voordat ik me helemaal overgaf aan de slaap, voelde ik dat hij zijn gewicht verplaatste, hoorde ik dat hij zijn voeten op de vloer zette.

Voordat hij uit bed kon opstaan, pakte ik in een opwelling zijn hand.

'Blijf alsjeblieft,' zei ik. Mijn gêne om die twee smekende woordjes uit te spreken, werd overstemd door mijn verlangen om meer van hem te krijgen. En dan bedoelde ik niet alleen seks.

Hij aarzelde, stond duidelijk in tweestrijd.

'Morgen is het zondag,' zei ik, in de hoop dat ik hem daarmee zijn enige ontsnappingsmogelijkheid had afgenomen. Op zondag kon hij onmogelijk college hebben.

Of het me nu gelukt was omdat ik zijn enige geldige excuus om ervandoor te gaan om zeep had geholpen, of omdat hij had besloten toe te geven aan mijn inmiddels overduidelijke behoefte om hem bij me te houden, hij gaf zich in elk geval gewonnen. Zwijgend gleed hij weer onder het laken, waarna hij me tegen zijn borst trok en zijn lichaam om dat van mij vlijde.

Ondanks het feit dat ik blij was met zijn besluit, kon ik me niet ontspannen. En ik merkte aan de manier waarop zijn vingers mijn nek, mijn rug, mijn dij bleven strelen, dat hij ook niet kon slapen. Dat leek een eeuwigheid te duren.

In elk geval zolang ik mijn ogen open kon houden, wat, besefte ik toen ik met een slaperige blik het eerste zonlicht door het raam zag vallen, iets... te lang was.

Uiteindelijk ben ik in slaap gevallen. Dat kan niet anders. Want toen ik wakker werd in een leeg bed, ging er een schok door me heen. Gevolgd door een gevoel van opluchting. Ik hield me voor dat ik Jonathan niet wilde zien als hij het zo'n opgave vond om naast mij wakker te worden. Per slot van rekening was alleenzijn een keuze. De gemakkelijkste, zo begon ik langzamerhand te denken.

Ik draaide me op mijn rug en begon al plannen voor deze dag te maken, diep zuchtend om het treurige gevoel van me af te schudden dat mijn eenzame ontwaken had veroorzaakt, toen ik ineens de geur van koffie en, vreemd genoeg, bacon opsnoof. Iemand begon de dag goed, dacht ik, waarop ik besloot mijn dag ook zo te beginnen door mezelf te trakteren op een uitgebreid ontbijt. Misschien in het ontbijtcafé op Broadway. Of in het Cozy Café.

Ik hoorde een kletterend geluid uit mijn keuken komen.

Of misschien wel thuis, bedacht ik, toen tot mijn grote vreugde tot me doordrong dat Jonathan niet alleen nog hier was, maar zelfs een ontbijt in elkaar stond te flansen dat, te oordelen naar de geuren die de slaapkamer binnen dreven, een koningsmaal werd.

Of een prinsessenmaal.

Met een sprong kwam ik uit bed; ik deed niet eens moeite om het gelukzalige gevoel dat door me heen stroomde, in te tomen. Ik trok een korte kimono van lichtblauwe zijde aan, haalde voor de spiegel snel mijn handen door mijn warrige haren, wreef de slaap uit mijn ogen en liep vervolgens naar de keuken.

In de deuropening bleef ik even ademloos staan kijken.

Jonathan stond, gehuld in een boxershort, fluitend – ja, fluitend – in een pan sissende bacon te roeren.

Geschrokken keek hij op, waarna hij schaapachtig glimlachte. 'Ik hoop dat je het niet erg vindt.'

'Erg?' herhaalde ik verbluft, terwijl ik mijn blik over zijn lichaam liet gaan en wederom besefte wat een lekker ding hij was.

'Ik heb je voorraden min of meer geplunderd. Je houdt er een goedgevulde koelkast op na voor een alleenstaande vrouw.'

Hij moest eens weten.

'Ik heb wat bacon gevonden, eieren, een stukje kaas en zelfs een beetje salsa. Dus dacht ik dat ik wel een ontbijtje voor ons kon maken. Het is lang geleden dat ik...

dat ik ontbijt voor iemand heb gemaakt...'

Ik had hem wel kunnen zoenen. Dus liep ik naar hem toe om dat ook inderdaad te doen.

Even later boog hij zijn hoofd achterover. 'Het is best leuk wakker worden met jou,' zei hij glimlachend.

Ja, en jij bent een droom, dacht ik. Eentje waaruit ik nooit hoopte te ontwaken.

De rest van de dag brachten we samen door; we verplaatsten ons van de ontbijttafel naar de slaapkamer, waar we onszelf de hele dag zoet hielden met vrijen en gesprekken over van alles en nog wat, van het maken van kunst tot het maken van baby's. Nee, niet van ons – dat zou voorbarig zijn geweest.

Ik kreeg echter het gevoel, toen Jonathan vertelde over de dromen die hij ooit met zijn vrouw had gekoesterd over het stichten van een gezinnetje, over het kopen van hun eigen huis, dat hij dat deed met in zijn achterhoofd de wens om die dromen weer bereikbaar te laten lijken. Alsof het allemaal nog steeds kon gebeuren. Uit de manier waarop hij me tegen het vallen van de avond aankeek, maakte ik op dat hij het kon zien gebeuren met mij.

Dus lieten we ons betoveren door de droombeelden die we van elkaar hadden en sloten de wereld buiten. Ons avondeten lieten we bezorgen. We trakteerden onszelf ook nog op een videofilm, wat leidde tot onze eerste echte discussie midden in de videotheek, omdat hij zijn zinnen had gezet op een oude film over de burgeroorlog en ik Casablanca wilde zien. Bij wijze van compromis kozen we Braveheart. Een beetje geschiedenis. Heel veel Mel. Dat leek toepasselijk. In elk geval zou Angie dat hebben gevonden, aangezien zij in gedachten van Jonathan al een soort Mel Gibson had gemaakt. Ik begreep ook waarom toen Jonathan en ik eenmaal tegen elkaar aan genesteld in bed lagen en zagen hoe Mel kampte met zijn verdriet na de brute moord op de liefde van zijn leven, voordat hij verder trok om de wereld te veroveren en uiteindelijk zelfs met de koningin in bed belandde.

Ik voelde me ook een beetje een koningin toen Jonathan me voor het slapen gaan trakteerde op een lichaamsmassage. Ik stond op het punt om de massage op slinkse wijze om te vormen tot een frontale aanval, omdat die grote handen mijn lichaam inmiddels in grote staat van opwinding hadden gebracht, toen de telefoon overging.

'Jij bent een behoorlijk populaire dame,' luidde Jonathans commentaar.

In de loop van de dag was de telefoon inderdaad vaak overgegaan, maar ik had geen zin gehad om op te nemen. Een keer was het Claudia geweest, die me had geprobeerd over te halen een dagje naar een kuuroord te gaan, waar ze ongetwijfeld hoopte haar laatste woedeaanval van zich af te kunnen spoelen. Het tweede telefoontje was van mijn moeder geweest, en dat had ik wel aan willen nemen, als ik niet net midden in een uiterst aangename verstrengeling met Jonathan had gelegen. Het geluid van mijn moeders stem – gevolgd door die van mijn vader, die een vrolijke groet op mijn antwoordapparaat insprak, toen mijn moeder hem de telefoon overhandigde – had bij Jonathan een vreemde vlaag van verlegenheid teweeggebracht. Misschien was het wat merkwaardig om een moment van wellust te beleven met de dochter van de man met wie hij een aantal van zijn meest verheven ideeën had uitgewisseld.

Dan was er natuurlijk nog een belletje van Angie geweest, die me even aan het schrikken had gemaakt. 'Ik weet dat je er bent, Grace, neem op. Grace?' Ze had geaarzeld, en gedurende een verlammend moment had ik gevreesd dat ze een preek tegen me zou afsteken over het feit dat ik het onderwerp Jonathan vermeed. Er was echter iets – misschien een sprankje romantische hoop – wat haar had tegengehouden. Alsof ze had aangevoeld dat ze misschien het vriendinnenzwijgpact zou overtreden in het geval dat ik niet alleen was. De hemel zij dank.

Daarna was de telefoon nog een paar keer gegaan, maar de beller – Angie waarschijnlijk – had wijselijk opgehangen.

Nu hij weer ging, een beetje laat voor een zondagavond, pakte ik op uit angst dat Angie in een vlaag van paniek niet langer haar mond zou kunnen houden.

'Hallo?' zei ik enigszins hees in de hoorn, omdat Jonathans handen naar de achterkant van mijn dijen gleden.

'Grace!' schreeuwde Angie in mijn oor, duidelijk in alle staten, zoals ik al had vermoed. 'Waar zát je?'

'Hier,' antwoordde ik slaperig.

'Waarom heb je de telefoon dan niet opgenomen?' wilde ze op geïrriteerde toon weten. Het volgende moment drong het tot haar door. 'Je bent niet alleen, hè?'

'Hm-m,' mompelde ik, een kreun van genot onderdrukkend toen Jonathan een knoop wegmasseerde waarvan ik niet eens wist dat die in mijn kuit zat. Ik hoorde dat hij tevreden bromde, alsof het hem plezier deed iets in mijn lichaam te ontdekken wat nog aandacht nodig had.

'Grace, als dat Billy is die ik op de achtergrond hoor, dan vermoord ik je.'

'Voel jij je wel helemaal lekker?' vroeg ik, plotseling beseffend hoe krankzinnig het was dat ik had gedacht dat die telefoontjes, zelfs naar een lekker ding als Billy, me voldoening zouden geven.

'Dan moet het... O, mijn hemel, Grace! Je gaat me toch niet vertellen... Is Jonathan er?'

Ik grijnsde. 'Oké, dan vertel ik het je niet.'

'Waarom heb je me niet gebéld? O, laat ook maar zitten. Ik wil er alles over horen!' Voordat ik ook maar een woord kon zeggen, besloot ze: 'Morgen.' En hing op.

Waar ik zo om moest lachen, dat mijn hele lichaam ervan schudde.

Jonathan liet mijn kuit los en liet zich vervolgens op het kussen naast me vallen. 'Wat is er zo grappig?' vroeg hij.

Op het moment dat ik hem aankeek, schoot ik in een lachstuip die vanuit mijn tenen kwam. Zo hard had ik al heel lang niet meer gelachen, realiseerde ik me. Zodra ik mezelf weer in bedwang had, draaide ik me op mijn zij. 'O, niets,' antwoordde ik, in Jonathans prachtige ogen starend. 'Of eigenlijk, alles.'

Vragend trok hij een wenkbrauw op.

'Ik ben gewoon gelukkig, snap je?'

Op zijn gezicht verscheen een verblufte uitdrukking, alsof het idee gelukkig te zijn onbegrijpelijk was. Vervolgens begon hij te glimlachen. 'Ja,' zei hij, ietwat verlegen. 'Dat snap ik.'

Volgens mij was het wel logisch dat een vrouw die zoveel liefdesverdriet had gehad als ik, zich ongerust maakte dat de geluksbel waarin ze zich bevond uiteen zou spatten. Want zodra Jonathan maandagochtend wegliep en mij na een tedere, maar vluchtige kus op de hoek achterliet, werd ik bevangen door een verkillende angst, die in het verleden nogal eens het einde had betekend voor minder geslaagde relaties in mijn leven. Op mijn wandeling door de stad, want ik had de verkwikkende kou verkozen boven de overvolle bus toen ik geen taxi had kunnen krijgen, liep ik te peinzen over de tederheid tussen ons, de kwetsbare kanten die we elkaar hadden laten zien. Dat gaf me een déjá vu-gevoel. Dit knusse geluk had ik al eens eerder gevonden. Bij Michael. Ik kon me mijn ervaringen met de Dubrow-erfgenaam nog heel goed voor de geest halen; dat gevoel dat alles mogelijk was, dat verlangen naar alles wat zou kunnen zijn. Datzelfde gelukzalige gevoel had ik misschien zelfs bij Drew en Ethan gehad. In elk geval in het begin. Voordat de realiteit zich had aangediend. Wat op een gegeven moment altijd gebeurde.

Dat was ook de reden waarom ik open kaart had gespeeld met Jonathan. Ik had hem verteld over Kristina, over hoe ik haar had gevonden... en had verloren. Ik was bang geweest dat hij anders tegen me aan zou kijken als hij eenmaal wist dat ik niet dezelfde genen had als zijn geniale ex-collega Dr. Thomas Noonan. Door schade en schande was ik erachter gekomen dat het voor sommige mannen verschil maakte. Voor Drew bijvoorbeeld.

Jonathan, daarentegen...

Jonathan had me in zijn armen genomen, me vastgehouden alsof hij al mijn verdriet kon laten verdwijnen door de kracht van zijn aanraking. Bijna was ik in tranen uitgebarsten.

Dat had ik natuurlijk niet laten gebeuren. Ik wilde niet dat de eerste man die mij het gevoel gaf dat ik me werkelijk bloot kon geven, me zou beschouwen als de een of andere geflipte neuroot.

'Oké, het hele verhaal,' zei Angie, die tegenover me zat in een eetcafé in de buurt van mijn kantoor. Ze had me voor het blok gezet door me tegen het middaguur te bellen met de mededeling dat ze op weg was om in de stad te gaan lunchen en dat ik het niet in mijn hoofd hoefde te halen om te weigeren. Kennelijk geloofde ze dat wat er tussen mij en Jonathan was gebeurd, een tripje naar het centrum waard was, wat mijn romantische weekendje een lading gaf die mij angst aanjoeg.

Dus deed ik mijn uiterste best om het weer tot normale proporties terug te brengen. Nonchalant haalde ik mijn schouders op, terwijl ik aandachtig mijn sandwich bestudeerde. 'We hebben het weekend samen doorgebracht. Het was leuk.'

Haar wenkbrauwen zakten een paar centimeter. 'Leuk? Kom op, Grace, wat is er gebeurd? Begin bij het begin! Wat is er gebeurd toen hij zaterdagochtend belde?'

'Dat was Claudia. Jonathan belde om een uur of zes. Vanuit de lobby van mijn flatgebouw.' De grijns die om mijn mondhoeken speelde, kon ik niet onderdrukken.

'De lobby... Goeie hemel! Hij was kennelijk niet van plan zich te laten afschepen.' Ze zuchtte. 'Ik wed dat hij het niet kon verdragen niet bij jou te zijn!'

Of misschien kon hij het niet verdragen dat hij niet had afgemaakt wat hij de avond ervoor was begonnen, bedacht ik plotseling, toen ik me herinnerde hoe snel dat doosje condooms tevoorschijn was gekomen.

'Wat had hij aan?'

Verbluft keek ik haar aan. 'Wat maakt dat nu uit?'

Ze draaide met haar ogen. 'Ik probeer een beeld te krijgen!'

'Een heel foute trui en een wollen colbert dat erbij vloekte.'

'Dus hij had zich opgedoft. Ga door.'

Met een zucht realiseerde ik me dat deze grappige details niet vielen te relativeren met Angie. Dus gaf ik toe. Een klein beetje. 'Hij had bloemen bij zich. Ze waren roze... zachtroze...'

Het was duidelijk dat die rozen wat Angie betrof geruit hadden kunnen zijn. 'O, mijn hémel, Grace! Hij is geweldig! Wat zei hij toen? Wat dééd hij?'

Ik glimlachte, bijna blozend bij de herinnering – en ik was niet het type dat gauw bloosde. 'Nou, het was meer een kwestie van wat wij deden.'

Haar ogen verwijdden zich en haar mond vormde zich tot een begrijpend 'O'. Daarna lachte ze, duidelijk tevreden met zichzelf. Alsof ze dit allemaal persoonlijk in scène had gezet. 'En, eh... hoe was het?'

Plotseling kon ik de vreugde die de hele tijd onder de

oppervlakte had liggen borrelen, niet langer inhouden, en ik antwoordde ietwat ademloos: 'Het was geweldig.'

Angie slaakte een zucht, en haar ogen werden wazig van de tranen.

Dat was voor mij iets te veel van het goede. 'Eet je dat niet op?' blafte ik haar bijna toe.

Ze keek naar haar sandwich alsof ze die compleet was vergeten, waarna ze een hap nam die ze razendsnel wegwerkte. 'En toen?'

'Eens even kijken,' zei ik. Ik herinnerde me dat we elkaar gewoon vast hadden gehouden. Niet dat dat erg lang had geduurd. Volgens mij waren we net weer op adem gekomen toen zijn hand zich om mijn heup had gesloten en hij me tot de volgende ronde had verleid. 'We, eh... We hebben het nog een keer gedaan,' zei ik. Wat me had verbaasd. Het was geweest alsof hij net was vrijgelaten uit de gevangenis. Toen schoot me te binnen dat Jonathan op een bepaalde manier misschien was vrijgelaten uit een gevangenis die hij zelf had gecreëerd. Was het mogelijk dat hij geen seks meer had gehad sinds zijn vrouw was overleden? Onmogelijk, zei mijn verstand, hoewel ik me ergens afvroeg of dat de reden was waarom hij naar mijn huis was gekomen met een megaverpakking condooms op zak. Het angstzweet brak me uit. Was dat het enige wat ik voor hem had betekend? Een manier om al zijn onderdrukte seksuele frustraties kwijt te raken?

'Grace? Hallo?'

Met een klap landde ik weer op aarde. 'Wat?' vroeg ik, naar haar verwarde gezicht starend, waar ik de antwoorden die ik nodig had natuurlijk nooit zou vinden.

'Ik stelde je een vraag?'

'Sorry,' zei ik afwezig. Ik had haar niet eens gehoord, zo in beslag genomen was ik geweest door al die andere zwaarwegende vragen.

'Waar hebben jullie over gepraat? Ik bedoel, jullie

moeten op een gegeven moment toch ook gepráát hebben.'

'Tuurlijk,' antwoordde ik opgelucht. We hadden gepraat. Over ons verleden. En nog belangrijker, over onze toekomstdromen. Terugdenkend aan de droefheid en de hoop die ik had gevoeld toen Jonathan me had verteld hoe graag hij aan een gezinnetje had willen beginnen met zijn vrouw, besefte ik dat ik misschien wel iets te veel in zijn nogal treurige verhaal had gelegd. Zo veel zelfs, dat toen ik de vorige avond in slaap was gevallen, ik een visioen had gehad van een bruinogige baby met dikke donkere wimpers... Mijn baby – en Jonathans.

Ik weet het, belachelijk, niet? Het werd nog belachelijker omdat ik al eens eerder had meegemaakt dat een man in bed die schertsvertoning over baby's opvoerde. Michael. Dat was gewoon onderdeel van de bedscène geweest.

'Wanneer zie je hem weer?' drong Angie aan.

Ik keek haar aan en voelde de angst bezit van me nemen. 'Dat weet ik niet.'

Dat was het nu precies. Het was te vroeg om ook maar iets te weten. Ondanks het besef dat ik klaar was... voor alles.

18

Het enige wat ik wilde, is wat iedereen wil, je weet wel, te worden bemind. (Rita Hayworth)

Omdat ik niet genoeg aanwijzingen had om van mijn weekend met Jonathan het romantische sprookje te maken dat Angie erin zag, besloot ik het heft in eigen handen te nemen en hem die middag te bellen. Tenslotte had de man het hele weekend doorgebracht in mijn appartement – in mijn bed.

'Dr. Somerfield, alsjeblieft,' zei ik vanachter mijn bureau in de hoorn.

'Eh... een momentje,' klonk de jeugdige stem van de studente die de telefoon opnam.

'Met Dr. Somerfield,' zei hij even later.

Plotseling voelde ik me net de ondeugende studente die de onschuldige professor tot onzedelijk gedrag probeert te verleiden. 'Hé, hallo, lekker ding,' begroette ik hem.

'Grace,' reageerde hij, zijn stem een mengeling van verbazing en, volgens mij, hoopvolle verwachting.

Dat gaf mij voldoende moed om de sprong te wagen. 'Ik moet je zien. Snel.'

Hij schraapte zijn keel, waardoor hij op slag weer de verwarde professor werd die ik aanbad. 'Nou, laat me eens kijken,' zei hij.

Ik hoorde het geritsel van papier en besefte dat hij waarschijnlijk op zoek was naar zijn agenda. Dit had ik namelijk vaker meegemaakt met veel te veel New Yorkse mannen. Je weet wel, de types die het zo druk hebben, dat ze een palmcomputer nodig hebben om alles bij te houden van hun eerstvolgende vergadering tot hun eerstvolgende orgasme. Uit al dat papiergeritsel bleek wel dat Jonathan er geen palmcomputer op na hield. Ik hoopte alleen dat hij deze week wel tijd had voor zijn eerstvolgende orgasme. Want ik had echt geen zin om tot het weekend op het mijne te moeten wachten...

'Ik geef les tot zes uur; daarna heb ik een afspraak met een student...'

O jee, de man wilde me inderdaad graag zien. Vanavond nog. Hij had het behoorlijk te pakken.

Net als ik. 'Zal ik naar jou toe komen? Ik kan wel wat te eten meenemen van Zabar. Een wijntje...'

Zijn aarzeling duurde maar kort. 'Zal ik maar gewoon naar jouw huis komen? Dan neem ik het eten mee. Trouwens, ik weet niet precies hoe laat ik klaar ben.'

'Dat is prima,' stemde ik in, hoewel ik door zijn wijziging van onze ontmoetingsplek plotseling inzag waarom ik zijn appartement had voorgesteld. Hij had mijn leefomgeving al gezien. Ik wilde die van hem ook zien.

Toch drukte ik niet door. Het ging me er tenslotte om hém te zien, toch? Om erachter te komen of alles wat er dit weekend tussen ons was gebeurd nog een vervolg zou krijgen.

Dus vertelde ik hem met lage hese stem, bedoeld om zijn lichaamstemperatuur een paar graden omhoog te jagen, dat ik op hem zou wachten.

Die avond wachtte ik ook inderdaad op hem... en de avond erna ook. Het leek alsof we geen genoeg van elkaar konden krijgen. We vrijden en praatten, en het was goed. Zo goed, dat ik meer wilde. Niet heel veel meer. Eigenlijk alleen een uitnodiging. Om bij hem thuis te komen, zoals ik aan Shelley uitlegde tijdens onze sessie van die week.

'Misschien is hij erg op zichzelf,' zei Shelley, die zich opnieuw ontpopte tot een medemens met goede raad in plaats van de spittende therapeute uit te hangen die ze tot aan mijn huilbui van vorige week was geweest.

Ik denk dat ze de manier waarop ik mezelf had blootgegeven als een vooruitgang beschouwde. Want ze leek me ervoor te belonen met iets wat aanvoelde als vriendschap.

Uiteraard betekende dat niet dat ze geen onderwerpen meer aanroerde die ik niet wilde bespreken.

'Jij bent trouwens ook nogal op jezelf, voorzover ik dat kan beoordelen. Zoals jij mensen op een afstand houdt,' zei ze nu.

Ik had met haar in discussie kunnen gaan, maar ik kon de waarheid niet langer ontkennen. Ik had mijn eigen ouders niet eens in vertrouwen genomen over wat er de laatste tijd in mijn leven was gebeurd. Over Jonathan bijvoorbeeld. Of Kristina...

Inwendig kromp ik ineen. Ja, ik was op mezelf. Hemel, ik leefde bijna in een... cel, besefte ik. Ik wilde niemand toelaten. De enige die zich gewoon toegang had verschaft, was Angie, omdat ze altijd op mijn deur stond te bonzen. En Shelley, die ik betaalde om op die deur te bonzen. En Jonathan...

Ik zuchtte. 'Weet je, ik heb me open opgesteld naar hem toe. Ik heb hem alles over mezelf verteld, geloof ik.'

'Ja, dat heb je waarschijnlijk wel gedaan,' gaf ze toe. 'Alles, behalve hoe je je voelt, natuurlijk.'

Ik was niet van plan om het Shelley op dat punt te laten winnen. Want ik wist gewoon niet hoe ik me voelde. Nou, ja, ik voelde me gelukkig. En ongelooflijk hitsig. Aangezien ik wilde visioenen had over wat er volgens mij nog meer in zat, zeker nu Jonathan en ik zoveel tijd met elkaar doorbrachten, besloot ik eens op de deur van zijn cel te bonzen.

'Wat dacht je ervan als wij zaterdagavond eens samen gingen koken?' vroeg ik, nadat we die donderdag onze nog nagloeiende lichamen even lieten bijkomen.

'Klinkt goed,' zei hij.

Met een hand streelde hij mijn hoofd, dat ik op zijn borst had gelegd, waarschijnlijk om zijn blik te vermijden op het moment dat ik eraan toevoegde: 'Bij jou thuis.'

Zijn hand bleef stilliggen, en ik hield mijn adem in. Mijn vermoedens klopten, besefte ik. Hij was bang. Bang om mij binnen te laten. Letterlijk.

Met gesloten ogen zette ik me schrap voor de onvermijdelijke weigering. Des te groter was mijn opluchting toen hij uiteindelijk met de zachtste stem die ik ooit van hem had gehoord, zei: 'Goed.'

Ik hief mijn hoofd op, omdat ik zijn ogen wilde zien om te weten te komen of hij zijn antwoord uit beleefdheid had gegeven of uit de wens om samen een stap verder te gaan.

Hij staarde me aan, en ik las in zijn blik bedroefdheid, ongerustheid en de gebruikelijke verwarring. Daarachter zag ik echter ook een sprankje hoop opvlammen.

'Wat is er met jóú?' vroeg Claudia toen we vrijdagochtend in de kleine vergaderzaal zaten om de puntjes op de i te zetten van onze marketingplannen voor de introductie van Roxy D.

We hadden het kostenplaatje besproken van het weggeven van gratis monsters knalroze lipstick bij elke aankoop, en ik was net begonnen de financiële gevolgen op mijn laptop in te voeren.

Met een lachje om haar mond keek Lori op van haar notulen.

'Wat?' vroeg ik, van de een naar de ander kijkend.

Lori giechelde. 'Grace, je zit te zíngen.'

Het refrein van P.J. Harveys This Is Love had door

mijn hoofd gespeeld. Hemel, was ik echt hardop gaan zingen? Bijna schoot ik zelf in de lach. Bij de gedachte aan de man die me had geïnspireerd tot dit vrolijke deuntje, flapte ik er ineens uit: 'Ik heb mogenavond een afspraakje.'

Op het moment dat ik mijn nieuwe relatie opbiechtte, had ik er al spijt van.

Lori stuiterde bijna uit haar stoel van enthousiasme. 'O, Grace, wat léúk!'

Voordat ze de volgende drie vragen kon stellen die overduidelijk op het puntje van haar tong lagen – wie, waar en hoe – reageerde Claudia op een toon die droop van sarcasme: 'Nou, la-di-da.'

Dat had ik van Claudia kunnen verwachten. Ik wist immers heel goed dat niemand werd geacht ook maar het geringste blijk van geluk te geven in haar aanwezigheid, zeker niet als zij zich ellendig voelde. En Claudia had een absoluut dieptepunt bereikt sinds de publicatie van die schokkende foto van haar in W. Het enige wat haar nog op de been leek te houden, was het feit dat ze haar connecties had gebruikt om een afspraak te krijgen bij de beste plastische chirurg in New York City.

'Nou, kom op,' zei ze. 'Gooi het eruit. Vertel ons eens over deze ongelooflijke nieuwe man die je uit de klei hebt weten te trekken.'

Mijn instinct zei me dat ik mijn mond moest houden, als ik niet wilde dat Claudia's bitterheid vat op me kreeg. Ik kon de verleiding echter niet weerstaan toen Lori met twinkelende ogen naar me toe boog en vroeg: 'Hoe heet hij?'

'Jonathan,' antwoordde ik. 'Dr. Jonathan Somerfield.'

'Ga weg, heb je een dókter aan de haak weten te slaan?' Claudia's wenkbrauwen schoten omhoog. Ze was altijd al onder de indruk geweest van mijn relatie-cv. Waarschijnlijk omdat ze er zelf een dikke zes jaar over had gedaan om haar investeringsbankier aan de haak te slaan, die haar vervolgens had ingeruild voor een jonger model.

'Hij is doctor in de kunstgeschiedenis.'

'O, zo'n doctor,' schamperde Claudia. Kennelijk dacht ze dat een man die tot de intellectuele elite behoorde, niets te bieden had in financieel opzicht.

Op dat moment bedacht ik dat Jonathan misschien wel relatief arm was. Misschien was dat de reden waarom hij mij zijn appartement niet wilde laten zien. Was het mogelijk dat hij zich... ervoor schaamde?

Dat was bespottelijk. Bijna net zo bespottelijk als het vrolijke refreintje van Love Will Keep Us Together dat door mijn hoofd speelde.

Die avond bakte ik een taart. Ik was namelijk best een aardige banketbakker als ik me ertoe wist te zetten. Of, in dit geval, mijn hart erin legde. Want dit was niet zomaar een toetje, maar een onverantwoord calorierijke chocoladetaart die ik wilde bedruipen met de versgemaakte aardbeiensaus die ik inmiddels ook had gefabriekt. In eerste instantie hield ik me voor dat ik stond te bakken omdat ik iets ontspannends wilde doen, en aangezien Jonathan erop had gestaan alle boodschappen voor het eten zelf te halen en ik niet met lege handen aan wilde komen, was ik op weg naar huis bij Zabar binnen gewipt om taartingrediënten te kopen. Toen ik eenmaal aan het kloppen en roeren was geslagen, moest ik echter toegeven dat mijn keukenprinsessenact meer was dan het beleefde gebaar van iemand die voor een etentje was uitgenodigd. Ik vond het leuk om Jonathan te vertroetelen; dat gaf me een ongekende voldoening.

Kennelijk had ik iets te veel cacao gesnoven, want toen de telefoon ging, zong ik mijn 'hallo' bijna in de hoorn.

'Grace, liefje,' zong mijn moeder terug.

'Hallo, schat,' volgde mijn vaders tenorstem op haar sopraanstem.

'Mam, pap,' zei ik, terwijl mijn opgetogen stemming plaatsmaakte voor een schuldgevoel. Na het bericht dat ze vorige week op mijn antwoordapparaat hadden ingesproken, had ik niet meer teruggebeld. Ik had... andere dingen aan mijn hoofd gehad.

Niet dat het hun was opgevallen. Of als dat wel het geval was, dan waren ze dat vergeten omdat ze momenteel zelf iets anders aan hun hoofd hadden.

'De Chevalier is aangekomen,' zei mijn vader op blije toon. 'Vanmiddag.'

'O, Grace...' Mijn moeder snikte het bijna uit. 'Ik ben diep onder de indruk van wat je allemaal hebt gedaan.'

Ik glimlachte. 'Je hebt het eigenlijk allemaal aan pa te danken, hoor.'

'Alsjeblieft, ik heb hem al laten weten hoe waanzinnig het van hem was om zoveel geld uit te geven. En hoe romantisch. Ik ben nog nooit zo...' Haar stem stokte, en ik realiseerde me dat ze huilde.

Waardoor ik het liefst spontaan mee was gaan huilen, uit hetzelfde soort geluksgevoel dat haar tot tranen toe had geroerd.

Toen mijn moeder zichzelf eindelijk weer in de hand had, liet ik hun weten: 'Ik moet zeggen dat het heel wat voor me betekende om dat schilderij eindelijk weer eens te zien.' Terwijl ik die woorden uitsprak, besefte ik hoeveel dat 'heel wat' eigenlijk was. Als ik niet naar die opening was gegaan, had ik Jonathan nooit ontmoet...

Alsof mijn vader mijn gedachten kon lezen, vroeg hij: 'Heb je nog met Dr. Johnny gesproken? Ik moet hem echt bedanken voor zijn hulp hierbij.'

Ik beet op mijn lip, omdat ik bijna in de verleiding kwam om te zeggen dat ik hem al had bedankt – keer op keer. Maar dat kon ik natuurlijk niet aan mijn ouders vertellen. Ik kon ze echter wel iets vertellen, bedacht ik, indachtig mijn laatste sessie met Shelley. 'Nou, toevallig zie ik hem vanavond.'

'Jonathan Somerfield?' vroeg mijn moeder opgetogen. 'O, Grace, hoe komt dat zo?'

'We zien elkaar af en toe,' antwoordde ik weifelend, omdat ik niet zeker wist hoeveel ik wilde prijsgeven.

'O, ja?' zei mijn vader, een lach in zijn stem.

'O, Grace, wat énig,' verzuchtte mijn moeder. 'Hij was altijd zo'n aardige jongeman.'

Omdat ik ineens bedacht dat hij getrouwd moest zijn geweest toen mijn ouders met hem om waren gegaan, vroeg ik: 'Pap, waarom heb je me niet verteld dat hij getrouwd is geweest?'

Het bleef even stil. 'Ik denk dat ik daar niet bij heb stilgestaan.'

Ondanks mijn irritatie, moest ik glimlachen. Natuurlijk had hij daar niet bij stilgestaan. Hij was een man. Dachten mannen ooit over zulke dingen na? Met name mannen zoals mijn vader, die zich het grootste deel van hun leven bezighielden met wereldgebeurtenissen, niet met privé-zaken.

'Dat is een paar jaar geleden, toch, Tom?' vroeg mijn moeder. 'Zo vreselijk tragisch...'

Bij haar woorden kwamen mijn angsten weer boven. Het wás tragisch. Iets wat een man voor altijd kon tekenen.

Alsof mijn moeder mijn ongerustheid over de telefoon kon voelen, ging ze verder: 'Ik vind het geweldig, Grace. Hij is geweldig. Voor jou.'

Toen ik die avond in bed lag, omhuld door de geur van chocola die tot in alle kieren en gaten van mijn appartement was doorgedrongen, vond ik dat ook.

Dat voorkwam echter niet dat ik me iets minder geweldig voelde toen ik me de volgende avond gereedmaakte om naar Jonathans appartement te gaan. Maar liefst zes keer trok ik iets anders aan. Het luistert nauw, een etentje bij een man thuis, zeker wanneer je weet dat je er de nacht gaat doorbrengen. Ik wilde er niet te opgedoft, maar toch sexy uitzien. Wat op zich niet zo moeilijk was, op het lingeriedilemma na. Aangezien lingerie deze avond een hoofdrol zou spelen, moest dat deel van mijn garderobe in orde zijn. Dat is alleen een probleem als je maat 75C hebt. Niemand leek zich te bekommeren om die doelgroep, behalve de fabrikanten van beha's die meer bekendstonden om hun ondersteunende kwaliteiten dan hun sex-appeal. Als ik naadloze ondersteuning wilde, dan was ik veroordeeld tot een beha die eruitzag als iets wat uit het boudoir van mijn oma tevoorschijn was gehaald. Of tot een oersaai modelletje, waar ik voor het dagelijks gebruik mijn toevlucht toe nam. Niet dat ik niets beters in de kast had. Ik had een lade vol van het soort dat je aantrok wanneer je zeker wist dat de man van het moment het binnen een paar minuten van je lijf zou rukken. Een mooie bustier was absoluut uitgesloten, tenzij ik wilde dat mijn borsten de kamer eerder binnenkwamen dan ik. Mijn kanten push-ups vormden heel onflatteuze naden onder al mijn strakke truitjes. En hoewel ik de weg van de slobbertrui had kunnen kiezen, wilde ik toch ook wel wat sex-appeal uitstralen vóórdat die trui uitging...

Uiteindelijk koos ik voor een exemplaar van zwarte stretchkant met een sexy pantyslip onder een zwart truitje met een heel diepe V-hals, dat precies strak genoeg zat om mijn op en top vrouwelijke vormen te accentueren, maar nog genoeg te raden overliet wat het laagje daaronder betrof. Uiteraard maakte ik het geheel af met een al even goed afkledende wollen broek. Eroverheen trok ik mijn meest aaibare kasjmieren jas aan.

Nadat ik de taart voorzichtig in de gebaksdoos had gelegd, die ik speciaal daarvoor had gekocht, deed ik de doos, de aardbeiensaus en een fles wijn in een boodschappentas en ging de deur uit.

Ondanks de kou besloot ik te gaan lopen. Of misschien wel juist daarom. Zo langzamerhand begon ik het gevoel te krijgen dat ik het spoor bijster was, gezien al dat gefret van de afgelopen twee dagen. Het was niets voor mij om zo neurotisch op elk detail te letten. Even later merkte ik dat al die nervositeit op al even onverklaarbare wijze ineens van me af viel. Op het korte wandelingetje naar Jonathans huis begon ik mezelf zelfs gelukkig te prijzen omdat hij zo dichtbij woonde. Als het niets werd, dan was hij toch handig om in mijn lijstje alarmnummers op te nemen...

Hou daarmee op, sprak ik het duivelse stemmetje toe dat telkens vanuit mijn binnenste leek op te klinken wanneer ik even niet op mijn hoede was. Of juist op mijn hoede bleef, dacht ik, omdat ik besefte dat het wel eens een bijverschijnsel van mijn angst kon zijn.

Dezelfde angst zag ik in Jonathans ogen toen hij me begroette bij de voordeur van het statige bakstenen gebouw waarin hij woonde. Het leek alsof hij daar op me had staan wachten, wat nogal merkwaardig overkwam. Door de manier waarop hij me aan stond te kijken, dacht ik even dat hij een smoesje zou verzinnen en me snel de deur uit zou werken.

Dat deed hij echter niet. In plaats daarvan nam hij de boodschappentas van me over, waarna hij op zoek moest naar zijn sleutel, omdat hij de binnendeur achter zich dicht had laten vallen.

'Jonathan,' zei ik, zijn hand vastgrijpend, voordat hij de sleutel in het slot kon steken.

Geschrokken keek hij me aan, alsof hij me nu pas echt zag.

'Hallo,' begroette ik hem, voordat ik hem zachtjes op zijn mond kuste.

Ik voelde dat een deel van de spanning uit zijn lichaam verdween, maar niet uit zijn ogen, zag ik, toen hij zich uiteindelijk van me losmaakte om ons binnen te laten.

Voor zijn appartement bleek Jonathan zich absoluut niet te hoeven schamen. Het bevond zich op de begane grond, wat min of meer verklaarde waarom hij me bij de voordeur had staan opwachten. Toen we naar zijn appartement aan het einde van de hal liepen, viel me op hoe klein hij leek vergeleken bij de hoge houten deur. Indrukwekkend plafonnetje, dacht ik, starend naar de mooie balken op wel vijf meter hoogte.

Niet gek, dacht ik, toen hij eindelijk de deur opende en opzij stapte om mij in zijn appartement binnen te laten. Ik stond in een grote woonkamer, die ik als 'gezellig' zou hebben betiteld vanwege de houten meubels en het Oosterse tapijt, als die enorm hoge plafonds niet zo'n ruimtelijk effect hadden gecreëerd. Dan was er de open haard. Die riep onmiddellijk een beeld op van Jonathan en mij, vrijend voor een knappend haardvuur. Dat beeld verdween echter net zo snel weer, na een blik om me heen. Nee, niet hier, dacht ik. Het leek bijna alsof hier niet in werd geleefd.

Vervolgens zag ik een muur die helemaal in beslag werd genomen door boeken; ervoor stonden een leunstoel en een klein tafeltje waar een opengeslagen boek op lag, alsof hij daar net nog had gezeten, en een koffiemok. Blijkbaar gebruikte hij deze kamer dus wel, maar toch hing er een sfeer van eenzaamheid.

'Nou, dit is het dan,' deed hij me uit mijn gedachten opschrikken. 'Zie je wel? Je hebt niet veel gemist.'

Ik draaide me naar hem om. 'Ik heb nog bijna niets gezien. Waarom geef je me niet even een rondleiding?'

We begonnen in de keuken, waar ik een paar steaks op een bord op het aanrecht ontwaarde, die hij zo te zien al had gemarineerd. Er pruttelde ook iets in een pan op het fornuis, wat volgens Jonathan een risotto van wilde champignons was.

'Ik zie dat je verborgen talenten hebt,' zei ik met een lach.

Hij begon zowaar te blozen. 'Ik moest iets te doen hebben terwijl ik op jou wachtte.'

Mijn grijns werd breder. Dus kennelijk was ik niet de enige die zich zenuwachtig had gemaakt; dat vond ik wel een geruststellende gedachte. Even later leidde hij me door de hal langs de badkamerdeur en een andere deur die dicht was en die we voorbij zouden zijn gelopen, als ik er niet voor was blijven staan.

'Kast?' vroeg ik, nieuwsgierig of hij zich gelukkig mocht prijzen met iets waar je in Manhattan normaal gesproken diep voor in de buidel moest tasten: bergruimte. Ik had de ruime gangkast al gezien, waarin hij mijn jas had opgehangen, en nam aan dat er in de slaapkamer ook kastruimte was.

'Nee, nee. Dat is een tweede slaapkamer.' Voordat de waarde van die ongekende luxe op de huizenmarkt tot me kon doordringen, voegde hij eraan toe: 'Een kleintje.' Alsof hij zich geneerde voor de welvaart die een tweekamerappartement in een herenhuis symboliseerde. 'Caroline en ik hadden die willen gebruiken als... babykamer.' Bij dat laatste woord wendde hij zijn blik af.

Opeens begreep ik waardoor die wat bedrukte sfeer werd veroorzaakt die tussen ons hing sinds hij me in zijn woning had binnengelaten: zijn verleden en het verdriet van de herinnering aan wat eens zijn toekomstdroom was geweest. Met iemand anders. Iemand die, zo vreesde ik, nog steeds aanwezig was, niet alleen in deze mooie kamers, maar ook in Jonathans gedachten.

De teleurstelling die dit besef teweegbracht, moest ik even verbijten, maar toen hij me weer aankeek, had ik mijn emoties onder controle.

'Het is nu een werkkamer,' zei hij, met gefronst voorhoofd naar de dichte deur kijkend, alsof hij ondanks de omdoping nog niet echt had leren leven met de nieuwe functie van de kamer.

Het viel me ook op dat hij de deurkruk niet eens aanraakte, alsof hij me die kamer niet wilde laten zien. Voordat ik daar verder over kon nadenken, loodste hij me naar de deur aan het einde van de gang waarachter de slaapkamer bleek te liggen.

Het bed was slordig opgemaakt met een effen blauwe sprei, en een muur werd volledig bedekt door rijen boeken die kennelijk om de haverklap tevoorschijn werden gehaald, te oordelen naar de manier waarop ze lukraak opgestapeld lagen. In een hoek stond een bureau, waardoor ik me afvroeg hoe hard er in de werkkamer eigenlijk gewerkt werd, met name omdat dit bureau afgeladen was met een computer en stapels boeken en papieren.

Toch deed de aanblik van deze kamer me goed. Hieraan kon ik ten minste zien dat Jonathan er leefde, tot en met de dressboy waarover zo'n hopeloos ouderwetse, maar op en top Dr. Somerfield-broek hing.

Eindelijk voelde ik me op mijn gemak, en glimlachend omhelsde ik hem. Zodra mijn heupen de zijne raakten, voelde ik zijn lichaam reageren, wat mijn enthousiasme uiteraard nog verder aanwakkerde. 'Mmm,' mompelde ik, met mijn mond tegen zijn oor en mijn wang tegen zijn zalige stoppeltjeswang, terwijl ik zijn inmiddels volledige erectie tussen mijn dijen klemde. 'Je hebt inderdaad een heerlijk... huis.'

Het dineetje begon laat, aangezien Jonathan en ik nog een paar kreukels in de beddensprei maakten voordat een ander soort honger ons dwong een einde te maken aan ons lome naspel.

We stonden zij aan zij te kokkerellen; ik maakte een marinade volgens een recept van Mrs. DiFranco bij de haricots verts die Jonathan had gekocht, terwijl hij intussen iets grilde in een hypermoderne oven, die een overblijfsel moest zijn uit de tijd dat hij nog getrouwd was geweest. Hoe kwam een vrijgezel anders aan zulk soort keukenapparatuur? De herinnering aan zijn vorige leven werd echter overstemd door het gevoel van intimiteit dat het samen koken bij me opriep; bijna alsof we een echtpaar waren.

Ons etentje was zo mogelijk nog intiemer; ik had een van Jonathans flanellen overhemden aan over mijn kanten slip en zat tegenover hem aan een tafel, die baadde in het kaarslicht.

Tegen de tijd dat we ons samen op de bank hadden genesteld om aan het dessert te beginnen en ik achterover tegen de armleuning hing met mijn benen over die van Jonathan heen, voelde ik me helemaal op mijn gemak. Zeker toen ik zag dat Jonathan zijn ogen sloot om de eerste hap te proeven van het stuk taart dat we samen deelden.

'Mmm, Grace,' verzuchtte hij, waarna hij zijn ogen weer opende. 'Is er iets wat jij niet kunt?'

Daar moest ik even over nadenken. 'Ik ben niet zo'n schaker,' zei ik, mijn blik gericht op het prachtige schaakspel dat op een tafeltje in een hoek van de kamer stond.

'Daar kunnen we wel wat aan doen.' Zijn ogen lichtten op, alsof het vooruitzicht dat hij mij iets kon leren hem plezier deed. 'Hier, proef dit eens,' zei hij, een stukje taart voor me ophoudend.

Ik leunde voorover en hield zijn blik vast, terwijl ik mijn mond om de chocoladecake sloot. 'Mmm.' Achterovergeleund genoot ik van de volle smaak. 'Ik ben inderdaad goed, hè?' zei ik met een knipoog.

'Waar heb je dit geleerd?' wilde hij weten, voordat hij weer een hap nam en mij er ook weer een voorschotelde.

'Van mijn moeder,' antwoordde ik met mijn mond vol. 'Deze taart bakte ik vroeger als klein meisje altijd met haar. Meestal op kerstavond.'

Met een frons tussen zijn wenkbrauwen keek hij neer

op de taart, alsof het noemen van de komende feestdagen hem stoorde.

Ik voelde dat de temperatuur in de kamer – zij het heel minimaal – veranderde. Om die plotselinge pijnlijke stilte te verbreken, dook ik naar voren en bracht het onderwerp ter sprake dat al sinds mijn eenzame Thanksgiving door mijn achterhoofd speelde. 'Dit jaar gaan we natuurlijk met die traditie breken, want dan zitten zij en mijn vader in Parijs.'

Vluchtig keek hij me aan. 'Ben je dan alleen met de feestdagen?'

'Nee, nee,' antwoordde ik snel, omdat ik niet wilde dat hij dacht dat ik een eenzelvig type zonder vrienden was. 'Eerste kerstdag ben ik bij de DiFranco's. Je weet wel, de familie van mijn vriendin Angie.'

'Ach, ja,' zei hij, alsof het feit dat ik al plannen had een opluchting voor hem was. 'Dus dat wordt een visdiner?'

'Nou, dat is op kerstavond.' Ik was blij dat hij zo in beslag werd genomen door de taart, dat hij niet zag welke vraag mij op de lippen brandde. Want ik had dit jaar namelijk geen plannen om kerstavond met de DiFranco's door te brengen. Angie en Justin gingen een romantische kerstavond met zijn tweetjes thuis vieren. Daar kon ik inkomen. Kerstavond had bij mij ook altijd een romantisch gevoel opgeroepen, misschien omdat het vlak voor de huwelijksdag van mijn ouders viel. Toch scheen er om de een of andere reden nooit een man in mijn leven te zijn wanneer de kerstdagen voor de deur stonden. Dus na deze korte, maar uiterst romantische periode met Jonathan, hoopte ik dat daar dit jaar eens verandering in zou komen.

'En jij?' begon ik heel voorzichtig mijn voelsprieten uit te steken. 'Heb jij plannen?'

Peinzend bleef hij even zitten kauwen, waarna hij mij het laatste stukje taart aanbood. Toen ik mijn hoofd schudde, nam hij het zelf en zette het lege bordje op de salontafel. 'Nou, mijn ouders wonen in Connecticut, zoals je weet, dus ga ik op eerste kerstdag daarheen. Mijn broer is er ook altijd met zijn vrouw en hun twee dochtertjes.' Zijn blik werd weer somber.

'Dus voor jou ook geen groots diner op kerstavond?'

Hij keek me aan alsof hij aanvoelde waar ik heen wilde.

Voordat ik goed en wel in de gaten had wat ik deed, flapte ik mijn hartenwens eruit: 'Misschien kunnen we het samen vieren...'

Zwijgend pakte hij zijn koffie op, waarna hij in de mok staarde alsof hij op zoek was naar een vluchtroute op de bodem ervan.

Op slag was ik op mijn hoede, en ik stond op het punt om mijn voorstel van tafel te vegen met een uitnodiging-die-me-plotseling-te-binnen-schoot om mijn gezicht te redden, toen Jonathan me met een nadenkende blik aankeek en zei: 'Misschien...' Daarna zette hij zijn mok op tafel en stond op. 'Zo, wat dacht je van een partijtje schaak?'

Het was een vergissing geweest, besefte ik, om dat kleine hoopvolle stapje te nemen, want Jonathan had zich onmiddellijk weer verscholen achter zijn intellect. Weg was die zucht naar intimiteit die ik eerder in zijn ogen had gezien. Die was vervangen door dat schoolmeesterachtige air dat me tijdens onze eerste paar afspraken was opgevallen en waarmee hij me nu de beginselen probeerde bij te brengen van een spel dat ik niet wilde spelen.

'Weet je zeker dat je dat wilt doen?' vroeg hij halverwege het spel toen ik mijn paard naar de zijkant van het bord verplaatste. 'Je laat je pion daar open en bloot staan.'

Mijn pion was niet het enige wat ik open en bloot had laten staan. 'Hoezo? Laat je me het ongedaan maken dan?' vroeg ik, denkend aan mijn uitnodiging die behoorlijk roet in het eten had gegooid.

Niet dat dit in Jonathan opkwam, want die keek me aan alsof ik een student was die wel wat uitleg kon gebruiken, in plaats van een minnares die andere kopzorgen had dan haar volgende zet. 'Nou, als je dat niet doet, dan sla ik je koning in drie zetten. Dan is het spel voorbij.'

Zo langzamerhand leek het alsof er meer voorbij was dan het schaakspel. Bij die gedachte werd ik verdrietig, en ook een beetje nijdig. Ja, ik had hem mee uit gevraagd op kerstavond. Waarom had het idee dat hij die romantische avond met mij zou doorbrengen, hem zo afgeschrikt, verdorie?

'Het spijt me,' zei ik uiteindelijk, waarna ik met een lusteloos gebaar mijn paard weer terugzette. 'Ik denk niet dat ik dit ooit door zal krijgen.'

'Niet iedereen krijgt het de eerste keer al onder de knie. Daar is oefening voor nodig,' zei hij.

Oefening had ik genoeg gehad, in elk geval wat relaties betrof. Plotseling vond ik het doodvermoeiend om te moeten leren hoe je met een ander moest omgaan.

Alsof hij aanvoelde dat ik me terugtrok, misschien zelfs wel waarom, zei hij: 'Misschien moeten we er voor vanavond maar mee ophouden en gaan slapen.'

Van slapen kwam voor mij weinig terecht, nadat Jonathan de lichten uit had gedaan, me – een beetje te ingetogen – had gekust en zich had omgedraaid naar de rand van het bed. Geen lepeltjeshouding, niet eens een knuffel; de kloof tussen ons in bed leek zo groot, dat ik het gevoel kreeg dat ik erdoor opgeslokt zou worden. Het leek uren te duren, voordat ik aan Jonathans diepe regelmatige ademhaling hoorde dat hij sliep, en zodra dat het geval was, voelde ik die boze geest weer bezit van me nemen. Voor ik het goed en wel besefte, was ik stilletjes uit bed gekropen en sloop ik door de hal.

Ik wist dat het verkeerd was om rond te neuzen, maar een vrouw moet weten waar ze tegenop moet boksen als ze een voorsprong op haar rivale wil krijgen. Ik had het gevoel dat wat er tussen Jonathan en mij stond, achter de deur van die werkkamer lag. Ik maakte mezelf wijs dat ik gewoon een klein marktonderzoek deed. Want als ik deze man wilde – en ik wist dat dat het geval was – dan moest ik hem begrijpen, toch?

Jonathans overhemd dicht om me heen trekkend tegen de koude rilling die over mijn rug liep, draaide ik aan de deurknop, die tot mijn schrik luid klikte. Snel stapte ik de duistere kamer in, voordat ik van gedachten kon veranderen.

In eerste instantie zag ik geen hand voor ogen. Het enige wat ik gewaarwerd was dat het, zoals Jonathan had gezegd, een tamelijk kleine kamer was. Voordat ik zou struikelen over de dozen die her en der verspreid op de vloer stonden, liet ik mijn hand over de muur glijden totdat ik het lichtknopje had gevonden.

De kamer had inderdaad iets weg van een werkkamer en een opslagruimte. Behalve de dozen op de vloer stond er een boekenkast met nog meer boeken, en een antiek bureau bezaaid met papieren, alsof iemand hier pas nog had zitten werken. Toen ik dichterbij kwam, zag ik echter dat overal een dun laagje stof op lag, ook op de foto's die langs de rand van het bureau stonden.

De eerste die ik oppakte, was natuurlijk de trouwfoto. De ogen die ik in zo'n korte tijd zo goed had leren kennen, staarden me vanaf de foto aan. Alleen leken ze anders. Jonger, ja. En vrolijker. Gelukkiger, veronderstelde ik, waarna ik mijn blik naar zijn bruid verplaatste.

Caroline Somerfield keek me stralend aan, en terwijl ik haar rechte neus en hoekige gezicht bestudeerde, bedacht ik dat ze er een beetje uitzag als een meisje in een müslireclame dat is opgedoft voor de grote dag. Ze was echter wel knap, moest ik toegeven, met haar steile bruine haar, dat versierd was met een bloemenkrans, en haar lachende bruine ogen. Op-en-top de echtgenote. Het type vrouw dat je in een stationwagen bij een voetbalwedstrijd tegen kon komen, altijd bereid om zoveel voetballertjes thuis te brengen als er in de auto pasten. Iemand op wie je kon rekenen.

Alleen was ze er niet meer, herinnerde ik me, waarop mijn hart ineens uitging naar Jonathan.

Snel zette ik de foto terug om de volgende op te pakken. Op deze stond het müslimeisje in volle glorie, haar haren in twee lange vlechten terwijl ze lachte naar degene die de camera vasthield. Jonathan waarschijnlijk, dacht ik ietwat afgunstig, voordat ik vooroverboog om de laatste foto te bekijken. Hierop zaten ze met zijn tweeën aan een chic diner en keken stralend in de camera als het liefhebbende stel dat ze duidelijk waren, omgeven door deftig uitziende tafelgasten.

Ik kromp ineen toen ik besefte dat ik Caroline beoordeelde op haar kleding; alsof ik de impact kon verkleinen die ze op Jonathans leven had gehad door haar te reduceren tot een moderapportcijfer. Het volgende moment viel mijn oog op een krabbel in een hoekje van het schrijfblok. Hoewel het verfomfaaide blad al een beetje vergeeld was, leken de woorden afkomstig van een vrouw die hier net nog geweest was.

> Ben naar Maggie om ons nieuwe nichtje te bewonderen! Zie je om acht uur, liefste.
> Caroline

Mijn keel werd dichtgeknepen, en mijn blik werd wazig. Opeens voelde ik me een voyeur, die naar binnen gluurde in Jonathans knusse, intieme wereld van lieve krabbels en familieleden. Een wereld die hij voor altijd was kwijtgeraakt. Een wereld waarnaar ik verlangde, eentje waarvan ik misschien wel nooit echt deel zou uitmaken.

De ochtend mocht me dan misschien geen gemoedsrust brengen, hij bracht wel helderheid. Ik wist wat me te doen stond. Ik moest naar huis. Om mezelf te omgeven met wat bekend was, al was het alleen maar om mezelf te beschermen tegen wat onbekend was.

Dus kleedde ik me snel aan, griste mijn spullen bij elkaar, en toen ik zag dat Jonathan me bedachtzaam opnam vanuit het bed, legde ik vlug uit dat ik nog wat werk moest inhalen voor maandagochtend.

Hij bracht er niets tegenin, wat me alleen maar meer stak. Zwijgend stapte hij uit bed, waarna hij, waarschijnlijk uit die ingebakken beleefdheid die ik zo langzamerhand begon te verafschuwen, met me meeliep naar de deur.

19

Zolang een vrouw een twinkeling in haar ogen heeft, valt het geen enkele man op of ze er rimpels omheen heeft. (Dolores Del Rio)

'Hoe was je *date* met de grote doc?' vroeg Lori, zodra ik maandagochtend een voet in het kantoor had gezet.

Voor de garderobekast bleef ik staan. 'Het was... leuk.' Terwijl ik me omdraaide om mijn jas op te hangen, bedacht ik hoe ik de belangrijkste relatie die ik in lange tijd had gehad, als onbeduidend af kon doen. Ik wist dat het een vergissing was geweest om Lori zo mee te slepen in mijn romantische bui, want die leed sowieso al aan een overdaad aan optimisme. En aangezien ik ergens het gevoel had dat er weinig te wensen overbleef waar het Jonathan betrof, moest ik voor mezelf – en Lori – het aloude proces in gang zetten waarbij je jezelf afleerde hoop te koesteren.

Ik draaide me naar haar om, mijn gezicht een masker. 'Ik weet niet zeker of hij mijn type wel is.' Na een nonchalant schouderophalen, dat bedoeld was om te laten zien dat het me volkomen koud liet, toog ik naar de veilige beslotenheid van mijn kantoor.

'Niet jouw type!?' hield Lori's stem me tegen. 'Grace, vorige week was je helemaal hoteldebotel van hem.'

'Hoteldebotel?' herhaalde ik met gefronst voorhoofd. 'Hoteldebotel zou ik het niet willen noemen.'

Op dat moment kwam Claudia binnenstormen. 'Wie is hoteldebotel?' wilde ze weten. Met een nieuwsgierige blik op ons trok ze haar jas uit.

'Grace,' antwoordde Lori, voordat ik haar kon tegenhouden. 'Van de professor.'

Claudia trok een wenkbrauw op. 'Hoteldebotel, hè?'

'Verre van,' reageerde ik afwerend. 'Alsjeblieft, zeg,' ging ik verder, omdat ik me ineens niet meer kon beheersen bij Claudia's onderzoekende blik. 'Denk je nu echt dat ik hoteldebotel raak van een vent die rustig een visgraat bij een krijtstreepje aantrekt?' Op het moment dat ik het zei, had ik er al spijt van, met name omdat die woorden het beeld opriepen van Jonathan die er aanbiddelijk verfomfaaid en onweerstaanbaar uit had gezien in de afzichtelijke trui die hij zaterdagavond had gedragen.

Claudia lachte spottend en keek me recht aan. 'Nou, dat heeft niet erg lang geduurd, hè?' zei ze, doelend op de snelle omslag van mijn mening over Jonathan.

Uiteraard wist ze niet hoever het al was gekomen, wist ze niet dat ik bijna zijn nieuwe garderobe voor de komende veertig tot vijftig jaar had uitgezocht.

Dat zou ze ook niet te weten komen, besloot ik. 'Ach, ja, je kent me,' reageerde ik schouderophalend. 'Zo gewonnen, zo geronnen.'

Dat was gemakkelijker gezegd dan gedaan. Tegen tweeën had Jonathan nog steeds geen kik gegeven. Geen warme maandagochtendbegroeting. Geen tedere woordjes om me te laten weten hoe hij van onze avond samen had genoten. Nop.

Natuurlijk had ik hem kunnen bellen. Inmiddels had ik dit echter opgeklopt tot een soort toets van zijn gevoelens voor mij. Een toets waar hij zwaar voor was gezakt, aangezien ik om vijf uur alleen maar zakelijke telefoontjes had gehad en eentje van Angie, uiteraard, die de onvermijdelijke vraag stelde: 'Hoe gaat het met Jonathan?'

'Ik weet het niet, Ange. Ik zie dit helemaal nergens

heen gaan,' antwoordde ik op luchtige toon, in de hoop het enthousiasme dat ik in haar stem hoorde wat te temperen.

'Grace!' riep ze geërgerd uit. 'Wat is er nu weer gebeurd?'

Haar woorden staken me, alsof ik mijn imago van de koningin van de preventieve breuk weer met verve hoog had gehouden. Misschien wilde ik dat imago voorgoed om zeep helpen en biechtte ik daarom een aantal van mijn angsten op.

Ik vertelde Angie over het altaartje voor Caroline dat ik had aangetroffen, maar verzweeg het briefje dat me bijna in tranen had doen uitbarsten.

'Nou en!' zei ze. 'Zo zijn mannen nu eenmaal; ze gooien nooit iets weg. Justin bleef de boxershort bedrukt met hommels die zijn vorige vriendin voor hem had gekocht, nog weken na het begin van onze relatie dragen. In eerste instantie had ik niets in de gaten, totdat ik ontdekte dat er onder de hommel in zijn kruis heel klein 'van mij' was geborduurd.'

'Wat heb je toen gedaan?'

'Ik heb hem weggegooid. Wat dacht jij dan?' Lachend voegde ze eraan toe: 'Niet dat hij dat weet. Hij denkt nog steeds dat het Aziatische vrouwtje van de wasserette ermee aan de haal is gegaan. Daarna moesten we een andere wasserette zoeken. Hij stelde een boycot in, alleen maar vanwege die boxershort. "Dat was de allerzachtste die ik had!" mekkerde hij. Ik had hem bijna neer geknuppeld.'

Ik glimlachte, maar de vreugde was van korte duur. 'Het is niet hetzelfde, Ange. Dit is geen ex-vriendin waarover we het hebben. Zij was zijn vrouw.'

Angie slaakte een zucht. 'Ik wil niet bot doen, Grace, maar ze is, eh... dood.'

'Nou, kijk eens naar jouw moeder,' bracht ik ertegen in. 'Zij is nooit hertrouwd na het overlijden van je vader.'

'Mijn moeder was al in de vijftig toen mijn vader stierf, Grace. Niet dat dat zo oud is, maar volgens de onnavolgbare gedachtekronkels van mijn moeder is haar leven tegelijk met dat van mijn vader geëindigd. Haar liefdesleven in elk geval. Zo zitten sommige mensen kennelijk in elkaar. Ze begraven zichzelf met hun doden.'

Dat raakte me in mijn hart, waarop de herinnering bovenkwam aan die treurige schaduw die over Jonathans gezicht was getrokken in het begin van onze relatie. Ja, dat was wat ik had gezien: de berusting van een man die zich niet meer bekommerde om de levenden. Hetzelfde had ik in Chevaliers ogen gezien.

En in die van mezelf, dacht ik, plotseling beseffend dat een stukje van mij was doodgegaan op het moment dat ik had gehoord dat Kristina Morova was overleden.

'We vertrekken zo meteen,' zei mijn moeder toen ik die avond de telefoon opnam in de hoop dat het Jonathan was. Daar was ik nog steeds zo mee bezig, dat ik helemaal vergeten was dat mijn ouders die dag vertrokken voor hun twee wilde weken in Parijs.

'Hoe laat vliegen jullie?'

'Om tien uur,' antwoordde mijn vader. 'Morgenochtend komen we in Parijs aan.'

'Hoe gaan jullie naar het vliegveld?' vroeg ik, gevolgd door nog een hele reeks vragen. Zoals: waar zouden ze logeren? Hadden ze wel voldoende warme kleren ingepakt? Opeens had ik er dringend behoefte aan te weten dat ze zich daar zouden redden.

Waardoor mijn moeder zich begon af te vragen of het met mij wel goed ging.

'Met mij is het prima,' verzekerde ik haar, hoewel ik me met de minuut belabberder begon te voelen.

'Hoe was je afspraakje met Jonathan eigenlijk?' wilde ze vervolgens weten.

'Leuk,' antwoordde ik. 'Het was gezellig.'

'Daar ben ik blij om,' zei mijn moeder. 'Dan ben ik er iets geruster op om je alleen achter te laten met de feestdagen.'

'Met de kerst ben ik bij de DiFranco's,' reageerde ik wat afwerend.

'Ja, dat weet ik wel,' haastte mijn moeder zich te zeggen. 'Ik bedoelde alleen dat de feestdagen het ideale moment zijn voor een romance. Zeker in New York City.'

'Ja,' zei ik. Nu lag een depressie daadwerkelijk op de loer. 'Dat is zo.'

De feestelijke fonkeling van de kerstverlichting in de bomen merkte ik echter amper op toen ik die woensdagavond op weg was naar Shelley. Misschien omdat ik nog steeds niets van Jonathan had gehoord. Of omdat ik zo'n ongelooflijke haast had om op tijd bij haar te zijn. Ik wilde namelijk per se de volle drie kwartier hebben. Wat voor mijn doen heel vreemd was.

Nog vreemder was Shelleys gezichtsuitdrukking toen ik haar een flesje Youth Elixer gaf dat ik in een opwelling uit de voorraad monsters had gepakt die ik in mijn kantoor bewaarde.

'Wat is dit?' vroeg ze, me nieuwsgierig aankijkend.

Geen wonder. Inmiddels vroeg ik me zelf ook af waarom ik dat cadeautje had meegenomen. Als een bedankje voor het luisteren naar mijn gezeur van de afgelopen maanden? Ik betaalde haar om te kunnen zeuren. Nu realiseerde ik me dat ze dit dwaze gebaar van me zou kunnen opvatten als een belediging, te oordelen naar de manier waarop ze naar het etiket tuurde, dat een drastische verjonging van het gezicht beloofde.

'Het is, eh... Youth Elixer. Je weet wel, dat product waarvoor ik een reclamecampagne aan het opzetten ben? Ik dacht... Nou ja, ik dacht dat je het misschien wel eens wilde proberen. Niet dat ik vind dat je het nodig hebt of zo...'

'Dank je, Grace. Dat is erg aardig van je,' zei ze op die overbekende onbewogen toon, 'maar nergens voor nodig.'

Ik liet mijn ingehouden adem ontsnappen. 'Ik dacht alleen... Nou ja, het spijt me. Ik dacht alleen dat ik je op deze manier mijn, eh... excuses kon aanbieden voor de manier waarop ik me tegenover jou heb gedragen.' Dat was waar. Tenslotte was ik niet al te vriendelijk tegen haar geweest in al die maanden; ik had of mijn woede hier zitten afreageren, of afspraken op het allerlaatste moment afgezegd.

'Had je het gevoel dat je mij had gekwetst, Grace?'

Ik wenste dat ik dat stomme flesje niet had meegenomen. 'Tja, ik heb een paar afspraken heel kort van tevoren afgezegd,' zei ik bij wijze van verklaring. Omdat ik het tijd vond voor een luchtige noot, grapte ik: 'De prijs van dat spul moet op zijn minst goed zijn voor een halve sessie. Misschien had ik gewoon een doos vol voor je moeten meenemen.'

Strak keek ze me aan. 'Zoals ik al zei, dit is een heel vriendelijk gebaar, maar nergens voor nodig. Maar als je in het vervolg nog eens wilt afzeggen, dan hoop ik dat we dat vooraf kunnen overleggen. Ik heb namelijk wel een schema, en in dit kantoor ben ik alleen op de uren dat ik een afspraak heb staan.'

Bij de gedachte dat ze hier in haar eentje tevergeefs had zitten wachten tot ik eens op zou duiken, voelde ik me ongelooflijk schuldig.

'Het spijt me,' zei ik met verstikte stem. Vastbesloten om mijn emoties niet weer de overhand te laten krijgen, veranderde ik van onderwerp, wat ook een vergissing was, want dat was zo mogelijk nog pijnlijker.

'Het is voorbij tussen Jonathan en mij.' Zodra ik die woorden had uitgesproken, besefte ik dat ik die conclusie had getrokken, nadat hij die dag ook niets van zich had laten horen. Het was voorbij. Voorbij.

Nu wilde ik echt huilen.

Ook Shelley keek een beetje sip. Nu ja, voorzover er iets van haar gezicht af te lezen viel, dan. 'Dat begrijp ik niet.'

Dus vertelde ik haar over de avond en nacht die ik bij Jonathan had doorgebracht. Hoe romantisch het was geweest – tot het moment waarop tot me was doorgedrongen dat ik achter de gesloten deur van zijn leven had gekeken en er vervolgens achter was gekomen dat er geen ruimte beschikbaar meer was.

'Dat is jouw veronderstelling, Grace, en die wordt ingegeven door je eigen angsten –'

'Niet waar!' krijste ik bijna. Op beheerstere toon biechtte ik vervolgens op dat ik die ene kamer in was geslopen, waar ik de foto's had gevonden en het antwoord op de vraag waarom hij zo gesloten was... 'Ik weet dat ik gelijk heb,' hield ik vol. 'Hij heeft me niet meer gebeld –'

'Bel hem.'

Afwijzend schudde ik mijn hoofd. 'Nee. Deze keer niet. Weet je, ik kan het verleden of zijn gevoelens daarover niet veranderen. Net zomin als ik mijn eigen verleden kan veranderen,' zei ik op resolute toon, hoewel ik dit volgens mij nu voor het eerst ook werkelijk begreep. 'Ik kan alleen iets doen aan mijn eigen gevoelens daarover,' besloot ik met zachte stem, verbluft over dit nieuwe inzicht.

Ik keek haar recht aan. 'Als iemand dat hoort te weten, ben jij het wel. Is dat niet de reden waarom ik hier ben? Ik kan niets meer doen aan mijn verleden, aan Kristina. Ze is dood. Het enige wat ik kan doen, is dat accepteren en verdergaan met mijn leven.'

Ik zag dat Shelley trots op me was, omdat ik Kristina ter sprake had gebracht zonder dat ze het uit me had hoeven trekken. Opeens wist ik ook waarom ik die avond met dat flesje Youth Elixer op de proppen was gekomen. Ik was bang geweest om Shelley ook kwijt te raken, net nu we een soort band met elkaar hadden gekregen. Misschien had ik ergens gehoopt haar genegenheid te winnen met dat stomme cadeautje.

Nu begreep ik ook dat ik dat niet had hoeven doen. Shelley bekommerde zich wel degelijk om mij. Althans, om wat er met mij gebeurde, besefte ik, toen ze weer terugkwam op de kwestie Jonathan, alsof hij de sleutel was tot mijn toekomstig geluk.

'Hoe kun je nu ooit weten wat hij voelt als je hem daar niet naar vraagt, Grace?'

Daar had ze een heel goed punt. 'Omdat ik het gewoon weet,' sputterde ik wat zwakjes tegen. 'Ik heb die... kamer gezien. Ik weet wat het is om iemand te verliezen. Soms kom je daar nooit meer overheen.'

Ze staarde me aan. 'Maar meestal wel.'

Dat luchtte me enigszins op, voornamelijk omdat ik nu wist dat ik wel over het verdriet heen zou komen om de vrouw die ik nooit zou kennen. Ik kon echter niet voorspellen wat de toekomst Jonathan zou brengen. Of welke plek ik daarin in zou nemen nam. Dat joeg me de meeste angst aan.

Aangezien Shelley me het gevoel had weten te geven dat ik een beetje een lafaard was, belde ik Jonathan de volgende dag toch zelf maar.

'Dr. Somerfield, alsjeblieft,' zei ik koeltjes tegen de inmiddels bekend klinkende assistente. Zodra ze me in de wacht had gezet, vroeg ik me af of ik haar ook zo bekend in de oren klonk. Beschouwde ze mij als iemand die deel uitmaakte van Jonathans leven – of was ik gewoon de zoveelste vrouw? Want nu ik de zwijmelfase die bij het begin van elke nieuwe romance hoorde, achter me had gelaten, bedacht ik dat een man met zo'n gezonde hartstocht als Jonathan niet als een monnik kon hebben geleefd na het overlijden van zijn vrouw.

'Hallo?' klonk Jonathans stem.

Bij het geluid daarvan viel in één klap alle spanning over dit telefoontje van me af. 'Hallo,' begon ik, verbaasd over mijn eigen fluistertoon.

'Grace,' zei hij. 'Hoe is het met je?'

'Goed, goed,' antwoordde ik. 'En met jou?'

'Prima. Ik, eh... Sorry dat ik niet gebeld heb,' zei hij, mij ervan bewust makend dat hij zich ervan bewust was dat hij tekort was geschoten. 'Ik heb het zo druk gehad met de voorbereidingen voor een lezing, en dan was er gisteravond nog het kerstfeest van de faculteit.'

Mijn nekharen gingen recht overeind staan, want ineens bleek dat er voor hem wel degelijk iets was veranderd. Op het laatste feestje van zijn faculteit was ik de vrouw aan zijn arm geweest. Nu was ik blijkbaar de vrouw die hij liever thuis liet. Ik stond op het punt een opmerking te maken toen hij vertelde dat het een kleinschalige feest was geweest. Misschien had hij niemand mee mogen nemen. Deze gedachte gaf me de moed om hem te vragen wat hij dit weekend ging doen. Inmiddels wist ik dat ik Jonathan moest zien, om een bevestiging te krijgen dat al die heftige gevoelens die ineens tussen ons waren opgebloeid, niet alleen in mijn verbeelding bestonden.

'Grace, ik zou dolgraag samen met jou iets gaan doen,' zei hij, 'maar mijn broer en zijn vrouw komen dit weekend met hun kinderen naar de stad.' Terwijl hij vertelde dat ze naar de boom in Rockefeller Center gingen kijken en wat gingen winkelen op Herald Square, voelde ik me net weer dat kleine meisje dat met haar neus tegen de ruit gedrukt staat van een wereld waar ze nooit echt deel van zou uitmaken.

Hoewel ik wist dat het te vroeg was om te veel te verwachten, vond ik het ook te laat om met zo weinig genoegen te nemen. Daarvoor gaf ik te veel om hem. Te veel om die pijn te riskeren die onafwendbaar was. Hij was niet bereid om mij toe te laten. En ik had het gevoel dat hij dat nooit zou zijn.

'Hé, misschien kunnen we maandag een logeerpartijtje organiseren, wanneer ze weer weg zijn,' bood hij aan.

Die laatste woorden deden de deur dicht, omdat ze het aloude beeld opriepen van het verloop van mijn liefdesleven, dat gekenmerkt werd door mannen als Michael en Ethan. Hoewel ik meer begrip kon opbrengen voor Jonathans redenen om zich niet open op te stellen, had ik mijn buik vol van mannen die mij wel in hun bed maar niet in hun leven wilden. Ik wist waar dit zou eindigen – en dat wilde ik beslist niet nog een keer meemaken.

'Weet je,' hoorde ik mezelf zeggen, 'volgende week heb ik het zelf ook nogal druk. Ik heb ook een kerstfeest van het bedrijf,' ging ik verder, in de hoop dat hij zich zou afvragen – al was het maar even – of ik hem zou uitnodigen. Ik liet me echter zo meeslepen door mijn gekwetste gevoelens, dat ik hem niet de tijd gaf om zich iets af te vragen. In plaats daarvan deed ik het enige wat ik tot mijn beschikking had om mezelf te beschermen.

'Misschien is het maar beter ook,' zei ik op luchtige toon. 'De feestdagen komen eraan, en we zullen het allebei vast heel druk krijgen.'

'Dat is waar,' stemde hij zuchtend in. 'Ik moet de eindexamens nog voorbereiden.'

Dat hij zich zo gemakkelijk liet ompraten, zo'n gelaten toon aansloeg, trof me diep. 'En ik moet nog een hoop werk doen voor die campagne. Vrienden opzoeken. Feestjes aflopen,' somde ik op, zodat het klonk alsof mijn leven een grote feestelijke parade was.

'Ja, dat zal wel,' zei hij zachtjes. 'Een mooie vrouw zoals jij.' Hij grinnikte even. 'Hemel, je zult mij wel een saaie sok vinden. Ik heb het niet zo op de feestdagen...'

'Ach, nu ja, de feestdagen kunnen er inhakken,' reageerde ik filosofisch, ondanks de huivering die over mijn rug liep. 'Misschien moeten we het gewoon even rustig aan doen,' zei ik.

Het bleef stil aan de andere kant, waarop ik heel eventjes hoopte dat hij zou smeken om me te mogen zien. Wat alleen maar tot gevolg had dat de tranen in mijn ogen opwelden, toen hij uiteindelijk zei: 'Als dat is wat je wilt, Grace.'

Moeizaam slikkend, probeerde ik mijn stem zo kordaat mogelijk te laten klinken. 'Ja,' zei ik. 'Dat is wat ik wil.' Voordat ik kon bezwijken onder het verpletterende gevoel van verlatenheid, wenste ik hem snel het beste en hing op.

Het probleem van achter de waarheid komen, is dat je ermee moet leren leven. Dat had ik best gekund, als alle anderen er niet een heel andere realiteit op na hadden gehouden.

Zoals Angie. 'Ik denk wel eens dat ik me meer hecht aan jouw vriendjes dan jij zelf,' zei ze.

'Ik zou Jonathan nu niet meteen een vriendje noemen,' reageerde ik. 'Zo lang hebben we het niet volgehouden.'

'Dat weet ik,' gaf ze toe, 'maar ik dacht eigenlijk dat hij echt iets voor je betekende.'

Dat was ook zo, dacht ik, met pijn in mijn hart. Dat was absoluut zo...

Dus nam ik mijn toevlucht weer tot mijn gebruikelijke remedie van veel werk en zo weinig mogelijk pret. Want nietsdoen leidde alleen maar tot troosteloze gedachten, en uitgaan wekte een verlangen op dat niemand uit mijn huidige gezelschap ook maar in de verste verte kon vervullen. Dus stortte ik me vol overgave op mijn werk.

Claudia leek in een beter humeur nu ze de plastisch chirurg had ontmoet die haar de 'perfecte kandidaat' had genoemd. Je zou haast denken dat hij haar tot Miss America had uitgeroepen, zo zelfvoldaan vertelde ze me dat ze van plan was om in het nieuwe jaar onder het mes te gaan. Volgens mij dacht ze dat ze weer wat vat op haar leven had gekregen door te geloven dat ze het verouderingsproces een stap voor kon blijven door de wonderen van de moderne chirurgie. Ze leek bijna opgewekt. Voor Claudia's doen, dan.

Hoewel Lori en ik ons aanvankelijk afvroegen hoe lang deze vrolijke bui zou duren, begonnen we uiteindelijk onze zegeningen te tellen.

20

De jurk van een vrouw moet net zoiets zijn als een prikkeldraad-omheining: functioneel zonder het uitzicht te belemmeren. (Sophia Loren)

‘Goed nieuws, Gracie, schat.’ Claudia liet een exemplaar van de *Vogue* op mijn bureau vallen. ‘Je staat erin.’

Ik bekeek het omslag, waarop Xander Oliva stond, een Braziliaanse schoonheid die bekendstond als een model dat het had gemaakt, ondanks het feit dat ze rond de heupen iets meer dan maatje zesendertig had en ook net niet meer in een B-cup paste. DE SEKSBOM IS TERUG, luidde de kop.

Gelokt door dit statement, ondanks het feit dat het sloeg op een model dat ik in een storm waarschijnlijk met mijn eigen lichaam zou kunnen afschermen, bladerde ik naar de fotoreportage. Die toonde Xander in een kokerrokje en een strak gesneden vrouwelijk jasje in een veertiger jaren décor. Ja, ze had een pruilmondje, een zwoele oogopslag en lange wimpers, maar een seksbom was ze niet.

‘Wat vind je ervan?’ vroeg Claudia, die in mijn archiefkast stond te rommelen, op zoek naar het een of ander.

‘Ik geloof dat ik op dieet moet.’ Inmiddels was ik doorgebladerd naar de volgende foto, waarop Xander in een pastelblauw Chanel-pakje gearmd met een ander model in een zachtroze Chanelletje over een straat in New York City liep te paraderen.

Toen ik opkeek, zag ik dat Claudia's blik veelbetekenend van mijn half opgegeten muffin naar mijn blouse ging, die hier en daar wat trok, zo constateerde ik toen ik haar blik volgde. Ik ging rechtop zitten, waarbij ik mijn blouse onopvallend recht trok, en zei verdedigend: 'Wat weten die meiden er nu van? Een seksbom. Ze zijn hun eerste behatjes net ontgroeid.'

Claudia trok een wenkbrauw op, en om haar mondhoeken speelde een lachje, alsof ze mijn plotselinge afkeer van deze jonge blommen amusant vond. Alsof zij hier ineens mijlenver boven stond, nu ze dacht een manier te hebben gevonden om de dans te ontspringen.

Welke dans eigenlijk, vroeg ik me af, toen ik weer naar de uitdrukkingsloze blikken boven de pruilmondjes keek en aan Sasha en Irina dacht – hoe ze alle twee op hun eigen manier hun jeugd als een soort doornenkroon droegen. Vervolgens dacht ik aan die seksbommen uit vervlogen tijden: Jayne Mansfield, Rita Hayworth, Jean Harlow, Marlene Dietrich. Ja, ook zij waren destijds jong geweest, maar in bepaald opzicht waren het meer echte vrouwen geweest. Misschien lag dat wel aan hun kleding, maar ik had het gevoel dat het meer te maken had met het tijdperk waarin ze op het toppunt van hun roem waren geweest. Een stijlvolle periode, waarin mannen mannen waren geweest en vrouwen gewoon... vrouwen.

Daar waar deze twee... 'Ze zien eruit alsof ze in een verkleedpartijtje figureren. Het zijn... meisjes.'

Claudia's glimlach werd nog breder. 'Deze meisjes, Gracie, schat, zijn de toekomst. Wen er maar vast aan.'

Daar wilde ik echter niet aan wennen. Mijn blik ging terug naar het blad en bleef rusten op een foto uit een film die naast die van de lachende meisjes was geplaatst. Hierop stond Rita Hayworth, op-en-top de diva in haar enkellange baljurk, gefotografeerd tegen een al even oogverblindende achtergrond. Dat deed mij denken aan de foto van Roxanne Dubrow die ik had gezien in het familiealbum dat hier op kantoor lag. Ze was weliswaar niet zo mooi als Rita Hayworth, maar ze was net zo stijlvol gekleed en poseerde voor de schoorsteenmantel van het Dubrow-landgoed in Sutton. Die foto kon ik me nog exact voor de geest halen; hij was genomen in 1942 voor Vogue, toen het cosmetica-imperium was begonnen met het veroveren van de modewereld. Nog jaren daarna had de foto een prominente rol gespeeld in de catalogussen van het bedrijf.

Dat was volgens mij het toonbeeld van een seksbom. En ze was er altijd al geweest, alleen was ze weggestopt in de geschiedenis van het bedrijf.

Ineens kreeg ik een idee, zo lumineus dat ik het bijna ter plekke wereldkundig maakte. Dat deed ik uiteraard niet, omdat ik besefte dat dit te goed was om het aan Claudia te vertellen, die er alleen maar zelf mee aan de haal zou gaan.

Als de seksbom terug was, waarom zouden we dan de seksbom met wie het allemaal was begonnen, niet laten herleven?

Die avond bleef ik laat doorwerken. Net als de rest van de week, omdat mijn flits van inspiratie zich langzaam maar zeker begon te ontwikkelen tot een briljant plan voor de nieuwe Youth Elixer-campagne. Ik spitte hele stapels catalogussen door, waaruit ik foto's van de beginjaren van het bedrijf haalde – het vermaarde openhaardkiekje van Madame Dubrow incluis, natuurlijk. Die legde ik naast de pseudo-wetenschappelijke kreten en de gave perzikhuidjes van de modellen die Youth Elixer hadden gelanceerd. Mijn bedoeling was om zo een voorstel in elkaar te draaien voor een nieuwe campagne die gebaseerd was op de reputatie van Roxanne Dubrow als een van de eerste grote cosmeticafabrikanten in de veertiger jaren en als het toonaangevende bedrijf in huidverzorgingstechnologieën in de tachtiger jaren.

Ja, dacht ik aan het einde van de week, nadat ik Lori had ingeschakeld om me te helpen een gelikte presentatie te maken, dit voorstel was minstens zo veelbelovend als mijn oorspronkelijke idee. Ik had zelfs de cover van Vogue erin opgenomen, omdat ik de kop van hun artikel had gepikt om als motto voor de nieuwe campagne te gebruiken. DE SEKSBOM IS TERUG, kondigde mijn titelpagina aan. Maar nu beter. Slimmer. Ze had de glamour en de klasse van de beginperiode van het bedrijf – en van Roxanne Dubrow zelf – plus de voordelen van de nieuwe technologieën die het bedrijf in de tachtiger jaren een voortrekkersrol hadden bezorgd: de formule die beloofde – en die belofte tot op zekere hoogte ook vervulde – te zorgen voor een stralende huid tijdens de beste jaren van een vrouwenleven. Youth Elixer.

Voor de seksbom die wel beter wist dan haar heil ergens anders bij te zoeken, uiteraard.

Omdat ik inmiddels ook wel beter wist, wachtte ik tot Claudia haar jaarlijkse lange weekend had opgenomen – dat ze beweerde nodig te hebben om kerstinkopen te doen, maar te oordelen naar de gezonde blos waarmee ze altijd terugkwam, doorbracht in een kuuroord – voordat ik het voorstel zelf naar Dianne stuurde. Met een c.c. naar Claudia, natuurlijk. Het was niet zozeer dat ik haar wilde passeren als wel onder haar radar door wilde vliegen. Tegen de tijd dat Claudia mijn voorstel in handen kreeg en het ofwel afschoot of er zelf mee aan de haal ging, zou Dianne het zelf al beoordeeld hebben. Dan zou het spreekwoord 'ere wie ere toekomt' voor de verandering eens gelden.

Bovendien moest ik aan het einde van het jaar een nieuw budget indienen. En als de modelwerknemer die ik tegenwoordig probeerde te zijn, hoopte ik dat deze vroege vogel de campagnedollars binnen zou weten te halen.

Met een beetje mazzel zou Dianne mijn voorstel nog voor het kerstfeest lezen. Het volgende moment schoot me echter te binnen dat haar moeder ziek was en vroeg ik me af of ze nu wel aan werken toekwam. Zou ze het kerstfeest momenteel wel aankunnen?

Kon ik het kerstfeest zelf wel aan, vroeg ik me twee dagen van tevoren af. Met name omdat ik Michael Dubrow weer onder ogen zou moeten komen. Ik was weer single, terwijl hij zo goed als getrouwd was.

Toen ik op weg naar huis langs de Armani-winkel liep, diende het antwoord op die vraag zich vanzelf aan. Ik zou mijn persoonlijke crisis precies zo aanpakken als Dianne het ongetwijfeld zou doen.

Met opgeheven hoofd. Met stijl. En, uiteraard, met een fabelachtige jurk.

Wat de reden was waarom ik vond dat ik het volste recht had om me te buiten te gaan aan het oogverblindende exemplaar waar mijn oog op viel zodra ik de winkel binnen stapte.

Een adembenemende enkellange nauwsluitende strapless jurk in een kleur die de verkoopster ossenbloedrood noemde. Hij zat me als gegoten, ontdekte ik, nadat ik ermee naar de paskamer was gespurt. Zelfs die paar extra pondjes bleken ineens een regelrechte aanwinst, zo wulps zag ik eruit in die jurk. Zonder ook maar met mijn ogen te knipperen kocht ik hem. Tenslotte beschouwde ik dit als een investering. In mezelf.

Ja, de seksbom was terug.

En, zo zei ik zelfverzekerd tegen mijn spiegelbeeld toen ik de jurk de volgende avond aantrok, ze was een plaatje.

Het Waldorf was prachtig als altijd. Er was even sprake van geweest dat we op zoek moesten naar een nieuwe, meer trendy gelegenheid voor het kerstfeest, nu Roxanne Dubrow een jonger en zogenaamd hipper imago nastreefde, maar daar had Dianne hoogstpersoonlijk een stokje voor gestoken. Daar was ik blij om, besefte ik, toen ik de smaakvol ingerichte zaal bekeek.

Iedereen was er, van Marketing & Productie tot Onderzoek & Ontwikkeling, plus het ondersteunend personeel, natuurlijk. Ik zag Lori, die er beeldschoon uitzag in een zachtroze strapless jurk, naast een knappe man. Aha, Dennis, realiseerde ik me, toen ze vertrouwelijk naar hem over boog.

Ik had hem niet herkend in een kostuum. Hij zag eruit als... een man. Geen wonder dat Lori zo bang was hem kwijt te raken.

'Die meid is toch niet zo onnozel als ik dacht,' klonk Claudia's stem ineens in mijn oor. 'Die jongen van haar is een lekker hapje. Ik had hem zelf al mee naar huis willen nemen als toetje, totdat ik in de gaten kreeg dat het niemand minder dan Joris Goedbloed is. Een grote jongen geworden, inmiddels.'

'Hm,' reageerde ik vaag, omdat ik Claudia niet verder wilde aanmoedigen om Lori af te kraken. Vluchtig nam ik mijn baas op, die er zelf ook behoorlijk elegant uitzag in een slank gesneden enkellange zwarte jurk die volgens mij van Calvin was, gezien de chique eenvoud ervan.

'Jij ziet er goed uit, zeg,' zei ik, waarna ik besefte hoe dat moest zijn overgekomen, omdat ik onwillekeurig ietwat verbaasd had geklonken.

'Jij ook,' reageerde ze op een al even verbaasd toontje.

Ik glimlachte. Ja, zo kenden we elkaar weer.

Aan de andere kant van de zaal zag ik Dianne staan, die zoals altijd de gasten verwelkomde, met één uitzondering. Ze was alleen. Nu ja, niet helemaal alleen. Haar echtgenoot, Stuart, stond naast haar om de gasten met zijn gebruikelijke charme te begroeten. Dit jaar was haar moeder er echter niet bij; ze stond niet naast Dianne als de koningin van het bal die ze altijd was geweest, hoe zwaar ze ook had geleund op een stok of de arm van haar dochter.

Zodra ik de kans kreeg, excuseerde ik me bij Claudia om Dianne gedag te zeggen.

'Dianne, wat fijn je te zien,' zei ik gemeend.

Ze was slechts sporadisch op ons kantoor in New York geweest sinds haar moeder ziek was geworden. Nu realiseerde ik me dat ik haar hartelijkheid had gemist, haar elegantie en bovenal de inspiratie die haar bezielende leiding bij iedereen die ze ontmoette, teweegbracht.

'Grace,' zei Dianne, terwijl haar ogen begonnen te stralen. 'Je ziet er fantastisch uit, zoals altijd.' Vervolgens deed ze iets wat niet bij haar paste; ze boog voorover om me op mijn wang te kussen en gaf een kneepje in mijn hand. Meteen daarna zette ze haar professionele gezicht weer op, maar in haar blik was nog steeds iets te lezen wat op gemis leek. Op dat moment besefte ik dat Dianne Dubrow zich die avond, ondanks al dat toegewijde personeel om haar heen en haar echtgenoot naast haar, heel erg eenzaam voelde.

Die eenzaamheid herkende ik wel. 'Het spijt me zo dat je moeder er niet bij kan zijn.'

Haar ogen werden wazig. 'Dank je, Grace. Ze vond het altijd enig om op dit feest te zijn, en dat ze... dat ze dat nu niet kon, was een... een harde slag.' Weemoedig glimlachte ze. 'Ik heb me geloof ik nooit echt gerealiseerd hoezeer ik erop rekende dat mijn moeder er was. Altijd.'

Ik knikte, omdat ik begreep wat ze bedoelde. Mijn moeder en ik waren niet altijd even vertrouwelijk met elkaar, maar ik wist dat ze er altijd voor me was. Plotseling drong het enige beeld van Kristina Morova dat ik kende, zich aan me op: onbezorgd lachend vanaf een foto in de donkere en eenzame huiskamer van haar zus. Tot mijn verbazing voelde ik in plaats van de gebruikelijke woede verdriet in me opborrelen. Als ze al ooit aan me had gedacht, dan nu in elk geval niet meer...

'Nou ja,' zei Dianne, 'het feest is tenminste leuk.'

'Inderdaad,' reageerde ik, 'dat is het altijd.'

Ze glimlachte. 'Zorg dat je altijd sprankelend overkomt,' zei ze, terwijl ze weer een kneepje in mijn hand gaf. 'Er schuilt kracht in schoonheid. Dat stukje wijsheid heb ik van mijn moeder meegekregen.' Haar glimlach verbreedde zich. 'En daarvoor ben ik haar erg dankbaar.'

Ze liet mijn hand los en leek zich tot de volgende gast te willen wenden, toen ze zich bedacht. 'O, dat is waar ook,' zei ze. 'Ik heb je voorstel voor de Youth Elixer-campagne doorgenomen. Dat is een heel goed idee van je; het verleden van het bedrijf weer ophalen om te laten zien wat er in de toekomst mogelijk is.' Haar ogen straalden. 'We moeten de financiële kant nog goed bekijken, maar het spreekt mij wel aan. Heel erg zelfs.'

'Dank je, Dianne.' Ik kon mijn opwinding amper de baas.

'En ik vind het enig dat je mijn moeder er een rol in hebt gegeven. Destijds was ze een icoon. Een echte seksbom.' Met een knipoog nam ze mij in mijn enkellange jurk op. 'Een beetje zoals jij...'

Dat was precies de oppepper die ik nodig had. Nou ja, die woorden en de tweede martini die ik van een dienblad griste, zodra Michael Dubrow binnen kwam walsen met de immer lieftallige Courtney Manchester aan zijn arm, voor het oog van de hele goegemeente.

Ik zag dat Dianne hen allebei begroette, waarna ze vertrouwelijk naar elkaar toe bogen om iets te bespreken. Dat wil zeggen, Courtney en Dianne praatten. Michael, daarentegen, stond al met een speurende blik om zich heen te kijken.

Kennelijk was hij nog geen spat veranderd. Dat deed me ergens wel goed. Ik kreeg zelfs een triomfantelijk gevoel toen zijn blik uiteindelijk op mij bleef rusten; zijn ogen gleden langzaam over mijn jurk omhoog, bleven even hangen op borsthoogte en verwijdden zich toen hij mijn gezicht zag.

Daar kun je het mee doen, schoft.

Gelukkig dook Lori net op dat moment naast me op. Ik hief mijn glas naar haar op. 'Op het gelukkige stel,' zei ik. Voordat ze haar glas met het mijne kon laten klinken, sloeg ik mijn drankje in één teug achterover.

Stomverbaasd keek ze me aan. 'Het gelukkige wat?'

'Precies,' zei ik, terwijl ik de martini voelde zakken. 'Vermaak je je een beetje?' vroeg ik haar.

Zwijgend knikte ze, haar blik op Dennis gericht, die stond te babbelen met een van de vertegenwoordigers.

'En Dennis?'

Ze sloeg haar ogen neer. 'Ja...'

'Wat is er aan de hand?'

Met een zucht keek ze me weer aan. 'Ik heb mijn besluit genomen, Grace,' zei ze. 'Ik ga in het najaar naar de School voor Beeldende Kunsten. Het lesprogramma daar is beter voor mij.'

'O, Lori, dat is geweldig!' riep ik uit, en niet alleen omdat dat betekende dat ze waarschijnlijk nog een tijdje bij Roxanne Dubrow zou blijven. Ik had het gevoel dat ze wist dat ze de juiste beslissing had genomen, ondanks haar verdriet om Dennis.

Opnieuw zocht ze hem met haar ogen.

Ook ik keek naar hem. Zodra ik zijn knappe gezicht

zag en de manier waarop hij Lori aankeek en naar haar glimlachte, wilde ik heel even mijn enthousiaste goedkeuring over haar keuze terugnemen. Ze was nog jong, ja, maar ik was ook ooit zo jong geweest. Zou ze ooit weer een man vinden van wie ze zoveel hield? Per slot van rekening was een man van wie je echt kon houden, niet zo gemakkelijk te vinden.

Het was alsof Lori mijn gedachten kon lezen, want ze keek me aan en zei: 'Het is niet zo dat we elkaar nooit meer zullen zien. We zijn van plan om de volgende zomer samen in Londen door te brengen. En dan zijn er nog de vakanties..'

Mijn glimlach was wat meelijdend, hoewel ik hoopte dat haar dat niet opviel. Misschien zou het goed uitpakken, mijmerde ik. Je wist toch nooit hoe die dingen zouden lopen.

Aangezien ik het in elk geval niet wist, besloot ik me over te geven aan een hogere macht: Stolichnaya. Dat leek te werken. Twee martini's later was ik, in mijn beleving, de koningin van het bal. Ik praatte met iedereen die iets voorstelde – met uitzondering van Michael, natuurlijk. Ik voelde zijn ogen echter op me gericht. En waarom ook niet? Ik was verdraaid goed op dreef, flirtend met iedereen, van de broodmagere onderzoeksassistent tot de verkoopmanager van de regio noordoost. Daarom voelde ik me denk ik ook zo verrekte kwetsbaar, toen ik ineens in mijn eentje aan de rand van de dansvloer stond, nadat ik me had losgerukt van Roland Barlow, een onderzoeker die zelf ook iets te diep in het glaasje had gekeken.

Gelukkig bleef je met een jurk als de mijne niet lang alleen.

'Grace Noonan, mijn hemel, jij wordt elk jaar mooier.'

'Ross, hoe is het met jou?' Om onverklaarbare redenen was ik ineens geweldig opgetogen om in het gezelschap van Ross Davenport te verkeren, die ook wel bekendstond als de geile bok van het bedrijf.

Driemaal gescheiden en verdacht gebronsd midden in de winter, kon Ross nooit een kerstfeest voorbij laten gaan zonder een versierpoging bij me te wagen. Hij was het type dat door bleef feesten lang nadat ze ons uit de afgehuurde zaal hadden geschopt, door het groepje ongeregeld mee op sleeptouw te nemen voor meer drank en meer herrie.

Normaal gesproken hoorde ik niet bij dat groepje, maar die avond had ik ook wel zin om de bloemetjes eens buiten te zetten. Misschien kwam het door al die martini's die door mijn aderen vloeiden, maar ik vond Ross, die een knappe vent was ondanks zijn Long Island-accent en gebrek aan tact, er behoorlijk lekker uitzien in zijn blauwe pak, dat rechtstreeks van de stomerij kwam.

'Een stuk beter, dank je,' zei hij, dichterbij schuivend nu ik hem niet zoals gewoonlijk meteen had afgepoeierd.

'Je ziet er prima uit,' zei ik met een blik op zijn gebruinde gezicht en bleekblauwe ogen. Was het mogelijk dat hij die kleur buitenshuis had opgelopen? Ik wist dat hij graag viste. Er waren mannen die dat 's winters deden, toch? Misschien was hij niet zo'n zonnebankzot, maar een buitensporttype.

Daar kon ik wel wat mee. 'Hoe is het leven op Long Island?' begon ik het spelletje.

'Het leven is geweldig, Grace,' antwoordde hij, een stel tanden ontblotend dat er verdacht wit uitzag, als je bedacht dat hij een kettingroker was. 'Je moet er ook eens naartoe komen. Dan neem ik je mee uit varen,' zei hij met enige trots.

Er gaat niets boven een mooie auto, een mooi huis en een mooie boot, als je de koning van de buitengewesten wilt zijn. Ross was daar vast en zeker zeer in trek, te oordelen naar het aantal echtgenotes dat zich aan zijn speedboot had vastgeketend in de hoop met hem de zonsondergang tegemoet te scheuren.

Misschien kon ik ook wel gelukkig worden door de zonsondergang tegemoet te scheuren met iemand als Ross, probeerde ik mezelf te overtuigen. Simpel. Ongecompliceerd. En, bedacht ik, toen ik me herinnerde dat hij drie kinderen had voortgebracht met twee van die vrouwen, prima functionerend.

Net toen ik me een versie van mezelf voorstelde die een liposuctie had ondergaan, haar haren had geblondeerd en nog een tikje meer aangeschoten was, omdat ik daarvoor meer tijd en meer redenen had, stapte die prins uit vervlogen tijden in mijn blikveld. Uit alle macht probeerde ik op Ross scherp te stellen.

'Grace,' begroette Michael me met een knikje en een blik die vertelde dat hij momenteel aan mijn geestelijke gezondheid twijfelde. 'Ross,' zei hij, zijn beste fabrieksmanager op de rug slaand. Hij wist hoe hij de kleine mannen moest bespelen. En de iets grotere meiden...

'Hé, Michael, man,' lalde Ross op een manier die duidelijk maakte dat hij het nooit zo ver zou schoppen als Michael, en niet alleen omdat hij geen Dubrow was.

Met een beweging die me nog meer verraste dan het feit dat Ross opzichtig naar mijn borsten stond te gapen in aanwezigheid van zijn baas, greep Michael mijn hand. 'Mag ik deze mooie dame even stelen voor een dansje?'

Volkomen verbluft hief Ross zijn handen op. 'Hé, geen probleem,' zei hij, achteruit stappend om ruimte te maken, zodat Michael me naar de dansvloer kon leiden.

'Wat moest dat in vredesnaam voorstellen?' vroeg Michael, zodra hij me in zijn armen had getrokken.

'Ook goeienavond,' reageerde ik, in die blauwe ogen

starend die ik toch wel heel erg had gemist.

'Grace, je weet wat ik bedoel,' zei hij glimlachend. 'Ross is best een aardige vent, maar als het om vrouwen gaat...' Hij trok een grimas. 'Je verdient beter dan dat.'

Zo is het, dacht ik, terwijl ik ondanks alles genoot van het gevoel van Michaels armen om me heen. Hoewel ik mezelf erom vervloekte, voelde ik me toch weer hopeloos aangetrokken tot die man; deze keer omdat hij zich als mijn beschermheer opwierp. Net op tijd wist ik mezelf te vermannen. 'Ja, ik verdien inderdaad beter,' zei ik uitdagend, hem een blik schenkend die onmiskenbaar in twijfel trok of hij de aangewezen persoon was. 'Hoe is het met Courtney?' vroeg ik op zo'n bitse toon, dat het schaamrood me bijna naar de kaken vloog.

'Grace, ik heb je zo vaak willen bellen –'

'Mij bellen? Hoezo?'

'Nou, om met je te praten over –'

Ik probeerde wat afstand tussen ons te scheppen, maar hij verstevigde zijn greep. Omdat ik geen scène wilde veroorzaken, liet ik me weer tegen hem aan trekken. Ik voelde die oude vertrouwde elektrische schok, toen zijn kruis mijn dij raakte.

Hemel, dit was waanzin. Wat een schoft was hij. 'Wat wilde je me dan precies vertellen? Dat we geen seks meer zouden hebben? Dat besluit had ik zelf al genomen.'

'Grace –'

'O, wacht, ik weet het al. Je wilde me laten weten dat het bedrijfsbeleid was veranderd. Dat je geen seks meer met je personeel kan hebben, maar wel met ze kan trouwen...'

'Gracie –'

'Schei uit met je Gracie,' zei ik. 'Ik heb mijn buik vol van je spelletjes.'

Met een zucht liet hij zijn greep verslappen. 'Je weet

dat je altijd een plekje in mijn hart zult hebben, Grace.'
Van die opmerking werd ik nog woedender. 'Welk plekje precies?' informeerde ik koeltjes. 'De linker- of de rechterhartkamer? Of misschien gun je mij de hartklep, als ik beloof me heel rustig te houden en de boel niet vast te laten lopen –'

'Grace, je begrijpt het niet.'

'Nee, Michael, daar vergis je je in,' reageerde ik, me loswurmend uit zijn armen. 'Ik begrijp je inmiddels heel goed.'

Ik kon niet naar huis, besefte ik onderweg in de taxi. In elk geval niet alleen. Niet met zoveel drank op. De gedachte dat ik met al mijn emoties tussen die vier muren moest zitten, was onverdraaglijk. Ik had een schreeuwende behoefte aan menselijk gezelschap – aan iemand, maakte niet uit wie, die me vertelde dat alles goed kwam.

Ik haalde mijn mobiel te voorschijn, maar zodra ik die in mijn hand had, staarde ik er slechts naar. Wie zou ik eigenlijk bellen? Billy? Die zou ik best kunnen bellen. Billy was geen rancuneus type, zeker niet als er voor hem een nummertje in zat.

Die gedachte werd onmiddellijk gevolgd door een andere: als ik een nummertje wilde maken, waarom dan niet met de beste?

'Hier rechtsaf,' hoorde ik mezelf bijna schreeuwen tegen de taxichauffeur toen ik opkeek en zag dat we bij West 80th Street waren: Jonathans adres.

De taxichauffeur mompelde iets onverstaanbaars.

Als ik Arabisch had verstaan, was ik diep beledigd geweest; zoveel stond wel vast. Maar het kon me niets schelen. Nu wist ik wat ik wilde. Of eigenlijk: wie ik wilde.

Ik wierp een blik op mezelf en zag dat mijn borsten allerverleidelijkst omhoog werden geduwd door de strakke rode jurk en dat mijn huid glansde in het schemerige licht in de taxi.

Ik grijnsde. Ik zou hem krijgen ook. Want één ding wist ik zeker: Jonathan begeerde mij.

Zodra ik bij zijn voordeur stond, op-en-top de vamp in mijn rode jurk en stilettohakken en klaar om toe te slaan, vroeg ik me ineens af wat me in vredesnaam bezielde.

Ik kon niet gewoon bij hem aanbellen om een nummertje te maken. Er stond ongetwijfeld iets in het Reglement voor Alarmnummers dat zei dat je een vriendje niet zomaar kon degraderen tot iemand voor... seks op afroep.

Als mijn vriend had hij niet beter gescoord dan Billy vroeger, bracht het duivelse stemmetje ertegen in, althans wat de duur van onze relatie betrof.

Toen ik echter omhoog staarde naar dat ene verlichte raam en me voorstelde dat Jonathan daar rustig met een boek in zijn woonkamer zat, eenzaam en alleen, doemde dat schrikbeeld van alles wat er tussen ons was komen te staan, weer op. Nee, Jonathan was Billy niet.

Van Billy had ik nooit gehouden. En ik wist nu zeker, starend naar dat raam, hunkerend naar die man achter het glas, dat wat ik voor Jonathan voelde, echte liefde was...

'Grace?'

Bij het horen van mijn naam, sprong ik bijna omhoog, wat ik de hemel zij dank kon voorkomen, aangezien ik stond te wankelen op tien centimeter hoge naaldhakken met veel te veel martini's achter mijn kiezen. Geschrokken draaide ik me om.

Dr. Somerfield kwam in hoogsteigen persoon over het trottoir op me af wandelen.

'Jonathan,' zei ik enigszins hijgend, ongelooflijk blij hem te zien.

Hemel, wat zag hij er verrukkelijk uit met die dikke donkerbruine col die boven de kraag van zijn lange donkere jas uitstak en zijn ogen nog donkerder deed lijken. 'Wat doe je hier?' vroeg hij, me nieuwsgierig aankijkend.

Dat hij me zo aankeek, was ook niet zo vreemd, gezien het feit dat ik voor zijn woning naar zijn raam stond te staren als een loops wijfje. Plotseling voelde ik me belachelijk, zodat ik, wanhopig op zoek naar een manier om mijn gezicht te redden, eruit flapte: 'Ik, eh... Ik was op weg naar... naar Zabar.' Het eerste het beste smoesje dat me te binnen schoot, greep ik aan. Ja, Zabar. Dat lag precies halverwege onze appartementen. Toegegeven, ik hoefde niet per se via West 80th Street te lopen om er te komen, maar het was niet ondenkbaar.

Nu grijnsde hij naar me. 'Ga je altijd boodschappen doen in een baljurk?'

Als ik het type vrouw was geweest dat bloosde, dan was ik tot aan mijn haarwortels rood geworden. Misschien zorgde de alcohol die door mijn aderen vloeide, ervoor dat ik onverstoorbaar bleef – of althans in zo'n roes verkeerde, dat alles mogelijk leek. 'Ach, je weet wel: nieuwe jurk, nieuwe schoenen,' zei ik in een wanhopige poging mijn verhaallijn vast te houden. 'Ik dacht dat ik ze meteen wel even in kon lopen. Het valt namelijk niet mee om een hele avond door te komen in zo'n uitdossing zonder een... een proefrondje,' besloot ik. Ik besefte dat ik inmiddels hing te bungelen en tot overmaat van ramp ook nog een tamelijk belachelijke indruk maakte.

Zijn grijns verdween, en hij keek op zijn horloge. 'Het is tien uur, Grace. Ik vind het vervelend het te moeten zeggen, maar volgens mij is Zabar al dicht.'

Met die ene zin werd de hele bodem onder mijn verhaal weggeslagen. 'Juist,' fluisterde ik, waarna ik mijn ogen neersloeg, alsof ik op zoek was naar een scheur in het trottoir waarin ik kon verdwijnen. Omdat die vluchtweg onmogelijk bleek, besloot ik uiteindelijk maar te vertellen waar het op stond. Zo ongeveer. 'Eigenlijk wilde ik... er gewoon even uit.' Ja, dat was waar, dacht ik, want ik was het Waldorf uit gebeend alsof het in brand had gestaan. In een poging aan de eenzaamheid te ontsnappen die me te midden van al die mensen na mijn confrontatie met Michael dreigde te overvallen.

Vervolgens keek ik Jonathan weer aan en zag iets in zijn ogen wat me vertelde dat hij het begreep. Die begrijpende blik werd me bijna te veel. Plotseling voelde ik me heel kwetsbaar. 'Nou, ik moest maar eens gaan...' begon ik.

'Wil je binnenkomen?' vroeg hij, me onderzoekend aankijkend.

Je moest eens weten, dacht ik, me generend voor de reden waarom ik die avond voor zijn deur was opgedoken. 'Nee, ik... ik moet ervandoor,' antwoordde ik.

'Ik loop wel met je mee,' bood hij aan.

'O, nee, dat hoeft niet.' Beverig deed ik een paar stappen achteruit. Als een redder in de nood kwam precies op dat moment een taxi aanrijden. 'Het is te koud om... om te lopen,' legde ik uit. Na een haastig gemompeld goeienavond hield ik de taxi aan, waar ik bijna in dook.

Net op tijd ook. Want tot mijn eigen verbazing – en afschuw – barstte ik in tranen uit.

Toen ik mijn appartement binnen kwam, ging de telefoon over. Dat geluid bracht me weer tot bezinning. Wie zou me nu bellen? Jonathan? Het moest Jonathan wel zijn. Hij moest hebben aangevoeld dat ik van streek was, en nu belde hij – nobele ziel die hij was – om me te troosten. Wat was hij toch een goed mens. Te goed, dacht ik, de telefoon oppakkend.

'Grace!' klonk mijn moeders stem, verrassend luid en helder gezien de enorme afstand die er tussen ons was. 'We zijn net op weg naar Versailles en wilden even iets van ons laten horen. Hoe is het met je, lieverd?'

Dat was een heel eenvoudige vraag, en normaal gesproken gaf ik daar een heel eenvoudig antwoord op, maar nu welde er ineens een snik in mijn keel op. 'Niet zo geweldig...'

'Gracie, schat, wat is er aan de hand? Wat is er gebeurd?'

'Eigenlijk niets,' antwoordde ik, worstelend om mezelf onder controle te krijgen. Dat was waar; er was niets gebeurd. Niet tussen mij en Jonathan. Of tussen mij en Michael. Eigenlijk gebeurde er nooit echt wat, realiseerde ik me. Plotseling zag ik de vruchten die al mijn pogingen van de laatste paar jaren hadden afgeworpen, voor wat ze waren: een hele berg nietszeggendheid. Zelfs het sprankje hoop dat Dianne me had gegeven over mijn idee voor de campagne kon me nu niet meer redden.

Een stortvloed van gevoelens overspoelde me, waardoor ik zo erg moest huilen, dat ik het niet meer tegen kon houden. Of kon verbergen.

'O, hemel, Grace, heb je pijn? Alsjeblieft. O, Tom, er iets gebeurd met Grace.'

Voordat ik me kon bedenken – of voordat ze konden ophangen om het dichtstbijzijnde ziekenhuis te bellen en een ambulance naar me toe te sturen – vertelde ik haar alles. En dan bedoel ik echt alles, niet alleen wat ik van plan was tegen haar te zeggen.

Nee, ik vertelde mijn moeder over Kristina. Hoe ik uiteindelijk de schokkende waarheid achter die maandenlange stilte te horen had gekregen. Dat ze er niet meer was...

'O, Grace,' zei mijn moeder, haar eigen stem ook verstikt door tranen. 'Waarom heb je ons dat niet eerder verteld? Mijn hemel, wat je te verwerken hebt gekregen. En helemaal in je eentje!'

'Het spijt me dat ik het jullie niet heb verteld...' begon ik.

'Het spijt jóú?' Mijn moeders stem brak. 'Ik vind het verschrikkelijk dat jij het gevoel had dat... dat je niet met ons kon praten. Och, Grace, we hebben je opgevoed om zo onafhankelijk te worden. Misschien was dat wel fout.'

Nu voelde ik me schuldig. 'Nee, nee. Daar lag het niet aan,' zei ik. 'Jullie zijn ouders uit duizenden, mam. Ik dacht alleen dat ik het wel aankon.'

Ik hoorde dat ze haar hand over de hoorn legde om mijn vader iets te vragen. 'Grace, we gaan nu meteen de luchtvaartmaatschappij bellen en nemen de eerstvolgende vlucht naar New York.'

'Nee!' riep ik uit, beseffend dat ik precies dat had gedaan wat ik niet had willen doen: hun eerste echte vakantie sinds jaren verpesten. 'Ik wil dat jullie daar blijven. Dat jullie je huwelijksdag vieren, zoals jullie van plan waren.'

'Alsjeblieft! Grace, we willen bij jou zijn.'

Bij die woorden werd ik helemaal week vanbinnen en omdat ik bang was dat ik weer in tranen zou uitbarsten, zei ik snel: 'Nee, alsjeblieft. Ik zou me vreselijk voelen als jullie dat deden. En ik voel me nu al beter. Veel beter.' Dat was inderdaad zo. Ik had niet eens geweten welke last ik mee had gezeuld, totdat ik het van me af had gezet. Totdat mijn moeder me had laten merken dat ze prima in staat was om ermee om te gaan. Nu vroeg ik me af waarom ik daar niet op vertrouwd had.

'Nou, we vliegen op de terugreis via New York. En dan komen we je opzoeken!'

'Echt waar?' vroeg ik. 'Zijn jullie niet via Houston naar Parijs gevlogen?'

'We gaan die tickets gewoon wijzigen!' zei ze.

Ik fronste mijn wenkbrauwen. 'Mam, dat gaat een hoop geld kosten...'

'Wat kan mij dat schelen?' riep ze uit. 'Je bent mijn dochter! Voor jou doe ik alles!'

Ik voelde dat er een brede glimlach op mijn gezicht verscheen, nu ze had bevestigd wat ik diep vanbinnen altijd al had geweten maar nooit op de proef had durven stellen: dat ze echt van me hield, en er voor me zou zijn. Wat er ook gebeurde.

21

Geluk kun je niet in een potje stoppen, maar met de juiste instelling kun je het wel degelijk tevoorschijn toveren. (Grace Noonan)

Er gaat niets boven de aanblik van mijn appartement badend in kaarslicht. Daarom haalde ik op kerstavond ook alle kaarsen die ik in huis had tevoorschijn – een behoorlijke collectie. Mijn eettafel stond vol kaarsen, net als alle vensterbanken, zodat de hele kamer in een zachte gloed stond die een sfeertje creëerde dat in één woord romantisch was.

Of had kunnen zijn, als ik niet alleen was geweest.

Ik had echter wel vaker kerstavond alleen doorgebracht. Bovendien had ik dit altijd de meest romantische feestdag van het hele jaar gevonden. Misschien omdat mijn ouders vlak daarna waren getrouwd. Ik stelde me hen voor in Parijs, waar ze binnenkort het langverwachte feestje ter ere van hun leven samen zouden vieren, en was daar onuitsprekelijk blij om. Want daardoor leek alles weer mogelijk. Dat je zo van iemand kon houden, dat het het waard was om te vieren, zelfs na zoveel jaren nog.

Ik denk dat dat ook de reden was waarom ik kerstavond zo romantisch vond. Dat verwachtingsvolle gevoel. Die hoop... En, natuurlijk, het eten. Ja, ik had het jaarlijkse diner op kerstavond bij de DiFranco's laten schieten, omdat ik de hele volgende dag bij hen zou zijn, samen met Angie en Justin. Dat betekende echter niet dat ik de Italiaanse traditie liet versloffen waarmee ik was opgegroeid als een aangenomen lid van hun familie.

Ik was bezig met een *marinara* van vis en schelpdieren, die Nonnie zelf me had leren maken toen ik zestien was. Het was een poosje geleden dat ik dit recept had uitgeprobeerd, maar gezien de hoeveelheid pijlinktvis, garnalen en mossels die ik erin had gemikt, kon dit niet echt meer misgaan.

Dus roerde ik de saus nog een keer door, waarna ik het vuur lager zette om het te laten pruttelen. Met een glas wijn in de hand toog ik vervolgens naar de zitkamer om mijn cadeautjes in te pakken.

Nog zo'n uitspatting, dacht ik, toen ik op mijn knieën naast de berg cadeaus ging zitten en de dozen met cadeaupapier en linten tevoorschijn haalde die ik bij Kates Papeterie had gekocht. Het drong tot me door dat ik aan inpakmateriaal bijna net zoveel had uitgegeven als aan de kasjmieren trui voor mijn moeder, toen ik een mooi goudkleurig vel met een paars motief pakte.

Dat was het echter waard, vond ik, terwijl ik uiterst tevreden het eerste cadeau inpakte: een theeserviesje voor Carmella. Bovendien was ik een grandioze inpakster, al zei ik het zelf, want ik wist zeker dat Carmella verrukt zou zijn over de enorme krullen waarmee ik de linten boven op het pakje had vastgemaakt. En volgens Angie, die zelf altijd moeite had een cadeautje voor haar nichtje uit te zoeken, was ik een tante uit duizenden.

Waarschijnlijk zou ik ook een goede moeder zijn, bedacht ik, glimlachend bij het idee dat ik dat op een dag misschien wel zou worden. Het enige wat ik nodig had, was een klein beetje moed...

Het geluid van de telefoon deed me opschrikken uit mijn gemijmer. Bijna liet ik het antwoordapparaat opnemen, zozeer genoot ik van mijn alleenzijn, totdat ik besefte dat het waarschijnlijk mijn moeder was, die me fijne feestdagen wilde wensen. En me eraan wilde herinneren dat hun vlucht op de achtentwintigste aankwam in New York en dat ze uiterlijk om vier uur bij mij zouden zijn, zoals ze me al minimaal zes keer had verteld sinds ze hun tickets had laten veranderen.

'Hallo,' zei ik, wachtend op de ruis die anders altijd voorafging aan een internationaal gesprek.

'Je bent thuis,' zei een geschrokken mannelijke stem.

Jonathan. Die mij belde. Op kerstavond nota bene.

Alsof hij zich net zo bewust was van de betekenis hiervan, begon hij meteen terug te krabbelen. 'Ik ging ervan uit dat je ergens anders feest aan het vieren was.'

Ik fronste mijn wenkbrauwen. De lafaard. Hij wist dat ik thuis zou zijn. Voor de draad ermee, wilde ik gillen.

'Hoor ik daar Mozarts Esultate Jubilate?'

'Ja,' antwoordde ik, op weg naar de stereo om het geluid zachter te zetten.

'O, het spijt me als ik stoor...'

Grijnzend bedacht ik dat ik Jonathan nu betrapte op hetzelfde onbeholpen gedrag dat ikzelf tentoon had gespreid toen ik in de vrieskou in een vlammend rode jurk voor zijn deur had gestaan. Verwachtingsvol, zonder al te veel te willen verwachten.

Ik besloot hem ietsje tegemoet te komen. 'Nee, nee. Ik ben alleen.' Omdat ik niet wilde dat hij dacht dat ik in dezelfde meelijwekkend eenzame toestand verkeerde als die avond dat ik in een baljurk voor zijn huis had gestaan, voegde ik eraan toe: 'Morgen ga ik wel feestvieren met de familie van mijn vriendin Angie, maar ik wilde deze avond voor mezelf houden. Je weet wel, cadeautjes inpakken en zo...'

'Natuurlijk,' zei hij, alsof dit voor hem volkomen vanzelfsprekend was.

'En jij?' vroeg ik.

'Ik?'

'Ja. Nog plannen?'

Hij schraapte zijn keel. 'Nou, ja, uiteraard. Dat wil zeggen, morgen ga ik naar mijn ouders. Ze wilden dat ik vanavond al zou komen, maar aangezien mijn broer en zijn gezin er al zijn, wilde ik de chaos niet nog groter maken. Je weet wel, met alle slaapplekken. Mijn broer en zijn vrouw hebben twee kinderen en... nou ja, ik zie ze morgen in elk geval allemaal. Ik wilde deze avond ook voor mezelf houden, net als jij.' Even zweeg hij. 'Eigenlijk vond ik kerstavond altijd...' Hij zocht naar de juiste woorden.

Ik besloot hem uit de brand te helpen. 'Romantisch?'

'Tja, nu je het zegt...' reageerde hij aarzelend.

Dat was precies wat ik wilde horen. Hij wilde bij mij zijn. Net zo graag als ik bij hem wilde zijn. 'Weet je wat? Ik heb een pan op het vuur staan...'

'Vis en schelpdieren?' vroeg hij.

Hij herinnerde het zich nog, dacht ik, hopend dat al onze gesprekken net zoveel indruk op hem hadden gemaakt als op mij. 'Ja, inderdaad,' antwoordde ik. Vervolgens greep ik de kans die hij me eindelijk – eindelijk! – had geboden. 'Zin om mee te eten?'

Ik moet toegeven dat ik ondanks mijn nonchalante uitnodiging lichtelijk over mijn toeren raakte, nadat hij die had aangenomen. Turend naar de berg cadeautjes op de vloer, besefte ik dat ik niets voor Jonathan had. Niet dat ik niet een massa dingen had gezien die ik hem wilde geven...

Deze gedachte verdween echter onmiddellijk naar de achtergrond na een snelle blik op de behaaglijke – lees: afgedragen – trui en versleten spijkerbroek die ik droeg. Vergeet dat cadeautje. Wat werkelijk een cadeauverpakking nodig had was... ik.

Ik snelde naar mijn slaapkamer, waar ik tot de ontdekking kwam dat ik mijn bed niet eens had opgemaakt, zo druk was ik geweest met de laatste aankopen. Vliegensvlug griste ik de rondslingerende kleren bij elkaar, mikte die in de rieten mand in de kast en trok vervolgens de lakens en het dekbed glad.

Helaas niet snel genoeg. Ik had amper de kans gekregen om mijn handen door mijn haren te halen, die nog warriger zaten dan normaal, laat staan dat ik eraan toe was gekomen iets verleidelijks aan te trekken, toen de zoemer klonk.

Verdorie, was hij hierheen komen rennen of zo? Ik wierp nog een vluchtige blik in de spiegel en besloot dat het er zo maar mee door moest; dit was ik...

Toen ik de deur opende, stond Jonathan daar met een fles wijn in de ene hand en het grootste boeket rode rozen dat ik ooit had gezien, in de andere. Zijn ogen namen me van top tot teen op, zoals ik daar stond in al dat kaarslicht, alsof ik de mooiste vrouw ter wereld was.

Dat was ik.

De rozen, zo vertelde hij me nadat we het diner van pasta en de voortreffelijke wijn die hij had meegenomen, op hadden, deden hem aan mij denken. 'Ik kon ze niet weerstaan,' bekende hij. Enigszins verlegen keek hij me aan.

We zaten op de grond in de zitkamer, onze borden op de salontafel, omdat we geen van beiden het hart hadden gehad om al die kaarsen van de eettafel te halen.

Misschien lag het aan de wijn, maar hij leek zijn normale afstandelijkheid te hebben verloren. Hij richtte zijn blik weer op mij. 'Ze deden me denken aan jou in die jurk. Je weet wel, die avond op de stoep voor mijn huis?'

Nu was het mijn beurt om verlegen te worden. Ik nam een flinke slok wijn voordat ik hem weer recht durfde aan te kijken, maar voelde me zo mogelijk nog ongemakkelijker. Ik opende mijn mond om tekst en uitleg te geven, maar dat bleek niet nodig.

'Dat was een vreemde avond,' ging hij verder, starend

in het kaarslicht. 'Ik kwam net terug van de universiteit. Het was al laat, en ik haastte me over de campus om een taxi te nemen, toen ik bij de promenade kwam. Heb je die ooit versierd met kerstverlichting gezien?'

Zwijgend knikte ik. Dat prachtige schouwspel stond me nog helder voor de geest.

'Dat deed me aan jou denken. Hoe mooi je bent. Bijna te mooi...' Hij pakte zijn glas op, waar hij zijn handen omheen sloeg alsof hij zich probeerde te vermannen. 'Ik had het gevoel dat jij een geschenk was. Een geschenk dat bijna te kostbaar is om aan te nemen...' Toen hij me aankeek, zag ik al het verdriet, al die eenzaamheid die ik vanaf het begin in zijn ogen had gezien. 'Dat was ook de reden waarom ik je moest laten gaan toen jij belde om te zeggen dat je het wat rustiger aan wilde doen. Ik had het gevoel dat ik je niets te bieden had. Jij hebt zoveel –'

'Maar dat heb jij ook,' bracht ik ertegen in.

Hij schudde zijn hoofd. 'Zo voelde ik dat niet. Ik dacht dat het het beste was om jou je eigen weg te laten gaan. Zodat je het geweldige, gelukkige leven kon leiden wat volgens mij voor jou was weggelegd. Maar ik miste je. Wat heet, ik miste je zo erg, dat ik bijna probeerde je op te roepen.' Glimlachend raakte hij mijn wang even aan. 'En plotseling was je daar. Voor mijn deur. Alsof een droom uitkwam. Je leek te wachten... op iets.' Zijn glimlach werd breder. 'Ondanks al dat gebabbel over nieuwe schoenen en Zabar, wist ik het, Grace. Ik wist dat je op mij stond te wachten. Dat je me nodig had. Dat verbaasde me in eerste instantie, totdat ik me realiseerde hoe goed ik het begreep. Hoe hard ik jou op mijn beurt nodig had.' Hij nam mijn handen in de zijne. 'Toen ik zag dat je er was, wilde ik er voor jou ook zijn.'

Volgens mijn vriendin Angie gebeurt alles met een bepaalde reden. Dus toen we op eerste kerstdag aan een overvloedig feestmaal aanzaten bij de DiFranco's in Brooklyn, en Angie tot de ontdekking kwam dat haar moeder de traditionele Italiaanse worstjes had vervangen door een kalkoenworst, vatte ze dat ook op als een heel slecht voorteken, met name gezien het fanatisme dat haar moeder altijd aan de dag legde als het om Italiaanse worstjes ging.

Uiteraard kon Angie dit niet onbesproken laten, omdat ze dit beschouwde als een poging van haar moeder om haar te dwingen een datum te prikken voor de grote dag, waarvan ze niet wist dat die al plaats had gevonden. Volgens Angie wilde haar moeder haar met de kalkoenworst het belang laten inzien van de juiste vleesproducten voor speciale gelegenheden. Zoals een huwelijk, bijvoorbeeld.

Dus besloot Angie de onderste steen boven te halen, zodra de rest van de familie in de woonkamer bij zat te komen van de copieuze maaltijd, en Angie, haar moeder en ik in de keuken stonden op te ruimen.

'Wat was dat nou met die worstjes, ma?' vroeg Angie, die het bord bijna uit Mrs. DiFranco's handen rukte om het af te drogen.

Mijn lach verbijtend, nam ik intussen op mijn gemak de eettafel af.

'Wat?' vroeg Mrs. DiFranco met grote onschuldige ogen. 'Vond je het niets?'

'Ik vind het niets dat jij me op stang probeert te jagen door middel van... vleeswaren.'

'Angie, ik heb geen idee –'

'Luister, ma, ik weet dat je die kalkoenworst alleen maar in de saus hebt gedaan om mij op de kast te jagen, omdat ik geen datum wil prikken voor de bruiloft bij Lombardi's. Maar ik heb je al eerder gezegd dat met de productie die in de lente begint –'

Met nauwelijks verholen woede draaide haar moeder de kraan dicht, waarna ze haar handen afdroogde. 'Jij denkt dat ik een perfecte maaltijd zou ruïneren om jou op de kast te krijgen?'

'Het was niet echt geruïneerd, hoor,' probeerde ik hen te sussen. Mrs. DiFranco maakte zo'n fabelachtige saus, dat die eigenlijk door niets geruïneerd kon worden.

Ze negeerden me allebei. 'Ja, dat denk ik,' verklaarde Angie. 'Sinds Justin en ik verloofd zijn, zit je aan mijn hoofd te zeuren over die... die bruiloft, en ik ben het zat!'

Mrs. DiFranco's gezichtsuitdrukking verhardde zich. 'Nou moet jij eens goed naar me luisteren, jongedame. Die kalkoenworst had niets met jou te maken. Die worst was speciaal voor je oma.'

Ik zag Angies gezicht knalrood worden, voordat ze wit wegtrok.

Zelfs ik hield mijn adem in.

'O, mijn hemel, ma. Is Nonnie wel in orde? Ik bedoel, zorgt ze niet goed voor zichzelf?'

'Natuurlijk wel. Daar zie ik wel op toe,' zei Mrs. DiFranco. 'Denk je dat ik niet voor mijn moeder zorg?' Ze snoof. 'Maar ze wordt er niet jonger op, Angie. Ze heeft niet het eeuwige leven. En met het tempo waarop jij dingen doet, is het nog maar de vraag of ze jouw bruiloft nog wel gaat halen!'

Angie kneep haar ogen tot spleetjes, en ik schoot bijna in de lach om Mrs. D's sluwheid. Het volgende moment barstte Angie uit: 'Nou, dan zal ik je eens vertellen, ma, dat Justin en ik al getrouwd zijn!' Om dat te bewijzen trok ze het kettinkje tevoorschijn waaraan haar trouwring hing en zwaaide dat fraaie stukje platina zowat voor haar moeders neus heen en weer.

Wat natuurlijk helemaal fout was. Want binnen een mum van tijd was het hele huis in rep en roer, omdat Mrs. DiFranco onmiddellijk naar de woonkamer snelde om het verraad van haar dochter ten opzichte van de hele familie wereldkundig te maken.

Nonnie was helemaal in haar sas en hees zich met Arties hulp omhoog van de bank om haar nieuwe kleinzoon, Justin, te omhelzen.

Sonny bescheurde zich.

Zijn vrouw, Vanessa, vroeg gekscherend of ze het espressoapparaat mocht houden dat ze voor hen had gekocht.

Angies broer Joey en Miranda, zijn vrouw, probeerden hun kinderen in bedwang te houden, die wild op en neer sprongen van vreugde dat ze nu de stijve kriebelende en uiterst ongemakkelijke bruiloftskleren niet aan hoefden die hun oma niet alleen voor hen had gekocht, maar waarin ze hen na een zondags etentje ook had gedwongen rond te paraderen door de woonkamer.

Baby Carmella begon te huilen door alle commotie, totdat Sonny haar van het tapijt oppakte om haar te kalmeren.

Mrs. DiFranco wendde zich tot mij, alsof ze hoopte dat ik als enige me aan haar kant zou scharen, omdat ik in elk geval geduldig had toegestaan dat ze me alle foto's van bruidsjurken liet zien die ze uit diverse tijdschriften had gescheurd. 'Grace! Wist jij hiervan?'

'Ja,' gaf ik schuldbewust toe.

'En wat vind je daarvan?'

Glimlachend keek ik naar Angie en Justin, die arm in arm stonden, alsof ze zich schrap zetten voor de woedeuitbarsting die ongetwijfeld in Mrs. D's binnenste bezig was op te borrelen.

'Ik denk... Ik denk dat ze samen heel gelukkig zullen zijn. Heel lang.'

Net zoals ik erop vertrouwde dat ik heel lang heel gelukkig zou zijn, na mijn romantische kerstavond met Jonathan.

Niet dat ik wist wat er zou gebeuren met Jonathan en mij, maar we hadden kerstavond tenslotte samen doorgebracht. En kerstavond ging om het koesteren van hoop, toch?

'Het is een bedelarmbandje,' zei mijn moeder toen ik het luxedoosje dat ze uit haar koffer had gehaald, had uitgepakt. De vloer van mijn appartement lag bezaaid met cadeautjes die zij en mijn vader vanuit Parijs hadden meegezeuld, wat verbazingwekkend genoemd mocht worden voor mijn normaal zo zuinige moeder.

We zaten in mijn woonkamer, waar we na het eten dat ik had laten bezorgen, uren hadden gepraat. Over Kristina. Over haar familie in Brooklyn, die ik een bezoekje had gebracht na mijn etentje bij de DiFranco's.

Het was een rustige avond geweest – alleen ik, Katerina en Sasha – maar ze waren dolblij geweest dat ik langs was gekomen. Ik geloof dat Katerina het had beschouwd als een soort eerbetoon aan haar zus, en zodra Sasha over haar gebruikelijke stekeligheid heen was geweest, had ook zij er troost uit geput. Pas toen had ik me gerealiseerd hoe moeilijk mijn halfzus het had en had ik begrepen dat ik voorheen haar verdriet net zomin als het mijne onder ogen had gezien. Ik wist niet wat het was om een moeder te verliezen zoals Sasha was overkomen, maar ik begreep nu dat gevoel van verlatenheid beter dan ooit tevoren. Ook besefte ik dat ik niet alleen iets voor Sasha kon betekenen, maar dat zij mij ook een wijze les kon leren. Het vertrouwen dat ondanks al het verdriet dat het leven met zich meebracht, er ook altijd hoop was. Hoop die ik in haar ogen had gezien toen ze precies toeschietelijk genoeg was geworden om mij te laten zien dat ze behalve een stuurse tiener ook een creatief talent was dat sieraden maakte voor al haar vriendinnen – en die op een dag ook hoopte te kunnen verkopen. Ze had me zelfs een armbandje gegeven in ruil voor de Roxy D-monsters die ik voor haar had meegenomen. Haar reactie op mijn cadeautje was echter nog niets geweest vergeleken bij de dolenthousiaste blik in haar ogen, toen ik haar had verteld dat ik niet alleen had meegewerkt aan de campagne waarin Irina deze lente de hoofdrol speelde, maar dat ik het supermodel ook had ontmoet. Uiteraard was Sasha een fan van haar. Dat was immers iedere vrouw onder een bepaalde leeftijd. Ik geloof dat Sasha zelfs fan van mij was geworden toen ik had beloofd dat ik haar aan haar idool zou voorstellen. Irina werd in januari namelijk twintig, en volgens de uitnodiging die ik had ontvangen, gaf ze een knalfeest in een van de hipste nieuwe clubs in New York City. Tenslotte verdient iedere vrouw het de volgende fase in haar leven feestelijk in te luiden. En aangezien het volgens de berichten een megafuif werd, wist ik zeker dat Irina het niet erg zou vinden – of het niet zou merken – als ik een extra gast meenam, of twee...

'Vind je het mooi?' vroeg mijn moeder, terwijl ik de prachtige bedeltjes tussen mijn vingers nam die aan een stevig gouden armbandje hingen. 'De dame in de juwelierszaak zei tegen me dat bedelarmbandjes momenteel een rage zijn in Parijs!'

Toen ik opkeek, zag ik de mengeling van hoop en ongerustheid in mijn moeders ogen, waarop ik voor het eerst besefte dat ze nerveus was over het cadeau. Alsof ik het niet zou accepteren. Of haar...

'Het is prachtig,' zei ik, waarna ik haar stevig omhelsde.

'Zie je wel, ik zei toch dat ze het mooi zou vinden, Serena. Al die zorgen om niets!' Mijn vader glimlachte ons toe vanuit de leunstoel tegenover ons. Uiteraard waren alle zorgen die mijn vader zich om mij maakte als sneeuw voor de zon verdwenen zodra ik mijn ouders had verteld over mijn kerstavond met Jonathan. Bij het zien van de hoopvolle blik in mijn vaders ogen, had ik ineens het vermoeden gekregen dat hij vanaf het begin de rol van de grote koppelaar op zich had genomen.

Mijn moeder negeerde zijn opmerking en raakte de bedeltjes een voor een aan, alsof ze wilde uitleggen waarom ze me dit cadeau had gegeven. 'Dit is een klein schilderspaletje. Weet je nog dat je als klein meisje zo dol op schilderen was?'

Glimlachend bekeek ik het schitterende gouden bedeltje. 'Ja, dat weet ik nog.'

'En dit is een klein kalendertje. Zie je de datum die daarop is aangegeven?'

Ik hield het dichterbij in de verwachting dat het mijn geboortedatum zou zijn, wat gebruikelijk was voor dit soort bedeltjes. Het kleine gouden plaatje was echter een kalender voor de maand mei. De datum die met een klein hartje was aangegeven, was de vijfde. 'Dat begrijp ik niet...'

'Dat is de dag waarop jij bij ons kwam, liefje,' zei ze met een stralende blik op mij. Vervolgens keek ze mijn vader met gefronst voorhoofd aan. 'Waarschijnlijk betekent die datum voor ons meer dan voor Grace. Misschien hadden we toch dat verjaardagsbedeltje moeten nemen, zoals je voorstelde...' Nu keek ze mij weer aan en zuchtte. 'Het is gewoon dat die dag in mei... Dat was een van de gelukkigste dagen in ons leven...'

Tranen welden op in mijn ogen, want hoewel ze me het verhaal al wel honderd keer had verteld, leek het alsof ik het nu voor de eerste keer hoorde.

'En dit hier is een G. Van Grace, natuurlijk,' ging ze verder. 'Je weet toch waarom we je Grace hebben genoemd, hè?'

'Naar Grace Kelly,' zei ik, naar mijn vader kijkend voor een bevestigend knikje. Hij was tenslotte degene die me als kind altijd prinses Grace had genoemd.

Mijn moeder maakte een wuivend gebaar. 'Hoe konden wij nu weten dat je zo op haar zou gaan lijken? Alleen ben jij knapper,' zei ze met een knipoog. 'Nee, nee. We hebben je Grace genoemd omdat het "geschenk van god" betekent. En jij was per slot van rekening ons wondertje. Dat ben je nog steeds.' Hierna omhelsde ze me zo stevig, dat het leek of ze me nooit meer los zou laten. 'Dat weet je toch, Grace?' fluisterde ze in mijn oor. 'Zeg me alsjeblieft dat je dat weet.'

'Dat weet ik,' zei ik, me koesterend in haar omhelzing. 'Dat weet ik heel goed.'

Op dat moment wist ik zeker dat mijn leven een geschenk was.

Een prachtig geschenk – al zei ik het zelf.

Ook verschenen bij Red Dress Ink:

Terug bij af – Karen Templeton

Van de ene op de andere dag is Ginger een aanstaande armer, haar baan kwijt en een hond rijker. En alsof dat nog niet genoeg is, steken haar bovenburen hun appartement in brand, zodat ze ook nog eens dakloos raakt. Uiteindelijk zit er nog maar één ding op: intrekken bij haar lieve, excentrieke moeder om daar rustig haar wonden te likken. Nou ja, rustig...

ISBN *90 8550 963 7 – 368 pagina's – €7,50*

Seks, moord en een Vanilla Latte – Kyra Davis

Thrillerauteur Sophie Katz weet alles van moord en doodslag, maar wordt toch nerveus als ze enge telefoontjes krijgt en haar auto wordt vernield. Dat overkwam de heldin in haar laatste boek namelijk ook allemaal, en die is uiteindelijk bloedig aan haar eind gekomen! Gelukkig kan haar nieuwe vlam, Anatoly Darinsky, haar beschermen. Ware het niet dat hij zich nogal verdacht gedraagt...

ISBN *90 8550 961 0 – 320 pagina's – €7,50*